L'ÉMANCIPATION DES FEMMES
À L'ÉPREUVE DE LA PHILANTHROPIE

Logiques historiques
Collection dirigée par Dominique Poulot

La collection s'attache à la conscience historique des cultures contemporaines. Elle accueille des travaux consacrés au poids de la durée, au legs d'événements-clés, au façonnement de modèles ou de sources historiques, à l'invention de la tradition ou à la construction de généalogies. Les analyses de la mémoire et de la commémoration, de l'historiographie et de la patrimonialisation sont privilégiées, qui montrent comment des représentations du passé peuvent faire figures de logiques historiques.

Déjà parus

Corinne Belliard

L'ÉMANCIPATION DES FEMMES À L'ÉPREUVE DE LA PHILANTHROPIE

To Charles, Alexandra
and David,

Hope you will enjoy
the reading.

Corinne
January 13th, 2010

L'Harmattan

Photos de couverture : Béatrice Webb et Léonie Chaptal.

© L'Harmattan, 2009
5-7, rue de l'Ecole polytechnique, 75005 Paris

http://www.librairieharmattan.com
diffusion.harmattan@wanadoo.fr
harmattan1@wanadoo.fr

ISBN : 978-2-296-09199-3
EAN : 9782296091993

A Claude Meillassoux,
mon bel et cher amour.

INTRODUCTION

La philanthropie induite au XIXe siècle par l'industrialisation en Angleterre et en France a-t-elle été le moyen pour les femmes de bonne condition de sortir de leur confinement domestique séculaire ou, au contraire, a-t-elle fonctionné comme un piège ? Telle est la question pensée dans ce livre.

Cette lecture de l'archive philanthropique ne propose pas une nouvelle histoire de la charité mais plutôt une réflexion sur la spécificité des femmes philanthropes. C'est une étude transversale qui s'appuie à la fois sur l'histoire de la charité et sur celle des femmes. Elle permet de remettre en cause les modes traditionnels de pensée sur le sexe et les rapports entre les sexes assurant la sphère privée aux femmes et le domaine public aux hommes. Il s'agit en réalité d'interpréter des formes de pouvoir, de montrer que l'action philanthropique s'inscrit dans un complexe social et politique.

Dans l'état actuel de la recherche, les sciences sociales considèrent l'activité philanthropique des femmes des classes supérieures comme un apprentissage à l'action sociale et à la vie publique. Certes la charité n'était pas étrangère aux femmes avant le XIXe siècle. Si elle fut d'abord exercée surtout par les ordres monastiques masculins, les religieux furent rejoints dans cette tâche par des femmes des béguinages et des ordres féminins. Au XVIIIe siècle, saint Vincent-de-Paul avait créé "Les Filles de la charité". Au XIXe siècle, les industriels essayent de tempérer les tensions sociales provoquées par leurs entreprises en rapprochant les femmes de leurs milieux des pauvres.

La rencontre des pauvres et des femmes pose la question de l'inscription de ces dernières dans un nouvel espace social. Quel modèle bourgeois et aristocratique représentent-elles pour les pauvres ? Sur quoi leurs liens avec les pauvres reposent-ils ? Quelle est la mission de ces "femmes d'intérieur" ? Comment peuvent-elles être appelées à transcender les différences de classes et être maintenues au centre de la famille ? De quelle manière les femmes des classes dominantes concilient-elles le paternalisme, un idéal qui leur est "familier", et la relation avec les pauvres ? Comment subir la tutelle affectueuse mais imperturbable de l'homme, père, frère aîné ou époux, et agir "maternellement", ou plutôt "sororalement" envers les pauvres ? Les femmes bien nées sont-elles en même temps le produit et les apôtres du paternalisme ?

L'engagement féminin dans la philanthropie soulève plusieurs autres questions de fond. La sortie des femmes de leur foyer dans le but de participer aux activités philanthropiques incite à première vue à voir dans cet engagement une avancée pour le sexe féminin. Pour autant remettra-t-elle en cause les préjugés relatifs aux hommes et aux femmes ? Sera-t-il possible à ces dernières de prendre leurs distances par rapport à la famille et à la gent familiale et masculine auxquelles elles sont soumises ? Seront-elles invitées à se construire et à s'organiser selon des initiatives qui leur soient propres ? Contribueront-elles à la résolution d'un problème de société et en tireront-elles parti pour elles-mêmes ? La pratique philanthropique est-elle un pouvoir émancipateur ? Est-elle l'occasion d'une avancée sans équivoque vers la libération des femmes ?

Toutes ces questions commandent le plan de cet ouvrage divisé en deux parties. La première, intitulée "Qui sont les pauvres ?", présente rapidement le contexte historique dans lequel émerge la philanthropie dite "scientifique". La seconde plus conséquente, nommée "Que sont les femmes ?", en raison d'une conjoncture qui les renvoie à la permanence de leur physiologie, tente d'analyser la philanthropie comme facteur de promotion sociale. Cette analyse s'appuie sur l'étude d'un volume considérable d'archives constituées sous forme de livrets brochés, d'environ 250 à 500 pages chacun, demi-format, réunissant plusieurs années.

La richesse du fonds d'archives de la Charity Organisation Society (COS) créée en 1870 est révélatrice de la place éminente de cette association en Grande-Bretagne. Elle permet d'apprécier à sa juste valeur la mobilisation des femmes dans le monde philanthropique. Sans se laisser aller à un comparatisme sauvage, mais au contraire pour mesurer davantage la place des femmes, il s'est avéré utile d'introduire dans le raisonnement une autre association philanthropique, française, l'Office Central des Œuvres de Bienfaisance (OCOB), fondée en 1890.

La comparaison de deux modèles, l'un britannique et l'autre français, offre à la fois l'opportunité de découvrir le rôle et l'influence politique et sociale des associations philanthropiques et de mettre en lumière la condition des femmes des classes supérieures. Chargées de faire des enquêtes sur les œuvres charitables de toute nature, afin de les fédérer, la COS et l'OCOB permettent de s'interroger sur l'action des femmes charitables situées dans la hiérarchie des sexes.

Cette approche atypique de l'archive philanthropique s'organise autour de l'interférence d'une classe sociale et d'un sexe, autrement dit autour de l'opposition de deux catégories hétérogènes : d'un côté, on appréhende une classe sociale dans son ensemble, celle des pauvres, et de l'autre une fraction du sexe féminin appartenant aux classes favorisées. Cette fraction des femmes est elle-même placée dans un rapport de subordination à l'égard de sa contrepartie masculine. Or, si les pauvres sont l'objet de préjugés de classes, les femmes ne cessent d'être, dans leur milieu, victimes de préjugés de sexe.

Le présent ouvrage n'a pas l'ambition de présenter un document "féministe", mais plus modestement d'apporter les éléments d'une contribution à l'histoire sociale des femmes. Il n'a d'autre objet que d'enrichir une réflexion sur un terrain déjà largement prospecté, mais toujours ouvert à d'autres avancées qui permettront peut-être d'anticiper le moment toujours attendu de leur indépendance. La démonstration tentée ici consiste à juger du pouvoir émancipateur des associations philanthropiques.

PREMIÈRE PARTIE

LES PAUVRES

"Il est bon d'être charitable :
Mais envers qui ? C'est là le point."
Jean de La Fontaine, *Fables* (1668 à 1694), "Le villageois et le serpent".

QUI SONT LES PAUVRES ?

Selon Alain Rey, dans le *Dictionnaire Historique de la Langue Française*, (1992), le mot 'pauvre' serait issu de la forme 'povre' (1050) du latin *pauper*, 'nécessiteux', "probablement analysable comme *pau-per-os,* d'abord dit de la terre et des animaux"... Le mot serait du même groupe que *paucus*, "petit, court, en petit nombre" (…) En français (…) "dès le XIIe siècle (1176-1181) 'povre' qualifie par dépréciation une réalité concrète qui n'a pas de valeur, piètre, pitoyable et quelque chose qui n'a ni valeur ni importance (1181)". Le mot présenterait "un radical vocalique fréquent dans les mots qui indiquent une infirmité, une faiblesse". "La forme 'pauvre' a supplanté 'povre' au XVIe siècle." 'Pauvre' est synonyme d'‘indigent', 'nécessiteux'.

La 'nécessité', le 'besoin' apparaissent dans la plupart des dictionnaires comme caractérisant la pauvreté. Pour Antoine Furetière (1690) le 'pauvre' est celui "qui n'a pas de biens, qui n'a pas les choses nécessaires pour sustenter sa vie ou soutenir sa condition."(…) Pauvre se dit en ce sens et selon le même auteur "des Princes, des Seigneurs qui sont fort incommodés en leurs affaires, qui ne peuvent pas paraître avec l'éclat qui leur convient". Il ajoute que "pauvre se dit aussi de tout ce qui est vil et méprisable" ainsi que "des affligés ou misérables qui attirent de la compassion." Dans le *Dictionnaire de la Langue Française* d'Emile Littré, (1877), 'pauvre' signifie "celui qui est dans la misère, mendiant", tandis que pour *le Grand Larousse Encyclopédique* (1963), le pauvre est "dépourvu ou mal pourvu du nécessaire, de ressources suffisantes"; il peut "inspirer la commisération". "Selon le *Grand Dictionnaire Encyclopédique Larousse* (1984), le pauvre est un "homme dans le besoin, indigent, misérable" ou une "personne pour qui on éprouve de la compassion". Dans le *Trésor de la Langue Française*, (1986), 'pauvre' est employé comme substantif masculin pour désigner "une personne qui n'a vraiment rien pour vivre, qui est dans la misère" et comme substantif pluriel pour nommer "l'ensemble des gens pauvres". *Le Grand Robert* (1994 définit le pauvre comme "celui qui manque du nécessaire, qui est dans le besoin ou dans la misère".

On peut constater ici deux changements : celui par lequel la relativisation sociale de la pauvreté disparaît après Furetière qui acceptait que princes et seigneurs puissent être considérés comme 'pauvres', et une faible évolution de la notion de 'pauvre' qui se définit par la 'misère' dans le Littré, mais aussi par le 'besoin' dans le Robert.

Dans une perspective idéaliste, le *Dictionnaire des Symboles* (1982) déplace la "pauvreté" vers un renoncement et la définit positivement comme "... une progression spirituelle par le dépouillement, par un retour à la simplicité de l'enfance (...)".

Poor, en anglais, possède un sens très proche du français. *The Oxford Dictionary of English Etymology* (1996) indique qu'il s'agit de personnes "ayant peu ou aucune possession". *The Shorter Oxford English Dictionary on Historical Principles,* (1975), ajoute à cette définition "ayant besoin de moyen pour se procurer du confort, ou les nécessités de la vie, besogneuse, destitué ; (...) placé dans de telles circonstances qu'il suscite la compassion ou la pitié." Pour le *Webster's Third New International Dictionary,* (1981), le 'pauvre' est "celui qui n'a pas de possessions matérielles : subsistant sans les luxes ou souvent les nécessités de la vie, ayant peu d'argent".

Ces définitions lexicales du "pauvre", toutes rapportées à un fait d'économie et non à un trait de caractère, ne prendront tout leur sens que dans le contexte social.

Le mot "pauvre(s)" est employé dans cette thèse comme substantif désignant une personne ou un ensemble de personnes dépourvues des moyens matériels de subvenir à leurs besoins pour entretenir la vie à terme jusqu'à un âge culturellement acceptable.

CHAPITRE I

LES CIRCONSTANCES ÉCONOMIQUES ET SOCIALES

En Grande-Bretagne comme en France, les rapports entre riches et pauvres ont toujours été empreints non seulement d'iniquité mais aussi de mépris, de gêne et de peur. Ignorer la misère est le premier réflexe simple et immédiat ; trouver une solution est une réaction seconde et plus débattue. Pour en venir aux rôles qu'ont joués à leur égard des femmes des classes supérieures ou moyennes, il faut entrer à la fois dans la sordidité des miséreux et dans la mythologie relative aux femmes.

Nous nous proposons de comprendre dans ce chapitre les circonstances historiques et sociales dans lesquelles s'est développée la pauvreté en France et en Grande-Bretagne, et quelles solutions on lui a apporté.

1. En Grande-Bretagne

Les pauvres semblent avoir été une constante de l'histoire de la Grande-Bretagne. Ils apparaissent avec la constitution des immenses baronnies des envahisseurs normands. Lorsque le servage disparaît en Angleterre vers la fin du XIVe siècle, les serfs deviennent des paysans partiels qui, pendant le temps libre laissé par la culture de leurs champs, se louent au service des grands propriétaires. Ils jouissent alors de l'usage des biens communaux qui leur fournissent le bois de chauffage et de cuisson, des produits alimentaires de collecte et des zones de pacage pour leur bétail. C'est

"la crise du XVIe siècle, liée à la baisse des revenus, qui place les seigneurs féodaux devant deux formes d'évolution du système agraire : soit l'exploitation intensive fondée sur de nouvelles cultures industrielles et l'élevage, soit une forme extensive fondée sur le travail gratuit (redevances des paysans versées aux seigneurs sur le produit de leurs terres). Cette exploitation fut appelée "le second servage des paysans"'[1].

Lorsque la prospérité des villes prend son essor dans le dernier tiers du XVe et le début du XVIe siècle, les seigneurs s'emparent des biens communaux pour y élever des moutons dont la laine est fort demandée par les manufactures flamandes. Les maisons des paysans dépossédés sont rasées. Henri VIII (1491-1545), soucieux du développement de la production lainière, se garde d'appliquer avec rigueur les lois contre les clôtures qui, en permettant l'élevage, "dépeuplent" certains cantons du royaume et chassent les fermiers et journaliers de terres vouées à la culture des céréales. La royauté cherche néanmoins à mettre un frein à la dépossession des paysans qui vide le royaume au profit de quelques propriétaires, mais le mouvement est à peine ralenti malgré une enquête mise en œuvre en 1517[2].

La transformation de ces domaines agricoles jette sur les routes une masse de paysans expropriés, "sans feu ni lieu"[3]. Francis Bacon[4] s'inquiète à cette occasion de la diminution des populations rurales d'où proviennent les recrues militaires.

Une relance de l'expulsion violente a encore lieu cependant au XVIe siècle, lors de la Réforme d'Henry VIII, qui provoque l'expropriation des biens d'Eglise et leur revente à des spéculateurs[5]. De surcroît, "les dons charitables auraient diminué en valeur réelle après la réforme"[6]. Privées brutalement de leurs moyens de vivre, les familles paysannes forment une foule de mendiants et de vagabonds qui sont impitoyablement châtiés comme tels, par le fouet, la mutilation, la mise en esclavage ou la mort en vertu de lois sans cesse aggravées depuis Henry VIII, et qui ne sont abolies qu'en 1714. Douze mille vagabonds sont exécutés sous le seul règne d'Henry VIII[7],

---

1 Bronislaw Geremek, 1978, *La potence ou la pitié : l'Europe et les pauvres du Moyen Age à nos jours*, Paris, Gallimard : 125.
2 Roland Marx, 1998, "Henri VIII d'Angleterre", in *Enc. Univ.*
3 Robert Castel, 1995, *Les métamorphoses de la question sociale - une chronique du salariat*, "La société cadastrée", Paris, Fayard : 71-108, André Bourde, 1988, "Elisabeth Ire", in *Enc. Univ.* Voir aussi Karl Marx, 1965, *Œuvres, Economie I*, Paris, Gallimard, La Pléiade.
4 Chancelier et philosophe britannique (1561-1626), cf. *Enc. Univ.*, 1998.
5 Roland Marx, 1998, "Henri VIII d'Angleterre", in *Enc. Univ.*, 1998.
6 Asa Briggs, 1987, *A Social History of England, London*, Pelican : 126. Voir aussi l'article "Poor Laws" in *Encyclopedia of the Social Sciences*, 1963, New York, The Macmillan Company.
7 Selon Alexandre Vexliard, 1956, *Introduction à la sociologie du vagabondage*, cité par Robert Castel, 1995 : 146. D'autres avancent soixante-douze mille victimes sous ce règne, dont Raphael Hollinshed, (1580) *Description of England*, vol. I : 186, cité par Karl Marx,

initiateur d'un premier mode historique du traitement de la pauvreté : l'extermination des pauvres.

Le paupérisme croît dans de telles proportions que "la législation nationale sur le sujet se complique. Ainsi, une loi de 1531 distingue entre les vagabonds, les malades et les pauvres chômeurs. Seuls les derniers sont autorisés à mendier dans leur propre paroisse, tandis qu'une loi de 1552 ordonne à celles-ci d'enregistrer leurs pauvres et de faire face à leurs responsabilités selon les ressources locales disponibles. L'évolution de cette politique culmina dans les importantes législations élisabéthaines (lois des pauvres) de 1597 et 1601 (...)"[8]. Ces lois

> "reconnaissaient que les pauvres n'appartenaient pas tous à la même catégorie ; elles confirmaient la paroisse comme l'unité administrative de la Loi des Pauvres, et donnaient pouvoir aux justices de paix de lever une taxe des pauvres et de payer pour les travaux accomplis par les pauvres valides. Cette législation élisabéthaine, connue comme 'l'ancienne Loi des Pauvres', resta en vigueur, avec quelques changements (dont certains substantiels) jusqu'en 1834."[9] (…)

> "Les surveillants des pauvres, maintenant nommés chaque année par les juges locaux sous peine d'amende, prirent place aux côtés des marguilliers en tant que préposés locaux actifs et bénévoles."[10]

La pauvreté est longtemps régie en Grande-Bretagne par cette Loi instituant à la fin du XVIIe siècle l'enfermement des indigents dans des *workhouses,* des maisons de travail. L'individu sans ressources demandant une aide est confiné dans ces établissements où il est employé à des tâches, parfois futiles, pour lesquelles il reçoit une aide en nature. L'hypothèse de la Loi des Pauvres est que la stabilité de la famille conjugale étant la norme, l'épouse[11] doit être traitée, non comme une individualité autonome, mais comme dépendante de son "homme". L'attitude de la Loi des Pauvres envers les mères, mariées ou non, est que les gains des femmes ne sont pas essentiels à l'économie de la famille.[12] La *Loi des Pauvres (Poor Law legislation)* est l'objet d'amendements nombreux :

1965 : 1193. Raphael Hollinshed est aussi l'auteur des *Chronicles of England, Scotlande and Ireland* (3 vol.) publiés entre 1557 et 1586. Idem Karl Marx, 1965, note [a] : 1173.
8 Asa Briggs,1987 : 126.
9 Idem.
10 Asa Briggs,1987 : 127.
11 [et ses enfants].
12 Pat Thane, 1978, "Women and the Poor Law in Victorian and Edwardian England" in *History Workshop Journal*, n° 6, Autumn : 33.

"une loi de 1662 sur la résidence donnait pouvoir à tout juge de paix, sur plainte des Surveillants des pauvres, d'expulser tout nouveau venu sans moyens personnels dans une paroisse, pour le renvoyer dans la dernière paroisse où il s'était installé, une mesure destinée à traiter l'entière population des pauvres comme ne l'étaient auparavant que les truands et les vagabonds"[13].

Une loi de 1723 sur les *workhouses*[14] autorise les paroissiens à refuser un secours aux pauvres qui ne veulent pas se soumettre au régime du travail obligatoire[15]. C'est aussi dans ce cadre légal que fonctionnent les écoles d'apprentis, dont Dorothy George décrit certains abus parfois terribles[16].

Pour comprendre la portée économique de la pauvreté, il faut savoir qu'elle n'est pas seulement, en Grande-Bretagne, un accident de l'histoire, c'est aussi un moyen d'enrichissement pour les classes dominantes. Sous Elisabeth Ire (1533-1603), des propriétaires et fermiers proposent, dans la perspective de la Loi des Pauvres, de construire une "prison" dans chaque paroisse, où "tout pauvre qui ne voudra pas s'y laisser enfermer se verra refuser l'assistance"[17], quiconque voudra l'embaucher soumettra des "propositions cachetées, indiquant le plus bas prix auquel il voudra nous en débarrasser"[18]. "Ceci, nous l'espérons, concluaient-ils, va empêcher les misérables d'avoir besoin d'être assistés[19]".

"Si vous voulez que les *cottagers* (paysans logeant sur les terres du seigneur) restent laborieux, disaient les fermiers, maintenez-les dans la pauvreté[20]". Les raisonnements du révérend J. Townsend confirment cet objectif. Au lieu de l'obligation légale du travail, il préconise la faim qui "(...) est non seulement une pression paisible, silencieuse et incessante, mais comme le mobile le plus naturel du travail et de l'industrie, elle provoque aussi les efforts les plus puissants"[21]. Dans ces conditions, on considère que "les lois pour le

---

13 Asa Briggs, 1987 : 170.
14 Les *workhouses* se sont multipliées en Grande-Bretagne au XVII[e] siècle pour atteindre le nombre de 200 dans la première moitié du XVIII[e] siècle.
15 Bronislaw Geremek, 1978 : 27.
16 Dorothy George, 1976, *London Life in the Eighteenth Century*, Harmondsworth, Penguin : chapitre 5.
17 Karl Marx, 1965 : 1177.
18 Idem.
19 Idem.
20 Idem : 1181 note [c].
21 *A Political Enquiry into the consequence of enclosing waste Lands A dissertation on the Poor Laws*, by a Well-wisher of mankind, the Reverend Mr J. Townsend., 1786, cité in Karl Marx, 1965 : 1164.

secours des pauvres tendent à détruire l'harmonie et la beauté, l'ordre et la symétrie de ce système que Dieu et la nature ont établi dans le monde[22]."

Par contre, moins inhumain que ces projets, le *Speen-hamland System* (défini dans un bourg de ce nom en 1795 par les magistrats du Berkshire) prévoit que dans chaque paroisse, à côté de l'aide qu'apporte l'asile local aux plus nécessiteux, une aide à domicile et en espèces, indexée sur le prix du blé, puisse être accordée aux pauvres de la commune[23]. "Dans plusieurs régions du pays des magistrats locaux décidèrent aussi d'accorder une aide à domicile aux pauvres lorsqu'une mauvaise récolte provoquait une forte augmentation du prix du blé (…)"[24].

L'évacuation des terres des nobles par expropriation des paysans se poursuit encore au début du XIXe siècle : entre 1814 et 1825 la duchesse de Sutherland remplace sur ses terres 15.000 paysans par 131.000 moutons. Ailleurs, c'est la passion de la chasse qui agit pour expulser les paysans qui ne trouvent à émigrer que vers les villes manufacturières.

A ce déplacement de population, s'ajoute une poussée démographique sans précédent, consécutive à une "prodigieuse élévation des rendements agricoles"[25] accompagnant "la grande prospérité victorienne qui s'étend de 1851 à 1873[26]." Mais, les manifestations concrètes de cette croissance démographique qui se concentre surtout dans les villes en donnent une image massive, terrible mais trompeuse quant à ses véritables effets. Thomas Malthus (1766-1834) prétend qu'une population paupérisée engendre

---

22 Idem.
23 Francoise Barret-Ducrocq, 1991, *Pauvreté, charité et morale à Londres au XIXe siècle - une sainte violence*, Paris, Presses Universitaires de France : 92. Voir aussi Asa Briggs, 1987 : 206, Eric J. Hobsbawn, 1968, *Industry and Empire*, Harmondsworth, Penguin Books : 104, Edward P. Thomson, 1963, *The Making of the English Working Class*, Harmondsworth, Penguin Books : 73, 247-48. Selon Christian Topalov, 1994, Naissance du chômeur 1880-1910, Paris, Albin Michel : 197, 198, 199, 484, note 17, depuis les années 1960, un débat divise les historiens sur le contenu et l'application de la Poor Law de 1601.
24 Asa Briggs, 1987 : 206.
25 François Bedarida, 1990, *La société anglaise du milieu du XIXe siècle à nos jours*, Paris, Seuil : 47.
26 Idem : 24. Voir annexe 7, les pyramides démographiques; Jacques Vallin et Caselli Graziella, 1999, "Quand l'Angleterre rattrapait la France", in *Population et Sociétés*, n° 346, mai, Institut National d'Etudes Démographiques.

fatalement une "surpopulation absolue"[27] qui, en raison de l'incapacité innée de ceux qui la composent à contrôler leur natalité, est vouée à croître au-delà des ressources alimentaires. William Godwin (1756-1836) chercha à relativiser cette vision pessimiste.

William Godwin (1756-1836)

Écrivain et philosophe anglais, William Godwin fut élevé dans la plus pure tradition puritaine. En 1780 un de ses amis républicains lui fit connaître les philosophes français, ce qui l'éloigna de la foi. Thomas Malthus polémique contre lui et l'attaque dans son *Essay on the Principle of Population* (1798). William Godwin devait répondre en 1820 avec *Of Population : An Answer to Malthus* et repréciser ses thèses relatives à la démographie dans *Political Justice*. Le noyau de son œuvre est *An Enquiry Concerning the Principles of Political Justice, and its Influences on General Virtue and Happiness* (1793). Ne croyant pas aux principes innés, et pensant que l'homme est formé par son environnement, William Godwin conclut à la perfectibilité de l'espèce humaine. Influencés par lui, certains écrivains tirèrent de ses œuvres les fondations des doctrines mutuellement contradictoires du communisme et de l'anarchisme.[28]

A l'aube du XIXe siècle, l'installation considérable des "pauvres" prend place dans les villes sous l'effet de l'industrialisation croissante, de la concentration urbaine et de la misère. Eric Hobsbawm[29] voit dans la Grande-Bretagne de 1871-1873, un "pays de travailleurs" dont 77 % de la population appartient à la classe laborieuse. L'Angleterre se découvre composée de "deux nations : celle des riches et celle des pauvres".

> "Deux nations, entre lesquelles il n'y a ni relations ni compassion; chacune aussi ignorante des habitudes, des pensées et des sentiments de l'autre que si elles proviennent de régions lointaines ou (...) [comme si elles] habitaient des planètes différentes, deux nations élevées selon différentes écoles, nourries d'aliments

---

27 Malthus confond "surpopulation absolue" et "surpopulation relative" résultant de la mauvaise répartition des subsistances. Francis Geandreau et al., 1991, *Les spectres de Malthus*, Paris, Orstom, EDI, CEPED.
28 *Enc. Univ.* 1998.
29 Eric J. Hobsbawm, 1968 : 154.

étrangers, commandées de différentes manières et non gouvernées par les mêmes lois."[30]

L'une de ces "nations" est l'aristocratie, qui possède la terre et en consomme la rente. L'autre "nation" est celle des pauvres. Bien que la première soit "pleine de richesse", comme le constate l'essayiste et historien Thomas Carlyle, l'autre meurt d'inanition. "Quinze millions de travailleurs, parmi les plus forts, les plus habiles et les plus coopérants de la Terre (...) ne peuvent y toucher"[31].

> "De ces habiles travailleurs accomplis, quelque deux millions, on les a comptés, stagnent dans les maisons de travail *(workhouses)*, dans les prisons de la Loi des Pauvres, à moins qu'on ne leur jette leur "pitance à domicile" *(outdoor relief)* par-dessus le mur."[32]

Plus tard une transformation survient dans le monde des "pauvres" quand se développe l'industrie et surtout le salariat à l'époque victorienne, et qu'une partie des pauvres constitue un *residuum,* la fraction réputée irrécupérable du prolétariat, mal payé ou sans travail, "vivant au seuil de l'indigence"[33].

2. En France

Le traitement de la pauvreté en France ne s'axe pas comme en Grande-Bretagne sur une législation répressive centrale. Sous l'Ancien Régime, les institutions révèlent cependant une réprobation et une distance sociale qui n'est guère différente, dans leur esprit, des lois anglaises, et qui transparaît dans les modes d'intervention qui prévalent alors.

Ce sont les mêmes problèmes que ceux confrontés par leurs homologues anglais que doivent résoudre les bienfaisants en France : le partage des bons et des mauvais pauvres, les causes de la pauvreté, la nécessité de donner une rigueur rationnelle à l'action charitable. Selon les régimes, certaines réponses prévalent sur d'autres.

Quant aux causes, les historiens français attribuent généralement la misère paysanne aux guerres, aux famines, aux pestes, au climat ou à la démographie, plutôt qu'à la clôture des vaines terres et aux

---

30 Benjamin Disraeli, 1845, *Sybil : or the two Nations,* Book II, Chapter 5, in Gordon S. Haight (ed.),1972 : 22.

31 Thomas Carlyle, 1843, "The Condition of England", *Past and Present,* Book I, chapter 1, in Gordon S. Haight (ed.), 1972 : 48-49.

32 Thomas Carlyle, 1843, in Gordon S. Haight, (ed.), 1972 : 48-49. Carlyle fait allusion aux workhouses, maisons de travail semi-carcéral où l'on envoyait les gens déclarés sans ressources, ainsi qu'aux secours à domicile dont le principe était discuté.

33 Seebohm Rowntree, 1901, *Poverty : A Study of Town Life*, London, Longmans.

expropriations, bien que celles-ci n'aient pas été absentes. Mais Marc Bloch, par exemple, place les clôtures à la veille de la Révolution comme un progrès indispensable qui se fait plutôt aux dépens des propriétaires.[34]

Il y a néanmoins des expropriations au milieu du XVIe siècle en pays de Caux, étudiées par Jacques Bottin (1983). Selon cet auteur, archiviste-paléographe : "l'expropriation paysanne au profit des féodaux et des bourgeois, phénomène majeur du moment, y joua un rôle beaucoup plus déterminant que les guerres ou la croissance démographique qui n'auraient été que de simples facteurs aggravants."[35] Guerres et crises démographiques "font entrer les campagnes dans un cycle catastrophique"[36]. L'expropriation est largement réalisée au profit des seigneuries, qui se trouvent en concurrence mais aussi en opposition, en raison de leur "comportement prédateur"[37], avec la bourgeoisie des villes. "Le développement rapide du marché de la terre, entre 1540 et 1550, indique que la situation de la petite paysannerie s'est fortement dégradée..."[38] et "corrobore le double processus de paupérisation et d'expropriation de la petite paysannerie suggérée par l'historien Guy Bois"[39].

Cependant, bien que les conditions économiques ne soient pas identiques à celles de la Grande-Bretagne, elles suscitent très tôt une législation parallèle. Selon Jacques Le Goff (1964), dès les XIIe-XIIIe siècles

"(...) entraînée par son nouvel idéal de labeur, la Chrétienté chasse les oisifs, volontaires ou contraints. Elle jette sur les routes ce monde d'infirmes, de malades, de chômeurs qui vont se mêler au grand troupeau des vagabonds. (...) Le pieux Saint Louis (...) légifère froidement dans ses ETABLISSEMENTS[40] : 'Si certains n'ont rien et sont en ville sans gagner (c'est-à-dire sans travailler) et hantent

---

34 Marc Bloch, 1983, "La lutte pour l'individualisme agraire dans la France du XVIIIe siècle", in *Mélanges Historiques*, Serge Fleury, Editions de l'Ehess : 577-637.
35 Jacques Bottin, 1983, *Seigneurs et paysans (1540-1650),* Paris, Le Sycomore : quatrième de couverture.
36 Jacques Bottin, 1983 : 320.
37 Jacques Bottin, 1983 : 319.
38 Jacques Bottin, 1983 : 171.
39 Jacques Bottin, 1983 : 170. Il renvoie à Guy Bois, 1976, *Crise du féodalisme*, Thèse Lettres, Paris : 339-340.
40 On appelle "établissements" un ensemble de textes datant de 1.270 attribués à saint Louis. Voir René Foignet, 1943, *Manuel élémentaire d'histoire du droit français*, Paris, Rousseau et Cie : 195.

volontiers les tavernes, que la justice les arrête et qu'elle leur demande de quoi ils vivent. Et qu'elle les jette hors de la ville."[41]

"Les exclus ce sont aussi les malades et surtout les infirmes, les estropiés (...) Pauvre, malade et vagabond sont presque synonymes au Moyen Age."[42] Il reste que "l'exclu par excellence de la société médiévale, c'est l'étranger."[43] Les *Etablissements* de saint Louis le définissent comme "homme méconnu en la terre"[44]. "L'étranger, c'est celui qui n'est pas un 'fidèle', un sujet, celui qui n'a pas juré obéissance, celui qui, dans la société féodale est 'sans aveu'"[45].

> "Au XIIe siècle, la ville, à son tour, sécrète la pauvreté. Elle offre, ou plutôt les pauvres croient qu'elle offre, des possibilités d'embauche, et l'on vit, aux derniers siècles du Moyen Age, s'organiser des marchés du travail, la place de Grève à Paris, par exemple, (…) Plus sûrement, aux périodes de guerre, comme la guerre de Cent Ans, la ville, à l'intérieur de ses remparts, attire les réfugiés du 'plat pays'".[46]

Pour Georges Duby, à partir de la seconde moitié du XIIe siècle,

> "la pratique de la charité s'accompagne d'un mépris croissant pour les pauvres, jugés responsables de leur pauvreté et désormais tenus pour dangereux. Prend alors naissance l'idée qu'il faut cantonner les pauvres dans l'exclusion".[47]

Le mouvement de paupérisation semble s'être accéléré après la peste de 1348 avec les troubles et les crises économiques des XIVe et XVe siècles. La chasse aux vagabonds commence vers 1350[48]. On rapporte que, dès le XIVe siècle, il y a de violentes émeutes de pauvres dans toute l'Europe et dans plusieurs villes de France contre l'impôt (hiver 1382-1383). Pour dénombrer les pauvres et distinguer leurs catégories, les recensements fiscaux, en usage dès le XIIIe siècle dans les villes méridionales, répondent imparfaitement. L'importance numérique des indigents, de 30 % à 40 % de la population, amène les autorités municipales à se saisir de ce problème d'ordre public, vers 1380. Les institutions charitables sont débordées. Sans en exclure l'Eglise, souvent même à sa demande, les communes contrôlent la

---

41 Jacques Le Goff, 1964, *La Civilisation de l'Occident Médiéval*, Paris, Arthaud : 389.
42 Idem : 394.
43 Idem.
44 Idem.
45 Idem.
46 Michel Mollat, "Histoire des pauvres," *Enc. Univ.*, 1998.
47 Georges Duby cité par Jean-Jacques Gouguet, "Pauvreté et exclusion", *Enc. Univ.*, 1998.
48 Michel Mollat, 1998, *Enc. Univ.* Voir aussi du même auteur, 1978, *Les pauvres au Moyen Age,* Bruxelles, Hachette, chapitre XI : 256 et s. 299.

gestion des hôpitaux, les distributions ou les déplacements des mendiants.

Michel Mollat (1998) fait justement remarquer que, avec le XIVe siècle, "au lieu de l'aumône, contestée parce qu'elle encourage l'oisiveté, on préfère le prêt sans intérêt plus stimulant et plus digne de l'homme"[49]. Dans le même temps, Bronislaw Geremek (1978) avance l'idée selon laquelle, des tensions apparaissant sur le marché du travail (en raison de la peste noire, des famines et des guerres), le problème des vagabonds distingue les sans-travail de ceux qui refusent de travailler. Cela se traduira aussi par la distinction entre les "vrais pauvres" (ceux qui ne peuvent pas travailler) et les "faux pauvres", que l'on pourchasse.

Désormais, par rapport à l'opinion dominante des XIVe et XVe siècles, on considère que la pauvreté peut être involontaire. Une telle conception, selon Jean-Jacques Gouguet (1998), constitue un revirement radical[50]. Cependant, l'ambiguïté persiste, si la pauvreté n'est plus attribuée à la seule responsabilité individuelle :

> "le pauvre est toujours méprisé, et le fait de rester en état de vagabond et de mendiant, alors que des mesures ont été prises, sera considéré comme un crime et puni comme tel (...) L'oisiveté reste un vice. Le seul pauvre responsable est celui qui travaille et accepte avec humilité et résignation son état."[51]

En France, comme en Grande-Bretagne, chaque commune nourrit ses pauvres, et ses pauvres seulement. Les archers 'chassegueux' refoulent ceux des autres communes. Dès le XVe siècle, sous François Ier (1494-1547) comme sous Henri II (1519-1559), de nombreux décrets entament la lutte contre le vagabondage. En 1531, la création d'une Aumône générale et d'un Bureau des pauvres à Paris, la mise en place d'institutions charitables, mais aussi coercitives, instituant le travail obligatoire, ainsi que l'apparition d'empreintes reconnaissables sur les vêtements marquent le début d'une lente gestation vers l'enfermement. L'ordonnance de Moulins en 1571, l'édit de 1656, les lettres patentes de 1622 et le Code Michaud de 1629[52] prescrivent en effet d'enfermer les pauvres des villes. Cette législation correspond à l'application de la Loi des Pauvres en Angleterre.

> "Au XVIe siècle, la pauvreté commence à être mal vue, au moins par les théoriciens du pouvoir, non pas tant parce que les riches sont

---

49 Cité par Jean-Jacques Gouguet, 1998, "Pauvreté et Exclusion", *Enc. Univ.*
50 Jean-Jacques Gouguet, 1998, "Pauvreté et exclusion", *Enc. Univ.*
51 T. Vissol, cité par Jean-Jacques Gouguet référence ci-dessus.
52 René Foignet, 1943 : 380.

menacés par les pauvres, mais parce que le travail est menacé par l'oisiveté, dans une dynamique mercantiliste (…)"[53].

Sous Marie de Médicis, trois asiles, créés sous le nom de "Hôpital des Pauvres Enfermés", ouvrent la voie à une politique systématique de réclusion des pauvres. En automne 1611, un avis interdit la mendicité. Les mendiants étrangers sont chassés des villes ; ceux qui n'ont pas de travail doivent en chercher un, faute de quoi ils sont conduits dans les asiles. Il y en aurait eu plus de 2.000 au début du XVIIe siècle. On leur prescrit des tâches et ceux qui ne les exécutent pas sont privés de nourriture (la moitié de la ration la première fois, la prison la deuxième fois). On peut venir chercher des travailleurs dans l'asile dont le salaire est au 3/4 pour l'hôpital. Les pauvres reçoivent une éducation professionnelle et religieuse. En 1657, l'Hôpital Général[54] compte 6.000 pauvres 'de leur gré'[55]. En 1662, le pouvoir invite à fonder des Hôpitaux Généraux dans toutes les villes et bourgs.

"Au XVIIe siècle, le concept de dangerosité l'emporte au point d'entraîner dans l'enfermement toutes les déviances attribuées à la pauvreté : mécréance, libertinage et prostitution, maladies vénériennes, folie, contagiosité, viol, ivrognerie, etc."[56]

Une nouvelle conception apparaît : celle du "pauvre" accusé de libertinage qui mène à toutes sortes de crimes, l'image du "faux pauvre", qu'il faut séparer du vrai, faux pauvre, dangereux, sans religion, immoral, vecteur de toutes les pestes, pourvoyeur de la prostitution, capable de toutes les délinquances, etc.

Selon les ordonnances du 13 juillet 1777 de Louis XVI (1754-1793) contre le vagabondage, tout homme sain et bien constitué de seize à soixante ans et trouvé sans moyens d'existence et sans profession doit être envoyé aux galères[57]. "On traitera les pauvres, en 1769 et dans les trois années suivantes, avec une atrocité, une barbarie qui feront une tâche ineffaçable à un siècle qu'on appelle humain et

---

53 Claude Quétel, 1981, "En Maison de force au siècle des Lumières" in Pierre Chaunu et al., Marginalité, Déviance, Pauvreté en France, XIVe-XIXe siècles, Cahier des Annales de Normandie, n° 13, Caen : 43.
54 D'après la définition de l'Encyclopédie raisonnée, au XVIIIe siècle, on nomme 'hôpital' "(...) des lieux où les pauvres de toutes espèces se réfugient et où ils sont bien ou mal pourvus des choses nécessaires aux besoins urgents de la vie" in Catherine Duprat, 1993, Pour l'Amour de l'Humanité : Le temps des Philanthropes, Paris, Editions du Comité des Travaux Historiques et Scientifiques : 11.
55 Bronislaw Geremek, 1978 : 283.
56 Claude Quetel, 1981 : 43-79.
57 Karl Marx, 1965 : 1195.

éclairé (...)".[58] Au lieu d'idées humanistes, c'est la morale du travail, la réhabilitation par le travail qui domine les XVIIe et XVIIIe siècles et se concrétise par le grand renfermement des pauvres. Cela n'était pas nouveau quant au principe, mais, pour un certain nombre de raisons, l'enfermement à partir du XVIIIe siècle se systématise, à la fois avec les *workhouses* en Angleterre et l'Hôpital général en France[59]. L'idéologie de l'enfermement s'oppose désormais à celle de l'aumône. Les Déclarations Royales de 1750 et de 1764 ainsi que l'Arrêt du Conseil d'Etat de 1767 instituent la construction de dépôts de mendicité doublés de maisons de force dans les Généralités[60]. Désormais aucun pauvre ne peut sortir de sa paroisse pour mendier sous peine d'être arrêté.

Comme le résume Jacques Donzelot (1977), il existait en France, sous l'Ancien Régime, trois types d'assistance : les hôpitaux généraux et les renfermeries (ou maisons de force) pour les vagabonds, l'aumône individuelle pour les mendiants, les compagnies de charité organisées autour des paroisses[61]. Tous sont l'objet de critiques qui les condamnent comme inefficaces. Les hôpitaux généraux et les renfermeries sont dits cacher les indigents et leur offrir un abri qui récompense la paresse. L'aumône individuelle fait le jeu des faux mendiants et encourage à faire de la mendicité un métier. Les compagnies de charité s'organisent autour des paroisses pour les pauvres 'honteux', "ceux qui peuvent raisonnablement avoir honte de demander publiquement leurs besoins à cause de leur profession ou de leur naissance."[62]

Selon Michel Foucault (1975), l'enfermement, qui persiste de l'Empire à la monarchie de juillet, supporte "la grande peur d'une plèbe que l'on croit tout ensemble criminelle et séditieuse, au mythe de la classe barbare, immorale et hors la loi (…) qui hante le discours des législateurs, des philanthropes et des enquêteurs de la vie ouvrière." Citant un auteur contemporain : cette classe "dégradée par

---

58 L. S. Mercier, 1782-1788, vol. 3 : 216, Tableau de Paris, in Arlette Farge, 1971, *Délinquance et criminalité : le vol alimentaire à Paris au XVIIIe siècle*, Thèse, Ecole Pratique des Hautes Etudes, Université de Paris X.
59 Jean-Jacques Gouguet, "Pauvreté et exclusion," in *Enc. Univ.*, 1998.
60 Sous l'Ancien Régime, terme désignant le découpage fiscal des circonscriptions administratives, *Enc. Univ.*, 1998.
61 Jacques Donzelot, 1977, *La police des familles*, Paris, Editions de Minuit : 58 s.
62 Paul Cahen, 1900, *Les idées charitables aux XVIIe et XVIIIe siècles à Paris*, Mâcon, cité par Jacques Donzelot, 1977 : 58 s.

la misère, dont les vices opposent comme un obstacle invincible aux généreuses intentions de ceux qui veulent la combattre."[63]

Parmi les circonstances économiques et sociales qui présideront au mouvement des femmes vers la philanthropie, retenons qu'une fois que la fraction de la population considérée comme improductive, parasitaire, sinon dangereuse, est confiée aux institutions coercitives d'Etat, les classes dominantes ne sont plus confrontées qu'à une population laborieuse sélective, espérée plus docile. Celle-ci, toujours mal payée néanmoins, soumise à l'incertitude, exsangue souvent, reste dans son état la force principale des entreprises. A moins de lui assurer une véritable sécurité, trop coûteuse, il faut lui apprendre à survivre dans une pauvreté économique endémique. Ce sont ces nouvelles circonstances qui vont, au XIXe siècle, après la Révolution et ses suites en France et le *Reform Bill* en Grande-Bretagne, façonner les structures des associations que nous appellerons 'philanthropiques', en définir les objectifs et en qualifier le recrutement.

---

63 Foucault, Michel, *Surveiller et punir* (1975) Paris, Gallimard : 280-1.

CHAPITRE II

PHILANTHROPIE CONTRE CHARITÉ

De l'examen de la pauvreté dans tous ses états, émerge aussi une recherche de ses origines. La première cause venue renvoie les pauvres à eux-mêmes : la pauvreté est un vice inhérent à une certaine nature humaine; ou si, à l'inverse, elle est le produit de la misère, elle affecte définitivement ceux qui en sont victimes. D'autres pensent que la misère est le produit des circonstances et remettent en question les conditions de vie faites à certaines couches de la population en raison du fonctionnement de l'économie. Les solutions oscillent selon les préjugés et les conjonctures. Elles s'avèrent dans tous les cas nécessaires.

Dès leur apparition, les "pauvres" sont reconnus à la fois comme besogneux et dangereux. Besogneux, ils ont besoin d'aide dans la perspective chrétienne. Dangereux, ils doivent être neutralisés dans une perspective répressive. Les traitements de la pauvreté varient dans le temps : l'élimination physique des vagabonds est l'une des premières manières, fortes, on l'a vu, d'aborder le problème lorsqu'il prend des proportions massives. L'exclusion, l'enfermement, le travail forcé, en sont d'autres. Ces "solutions" relèvent de la violence, d'autres de la compassion, parfois des deux à la fois. Mais l'élimination et la mise à l'écart d'une partie des pauvres ne cesseront que très tardivement avec les programmes modernes de sécurité sociale.

Elimination faite de ceux qui sont désignés comme rebut (les Anglais disent *'residuum'*), la charité, d'inspiration religieuse, apparaîtra comme la principale réponse à la misère. Mais la complexité du problème va retenir de plus en plus l'attention, non seulement des pouvoirs publics, mais aussi des hommes d'Etat et des penseurs. Chacune des solutions proposées se rapportant à des cas et à des situations particulières, la nécessité se fait toujours plus exigeante de distinguer les différentes sortes de pauvres, de mieux connaître leur milieu et leurs conditions de vie ou de survie, en définitive de se donner une "science" adéquate pour maîtriser le problème. Des institutions privées s'édifient. Elles vont, ensemble, construire, en Grande-Bretagne comme en France, des associations plus complexes qui vont se confronter assez vite à une double orientation évoluant entre la charité et la philanthropie. D'une notion à l'autre, la différence n'est pas toujours claire et le vocabulaire souvent interchangeable. Nous verrons pourtant comment, sans jamais vraiment se séparer, la charité et la philanthropie tendent à se décanter, respectivement, l'une autour de la vertu et l'autre de la connaissance.

1. En Grande-Bretagne

Avec the Reform Act de 1832 et l'affaiblissement de la domination sociale et politique de l'aristocratie, la bourgeoisie finit par obtenir en 1885 la majorité au Parlement[64]. Les autorités s'empressent, dès 1834, de modifier la Loi des Pauvres par un amendment bill[65] qui rend les conditions de l'aide publique plus drastiques, "en instaurant une discipline de la faim"[66] proche de ce que préconisaient les propriétaires et fermiers contemporains de la première Loi (voir chapitre I). L'aide à domicile, en espèces, indexée et tolérée par le Speenhamland System, est considérée comme un encouragement à la paresse. Elle est largement supprimée. Comme le note Pat Thane, les auteurs de l'amendement "supposaient que le chômage était volontaire"[67]. L'objectif principal de l'amendement de 1834 était de retirer l'aide aux hommes jugés capables de travailler, ceux qu'on appelait les "valides" - selon la terminologie de la Loi des Pauvres - et de les placer dans des maisons de travail (workhouses) strictement réglementées. La demande d'assistance s'accompagne nécessairement de l'enfermement du demandeur dans des conditions matérielles souvent au-dessous du minimum vital. Les femmes étant toujours considérées comme totalement dépendantes du mari : elles doivent le suivre dans la maison de travail et assumer la même condition que lui.

---

64 Robert Pearce and Roger Stern, 1994, Government and Reform 1815-1918, London, Hodder and Stoughton.
65 Les auteurs de l'amendement de la loi des pauvres de 1834 sont : "the political economist" Nassau Senior, "the bureaucratic reformer", Edwin Chadwick et "the experienced administrator of a Poor Law regime in a Suffolk workhouse", George Nicholls, cf. Pat Thane, 1978, "Women and the Poor Law in Victorian and Edwardian England" in History Workshop Journal, n° 6, Autumn : 32.
66 Christian Topalov, 1994, Naissance du chômeur 1880-1910, Paris, Albin Michel : 27.
67 Pat Thane, 1978.

Le cas des femmes pauvres

Parmi les pauvres, le traitement légal de la misère féminine est particulièrement rigoureux et injuste. Les lois de 1834 et 1840 n'avaient guère apporté de soulagement, peut-être au contraire. C'est le mari qui est considéré par la loi comme subvenant aux besoins du ménage et des enfants, l'épouse n'apportant éventuellement, aux yeux des législateurs, qu'un salaire d'appoint. Son destin dépend donc en toutes circonstances de celui de l'époux: si celui-ci est enfermé dans une *workhouse*, elle doit l'y suivre, même si cela l'empêche de gagner elle-même sa vie. Les femmes abandonnées ou les veuves dépendaient de la paroisse de naissance du mari disparu pour y toucher une aide, même si elles résidaient et travaillaient ailleurs. Si une femme était acceptée dans une *workhouse,* elle était séparée de ses enfants dès qu'ils atteignaient l'âge de deux ans. Les mères célibataires étaient chargées, dans la *workhouse*, de travaux durs et il leur était interdit de fréquenter l'église au-dehors ; elles avaient la garde de leurs enfants mais dans les limites permises par la loi. [68]

Le nouveau découpage des quartiers de Londres selon le *Poor Law Amendment Bill* de 1834 change aussi les conditions d'assistance aux pauvres : l'aide dont ils bénéficient ne relève plus désormais systématiquement de la paroisse, mais dépend de la respectabilité et de la moralité du demandeur[69]. La *Poor Law Amendment Bill* est corrigée à plusieurs reprises, dans un sens, en général, restrictif.

L'installation dans les villes, et en particulier à Londres, de dizaines de milliers d'expropriés des campagnes, de *"unemployed"*[70] en quête de revenus et aussi de travailleurs précaires et mal payés, éveille le souci de contenir les effets insalubres, aussi bien moraux que physiques, de cet entassement. "Les pauvres recevant des secours par la *Poor Law Amendment Bill* dépassaient le million en Angleterre et

---

68 D'après Pat Thane, 1978, "Women and the Poor Law in Victorian and Edwardian England", *History Workshop Journal*, n° 6, Autumn .
69 Pour une discussion sur ces changements, cf. Christian Topalov, 1994, "(…) depuis les années 1960, un débat divise les historiens sur le contenu et l'application de la Poor Law de 1601" : 198, 199, 484 , note 17. Voir également Pat Thane, 1978 : 29-51, et Michael Rose, 1971, *The English Poor Law 1780-1930*, Devon, David and Charles Ldt.
70 Le terme de 'chômeur' ne sera largement employé qu'à partir de 1900, cf. Christian Topalov, 1994 : 167.

au Pays de Galles entre 1863 et 1864, soit 5,3 % de la population en 1863, et 4,6 % en 1864 »[71]. En même temps, le coût de l'aide dans l'ensemble du pays augmentait. Certaines pratiques étrangères retiennent l'attention. Charle Mowat signale une expérience allemande de visites aux pauvres de 1788 à Hambourg[72], expérience reproduite à Glasgow en 1819 par le Dr Thomas Chalmers (dont il sera à nouveau question) suivie en 1843 par l'*Association for Promoting the Relief of Destitution* (ou *Metropolitan Visiting and Relief Association*, MRVA). Ces exemples se multiplieront. Franck Prochaska (1980) dénombre plus de 150 *Societies, Associations, Missions, Charities, Institutions, Movements, Unions, Alliances, Asylums, Hospitals, Funds* et autres *Leagues,* créés entre 1699 et 1900[73]. Certains mouvements s'organisent sur des bases strictement moralisatrices[74]. Des campagnes sont entreprises par des associations religieuses pour moraliser la population londonienne. La *London City Mission,* par exemple, fondée en 1834, "poursuit pendant tout le siècle un double but : moraliser les pauvres et faire pression auprès des pouvoirs publics pour qu'ils adoptent des mesures répressives"[75]. Après des réticences, l'Eglise d'Angleterre acceptera de coopérer avec la Mission. En s'appuyant sur des organisations existantes, cette dernière envisage un remodelage complet de la société en luttant contre tout ce qui favorise l'immoralisme : les foires annuelles surtout, tenues pour être des lieux de débauche et qui finiront par être supprimées, puis les music-halls et les théâtres, avec moins de succès. En coopération avec d'autres associations vouées à cette tâche, la *London City Mission* essaie aussi de lutter contre la prostitution avec la perspective, non pas de punir ces pécheresses, mais "de les préparer à une vie nouvelle"[76]. Les missionnaires se tournent aussi vers des métiers considérés comme moralement vulnérables, tels les chiffonniers, les marins des docks, les

---

71 Charles Loch Mowat, 1961, *The Charity Organisation Society 1869-1913 - Its ideas and work -*, London, Methuen : 5.
72 Charles Mowat, 1961 : 9. Charles Mowat est le petit-fils d'un des premiers secrétaires de la Charity Organisation Society, créée en 1869.
73 Franck Prochaska, 1980, *Women and philanthropy in the 19th century England*, Oxford, Clarendon Press Oxford : 230-245, Appendices I-IV.
74 Françoise Barret-Ducrocq, 1991, *Pauvreté, charité et morale à Londres au XIXᵉ siècle : une sainte violence*, Paris Presses Universitaires de France : 5, 92. s. en particulier la 3ᵉ partie, 2 : "Les initiatives de la société civile" pour un excellent tableau des principaux mouvements religieux et de leurs actions.
75 Françoise Barret-Ducrocq, 1991 : 100.
76 Françoise Barret-Ducrocq, 1991 : 100-106. Voir aussi l'action de Josephine Butler contre la prostitution au chapitre IX.

terrassiers, les cochers. A ces tâches s'ajoute celle de l'évangélisation par le porte à porte : les visites aux pauvres, introduites depuis la fin du XVIIIe siècle par les sociétés visitatrices, se comptent par millions chaque année. Parallèlement à ces entreprises de "sainte violence", se multiplient aussi des associations d'une autre sorte dont l'historien David Owen (1964) retrouve les traces jusqu'au XVIe siècle[77]. Les Britanniques suivront longtemps la tradition instaurée par les Tudor-Stuart qui avaient développé, selon lui, une conscience et un sens du devoir national. Tout au long de l'histoire de ce qu'il nomme la philanthropie britannique, les motifs religieux ressortent de façon frappante. Avant la fin du XVIe siècle, la tradition de la charité était bien établie dans les classes supérieures d'où elle se répandait à travers toute la société. Au XVIIe siècle et au début du XVIIIe, les Anglais greffèrent une nouvelle pratique sur leur tradition charitable en découvrant les mérites relatifs aux activités collectives et en joignant leurs efforts dans des associations bénévoles. Une des premières sociétés dites "philanthropiques", *The Philanthropic Society* qui date de 1788, se consacre à la réforme des enfants criminels[78]. A la même époque mille sept cents *"Charity schools"* s'attachent à enseigner la discipline, l'honnêteté et les Saintes Ecritures[79]. La réussite la plus évidente de la philanthropie du début à la moitié du XVIIIe siècle est la multiplication des écoles et des hôpitaux à Londres et dans les villes provinciales. Entre 1720 et 1745 des dons philanthropiques financent cinq hôpitaux construits essentiellement pour protéger la capitale contre les épidémies.[80]. Pendant tout le XIXe siècle, les associations philanthropiques se multiplient considérablement. Cette étude montrera à la fois l'importance de la charité privée et aussi son inadéquation ultime face aux exigences de la société urbaine et industrielle. Ce panorama de l'effort vers la philanthropie permettra de situer, sur le plan idéologique[81] et organisationnel, celle de ces associations qui retiendra notre attention en Grande-Bretagne : la *Charity Organisation Society*.

---

77 David Owen, 1964, *English Philanthropy*, Cambridge, Harvard University Press.
78 Roy Porter, 1991, *English Society in the Eighteenth century*, London, Penguin : 297.
79 Idem : 166.
80 Idem : 284.
81 Idéologie est entendue ici comme : "Science qui a pour objet l'étude des idées", cf. *Le Robert*, 1994.

a) Naissance d'un esprit philanthropique

Fondée à Londres en 1869, la Charity Organisation Society (COS) se distingue d'abord par sa tentative de coordonner et fédérer le travail des nombreuses associations charitables avec la Loi des Pauvres[82]. Au-delà de cette intention - qui permet de situer la COS comparativement à son homologue français, l'Office Central des Œuvres de Bienfaisance (OCOB) - elle ouvre aussi une nouvelle voie. La COS "incorporait une idée de charité qui prétendait réconcilier les fractions de la société, pour évacuer la pauvreté et produire une communauté heureuse et confiante en elle-même"[83]. Avec lucidité, Charles Loch Mowat (1961)[84] se rend compte cependant que la pauvreté, non seulement n'était pas étrangère aux différences de classes, mais qu'elle ne pouvait se résoudre que grâce à celles-ci : "La charité présuppose une classe oisive ayant les moyens et le temps de se consacrer à la charité et ayant conscience du péché"[85]. Ainsi,

> "l'organisation de la charité, qui commença comme une tentative pour coordonner le travail des sociétés charitables et la Loi des Pauvres, devint un mouvement de réforme de l'esprit, non seulement de la charité, mais de la société. Elle prétendait offrir une alternative au socialisme comme moyen de réaliser une meilleure société."[86]

Bien que la distinction entre 'charité' et 'philanthropie' n'apparaisse guère dans les textes ou les débats et que souvent les deux termes se confondent, le second, en même temps que ses intentions sociales, exprimait donc aussi un objectif politique, reconnu rétrospectivement par Charles Mowat, mais pas toujours explicitement. Cet esprit "philanthropique", encore mal défini, se glisse dans la perception du problème de l'aide aux pauvres en même temps qu'un certain degré de laïcité. Comme l'exprime Elie Halévy (1870-1937), les riches bourgeois de Birmingham et de York "(...) sentirent ce qu'il y avait d'égoïsme dans leur piétisme fermé, rougirent de l'isolement où ils se complaisaient (...) [pour] (...) lutte[r] contre le mal sous toutes ses formes"[87]. L'action qui en découle vient d'un sentiment de culpabilité et cette action c'est d'abord l'édification

---

82 Charles Loch Mowat, 1961, *The Charity Organisation Society (1869-1913) Its ideas and Work* , London Methuen : 2.
83 Charles Loch Mowat, 1961 : 1.
84 C'est le petit-fils de Charles Loch (1849-1913), secrétaire emblématique de la COS.
85 Charles Loch Mowat, 1961 : 1.
86 Charles Loch Mowat, 1961 : 2.
87 Elie Halévy, 1926, *Histoire du peuple anglais au XIXe siècle - Epilogue I - Les Impérialistes au Pouvoir (1895-1905),* Paris, Hachette : 164.

d'associations philanthropiques à l'initiative profane des élites. Bien que la philanthropie ne récuse ni la charité, ni la religion, qu'elle encourage le recrutement des pasteurs et qu'elle agisse aux côtés des établissements religieux, étatiques et syndicaux, la COS prétend se fonder sur une approche scientifique du traitement de la pauvreté.

b) Construction philosophique de la COS

"Pourquoi la COS vint-elle à exister quand elle le fit vers la fin des années 1860 ?" s'interroge Charles Mowat.

> "Une grande proportion des travailleurs d'alors - cette vaste masse anonyme des pauvres - vivait à la petite semaine, au bord de la pauvreté. Entre eux et la famine, il n'y avait que le faible apport du salaire hebdomadaire. Si celui-ci disparaissait (…) les sources d'aide étaient peu nombreuses : la mendicité, la charité, la Loi des Pauvres. (…) La charité était présente, mais pas d'organisations de charité."[88]

Entre 1860 et 1869, plusieurs tentatives avaient été faites pour créer une association contre la pauvreté. Charles Mowat le rappelle brièvement[89]. La *Society for the relief of Distress* de G.M. Hicks est l'une des premières en 1860. Elle est suivie par une *Association For the Prevention of Pauperism and Crime* d'un pasteur, Henry Solly (1813-1903), auteur d'une conférence intitulée: "Comment traiter les pauvres sans travail de Londres et ces classes 'grossières' et criminelles." *("How to deal with the Unemployed Poor of London, and with its 'Roughs' and Criminal Classes.")*

Or, la conjoncture économique poussait à ce moment à l'optimisme.

> "Les pires conséquences de la révolution industrielle s'étaient atténuées. Les abords de Londres et les nouveaux quartiers chauds des faubourg septentrionaux ne pouvaient plus être considérés comme occupés par une horde ou une soldatesque indisciplinée."[90]

Selon Charles Mowat, la COS fut fondée lorsque la crise sociale du début du siècle semblait en voie de récession. (L'une des entreprises au programme de la COS ne sera-t-elle pas, en effet, n'essaierait-elle de lutter contre l'exode rural qui apparaissait encore comme un phénomène réversible à ses fondateurs ?) *"Les Principes d'économie politique* de John Stuart Mill (1806-1873), publiés en 1848, soutenaient que le pays approchait d'un état stationnaire pour lequel les améliorations dans l'art de vivre et dans la distribution

---

88 Charles Mowat, 1961 : 4-5.
89 Charles Mowat, 1961 : 15-17.
90 Charles Loch Mowat, 1961 : 3.

étaient plus importantes que le progrès du côté de la production."[91]
Mais la contrepartie de cette analyse de Stuart Mill était, à la fois, sa
critique du laissez-faire comme étant la liberté des privilégiés et
l'approbation, relative, qu'il apportait au socialisme. John Ruskin
(1819-1900), qui argumentait en faveur du salaire égal pour tous les
travaux, était encore plus radical.

John Ruskin (1819-1900)

Ecrivain, critique d'art et réformateur social, Ruskin eut une
influence considérable sur le goût de l'Angleterre victorienne et
s'opposa aux doctrines économiques de l'école de Manchester. Ses
réflexions sur l'art furent accueillies avec enthousiasme et respect ; sa
critique sociale souleva, en revanche, une réprobation mêlée de crainte.
Professeur d'art à Oxford, il partagea son temps entre l'enseignement et
le mécénat. Sa conception de l'art le persuade que le travailleur trouve
son épanouissement dans l'exécution d'une œuvre satisfaisante et utile.
Il dénonce l'abdication de la spiritualité, le machinisme qui fait du
travailleur l'esclave de l'outil, la loi de l'offre et de la demande qui fait
dépendre les prix d'une lutte entre deux égoïsmes rivaux. Il proclame
son horreur d'un système social qui condamne la plupart des hommes à
la pauvreté et à la laideur, et s'attaque enfin à l'ensemble du système
capitaliste. Pour John Ruskin, "la vie est la seule richesse" : ce n'est pas
le goût de l'argent qui mène les hommes, mais "l'admiration, l'espoir et
l'amour".[92]

La COS, pour ne pas être dépassée par cette idéologie dangereuse,
proposa dans cette conjoncture d'aménager la pauvreté plus que de
lutter contre elle. Il s'agissait moins de discipliner et de sanctionner les
besogneux (pauvres) que de faire en sorte qu'avec leurs moyens
limités ils s'avèrent capables de gérer décemment leurs besoins. Un
des problèmes parmi les plus controversés de la philanthropie
continuait à se poser : la charité devait-elle être faite essentiellement
aux pauvres méritants ? Charles Loch (1849-1913, figure
emblématique de la COS, après les grandes émeutes de 1886[93],

---

91 Charles Loch Mowat, 1961 : 8.
92 *Enc. Univ.*, 1998. Ruskin fut pourtant l'ami d'Octavia Hill, une des inspiratrices de la
COS.
93 Voir chapitre VII.

considérait pour sa part que : "la charité est une science, basée sur des principes et des observations sociales" (...) Que "seule la connaissance des faits et une organisation méthodique de la charité (...) peuvent contribuer à différencier les pauvres méritants des non méritants *(deserving from undeserving poors)* et, selon le cas, justifier une action charitable"[94].

Charles Loch (1849-1913)

De 1875 à 1913, Charles Loch fut le premier secrétaire de la COS, à titre salarié, après le court passage de Mr Ribbon-Turner. Il fut probablement le philanthrope le plus en vue de Grande-Bretagne. Né au Bengale en 1849, fils d'un juge de la Haute Cour des Indes, orphelin de mère dès la naissance, Charles Loch poursuit des études supérieures de lettres classiques, d'histoire et de dessin à Oxford, puis épouse Sophia Emma Peters, fille d'un membre du *Council* de la COS. Il enseigne à l'Université de Londres et est invité à plusieurs Congrès Internationaux. Charles Loch veut traiter des "bons pauvres"[95].

La COS pensait que la pauvreté se mesurait à la dégradation du tempérament du pauvre, homme et femme. Charles Loch considère que "la pauvreté est surtout le résultat d'une faillite morale et qu'une charité indiscriminée contribue à cette faillite ou l'aggrave."[96] Il demande à la fois aux indigents et aux bienfaiteurs de respecter une discipline. Il s'agit pour les uns de se prendre en charge, de retrouver leur "humanité" d'homme ou de femme (leur *"manhood"* ou leur *"womanhood"*). Pour les autres, il leur faut prendre conscience que la pratique charitable ne devient secourable qu'en développant la charité scientifique. Or la COS, sur ce point, était unique, selon Charles Mowat, parce qu'elle combinait les études de cas à une philosophie sociale explicite.

c) La classification des pauvres

En 1886, alors que Londres venait de subir en février une des pires révoltes de travailleurs, commença une entreprise, qui dura 17 ans et

---

94 Charles Loch Mowat, 1961 : 71.
95 Charles Loch Mowat, 1961 : 63-81.
96 Charles Loch Mowat, 1961 : 68.

que Charles Mowat considère comme 'en harmonie' avec les convictions de la COS. Il s'agit de la recherche sociale pionnière de Charles Booth (1840-1916) sur la vie des pauvres dans l'Est londonien (…) "une étude basée sur une enquête, une classification des faits et un examen attentif des conditions d'innombrables familles dans leurs propres foyers."[97] Les degrés et les formes de la misère observée dans les quartiers de Londres divisaient la population en fractions qui inspirèrent la classification de Charles Booth, classification "qui ne vient que clôturer un demi-siècle d'analyses de la structure des classes laborieuses. L'application qu'on met à isoler un groupe d'un autre a des motivations politiques et morales évidentes"[98].

De cette classification ressort en effet une "série d'oppositions binaires" qui chacune "désigne une distinction stratégique entre deux problèmes, deux populations cibles, deux méthodes d'action."[99] La 'classe' A de cette population qui ne compte que 1,2 % de la population de l'*East End* constitue "le monde à part de ceux qui se tiennent à l'écart du marché du travail" et "ne rendent aucun service ni ne créent aucune richesse"[100]. Cette 'classe' A, qui contamine la 'classe' B des "très pauvres", devrait si possible, selon Charles Booth, être éliminée par le refus de tout secours charitable, par le harcèlement policier, par la ségrégation entre hommes et femmes dans les *workhouses* pour en tarir la reproduction et par une politique de constante dispersion. La 'classe' B, instable et dont les revenus sont irréguliers, est en effet au coeur de la question sociale, car elle aggrave l'instabilité de l'emploi de la 'classe' C, tout en faisant pression sur les bas salaires des membres de la 'classe' D. Cette dernière, bien qu'aussi pauvre que la 'classe' C, se distingue des précédentes par sa régularité au travail ; une 'ligne de respectabilité' la sépare des autres et renvoie à la distinction traditionnelle entre 'pauvres méritants' ou non, mais cette fois à partir de l'organisation du marché du travail[101].

"(…) Booth redéfinit la 'question sociale' la rendant du même coup pensable et traitable (…) D'autres achèveront bientôt ce

---

97 Charles Mowat, 1961 : 120, voir : Christian Topalov, 1991, "La ville, 'terre inconnue' : L'enquête de Charles Booth et le peuple de Londres, 1886-1891", in *Genèses,* n° 5, septembre : 5-34.
98 Françoise Barret-Ducrocq, 1991 : 5.
99 Christian Topalov, 1991 : 13.
100 Charles Booth cité par Christian Topalov, 1991 : 16-17.
101 Christian Topalov, 1991 : 19.

déplacement du regard savant de l'individu vers la société et de l'action réformatrice de la moralisation vers l'organisation."[102]

Le problème de la classification des pauvres oppose Bernard Bosanquet, personnalité éminente de la COS, à Charles Booth. Bernard Bosanquet considère que

"une catégorie de pauvres n'est pas un groupe social stable mais un lieu de passage pour les individus. Cette doctrine implique une méthode de classification profondément différente [de celle de Charles Booth] (...)

Pour décider du 'secours efficace', il faut examiner individuellement les causes de la situation d'indigence (...)

La philanthropie ne traite pas les pauvres en masse (...) mais au cas par cas (...)

Ceci implique une révolution dans les méthodes charitables..."[103].

En tout état de cause, le partage entre bons et mauvais pauvres est latent dans toutes les formes de charité et d'aide qui nous sont apparues jusqu'alors en Grande-Bretagne. Il renvoie aux préoccupations élisabéthaines, et guidera les mouvements charitables et philanthropiques (ainsi que les agents de l'Etat et les observateurs sociaux) dans leur application d'une politique sociale, au moins jusqu'en 1914.

d) A la recherche d'une communauté ou les settlement houses

Le précepte de la division des pauvres en deux classes est endossé avec enthousiasme par le Révérend Samuel Barnett et son épouse Henrietta, dirigeants et fondateurs du *Toynbee Hall*[104]. Cette institution, créée en 1884, est ce que l'on appelle un *settlement,* c'est-à-dire un "établissement", une maison d'accueil, installé(e) dans un quartier pauvre et destiné(e) aux "gens du monde ayant du temps et des talents"[105] à consacrer aux indigents. Le *Toynbee Hall,* qui fut le premier du genre, repose sur une éthique préconisée par Oxford (le *Balliol College)* et Cambridge dans la dernière partie du XIXe siècle "pour affronter les problèmes sociaux de complexité croissante engendrés par le capitalisme avancé."[106] Dans ces *settlements*

---

102 Idem : 21.
103 Christian Topalov, 1994 : 206-207 voir aussi p. 210 -211.
104 Standish Meacham, 1987, *Toynbee Hall and Social Reform 1880-1914 : The Search for Community*, New Haven, Yale University Press : 70.
105 Marquis Costa de Beauregard, 1896, *La Charité Sociale en Angleterre : les College Settlements et l'Union Sociale Catholique*, Paris, Plon : 20.
106 Standish Meacham, 1987 : ix.

"chaque jour des hommes et des femmes appartenant au plus grand monde anglais poursuivent à travers des misérables quartiers de Londres (...) non seulement (...) le soulagement matériel de la souffrance (...) mais surtout la solution à l'éternel problème du rapprochement des classes : (...) grands seigneurs, hommes de sport et de science, grandes dames s'y installent, pour devenir les éducateurs, les moralisateurs, les amis - ce mot résume leur formule - de la triste population qui les entoure."[107]

Ces "établissements", postérieurs à la COS, certains créés sous l'impulsion de prélats des Eglises protestantes ou catholiques, représentent une tendance militante de la philanthropie. Leurs tâches se concentrent sur l'enseignement, sous "l'autorité d'une hiérarchie éclairée", des vertus de l'autonomie personnelle *(self-reliance)*, de l'application au travail *(industriousness)* et de l'appréciation des "choses de plus haute valeur" *(appreciation of higher things)* "afin d'aider hommes et femmes de la classe travailleuse à atteindre le meilleur d'eux-mêmes"[108].

Pourtant, vers 1900, Samuel Barnett est contraint d'admettre qu'il n'était pas parvenu à rapprocher les pauvres de l'Est londonien de ceux qui auraient voulu être leurs tuteurs.

"Entre temps, les postulats philosophiques de l'éthique du Toynbee Hall étaient mis en cause directement par ces socialistes (…) qui soutenaient que la solution aux difficultés de l'Angleterre (…) se trouvait dans un accroissement considérable de l'intervention de l'Etat."[109]

Le Hall dut s'ajuster péniblement à la formation d'une élite nouvelle venue dans la bureaucratie nationale en expansion. Les institutions comme celles du Toynbee Hall furent ensuite surtout considérées comme des laboratoires sociaux et informels où les futurs fonctionnaires, les enquêteurs sociaux et les politiciens furent invités à élaborer de nouveaux principes de politique sociale. Notons que la carrière de William Beveridge (1879-1963), formé dans l'éthique du Toynbee Hall, lie le XIXe siècle aux hypothèses de l'Etat-providence britannique moderne.

Bien que se situant dans la même perspective philanthropique, l'échec du Toynbee Hall n'affecta pas le développement de la COS qui s'était donnée une structure administrative solide.

---

107 Marquis Costa de Beauregard, 1896 : 5 -6.
108 Standish Meacham, 1987 : x.
109 Standish Meacham, 1987: x-xi.

e) Description de la COS

Tel qu'il est énoncé au début de chaque *Annual report*, "l'objectif de la Société est d'organiser les efforts charitables et d'améliorer la condition des pauvres"[110]. Cet objectif est ensuite développé en plusieurs articles dont le nombre augmente avec le temps. En 1875 par exemple, le rapport annuel comporte cinq articles parfois redondants[111]. Le premier affirme la collaboration avec les instances de la Loi des Pauvres. L'organisation de la COS s'appuie sur cette ségrégation de base qui permet d'écarter les indésirables. De ce point de vue, la Loi des Pauvres agit comme une nasse de protection, comme le recours vers lequel il reste toujours possible de renvoyer les 'mauvais pauvres' afin de n'avoir à traiter qu'une population convenable, amendable et reconnaissante, d'où l'insistance des responsables de la COS, comme de ceux de la plupart des autres associations, pour promouvoir une collaboration étroite avec les instances de la *Poor Law Amendment Bill*. Le deuxième article du rapport annuel de 1875 porte sur la sélection des autres cas, le troisième sur la nature de l'aide qu'ils méritent éventuellement et de leur possible renvoi auprès d'autres agences existantes et mieux appropriées. Le quatrième article promeut l'éducation de cette population paupérisée pour l'amener à se prendre en main. Le dernier article revient sur une démarche répressive visant à supprimer la mendicité, les impostures de la pauvreté et à corriger les défectuosités de la charité.

En 1914, le rapport annuel compte encore davantage d'articles. L'association, diffusant de "sains principes" dans des textes fondamentaux, doit "promouvoir la coopération des institutions charitables", "suggérer l'installation de nouvelles institutions", "discuter de problèmes pratiques", "réunir des comités spécialisés", "rassembler des informations", "enquêter", "écarter les demandes inadéquates", "apprendre à se faire des amis", "amener les associations à coopérer", "promouvoir des projets locaux d'aide aux pauvres", "former des travailleurs sociaux parmi les pauvres", "préparer des meetings", "enregistrer les demandes d'aides charitables", "établir la validité des demandes de secours", "faire les recommandations de pensions", "obtenir diverses formes de secours",

---

110 Cf. 'The Object and Methods of the Charity Organisation Society'.
111 Sixth Annual Report, of the Council and Disctrict Committees, second edition, March 10, 1875.

" entreprendre la recherche d'autres sources d'aides", "dépêcher des enquêteurs", "réprimer la mendicité locale"[112].

La structure administrative de la COS est faite au sommet d'un conseil (*Council* [113] d'où émane un comité exécutif (*Administrative Committee*)[114]. Ce comité exécutif compte quatre sous-comités permanents sur le travail de quartier (*Permanent sub-Committees of the Administrative Committee on District work*)[115]. Le comité exécutif et surtout le conseil sont les garants de la doctrine générale de l'association consistant à fédérer les autres associations charitables et à réprimer ensemble la mendicité.

A la base de la COS se trouvent 38 comités de quartier (*district committees*), découpés suivant les cinq fractions territoriales de Londres (l'Ouest, le Nord, le Centre, l'Est et le Sud) désignées dans le cadre de la *Poor Law Amendment Bill* de 1834. Ces comités comptent généralement des pasteurs et des prêtres (*ministers of religion*), un administrateur de la Loi des Pauvres (*guardian of the Poor*), des représentants des principales œuvres locales *(representatives of principal local charities)*. Chaque comité a un président (*chairman or president*), un ou plusieurs secrétaires honoraires (*honorary secretaries*) et un ou plusieurs représentants au Conseil (*representatives at the Council*). "C'est la fonction des comités de quartier de connaître des besoins et des détresses qui leur sont signalés, d'enquêter à leur sujet et de les traiter en accord avec les principes généraux de l'association."[116] Les comités de quartier sont ainsi chargés d'évaluer les mérites des pauvres sous forme d'études de cas. Ils doivent "bien choisir les pauvres" et former les plus respectables à la prévoyance[117]. La COS compte également une centaine d'antennes dans les villes de province, organisées sur les mêmes principes sélectifs que ceux des comités de quartier.

---

112 Cf. 'The Object and Methods of the Charity Organisation Society'.
113 En 1914, il se compose d'un président, d'un vice-président et de trésoriers, de représentants élus annuellement par chaque comité de quartiers; de membres additionnels n'excédant pas le quart des représentants de quartiers; de représentants d'institutions charitables métropolitaines. Les vice-présidents de la société sont membres honoraires du Conseil.
114 Il compte 20 membres dont 15 élus et 5 cooptés.
115 Les membres des comités de quartier qui ne sont pas membres du conseil peuvent être membres des sous-comités.
116 Cf. 'The Object and Methods of the Charity Organisation Society'.
117 Charles Mowat, 1961 : 13, Madeline Rooff, 1972, *A Hundred Years of Family Welfare - A study of The family Welfare Association (Formerly Charity Organisation Society) 1869 - 1969*, London, Michael Joseph : 25.

Pour parvenir à ses fins, la COS publie successivement deux périodiques, *The Charity Organisation Reporter* et *The Charity Organisation Review*. Participent à cet ambitieux programme les membres de l'association, c'est-à-dire "tout membre d'un comité de quartier ainsi que les souscripteurs annuels d'au moins une livre et un shilling, et les donateurs d'au moins dix livres et dix shillings versés aux fonds du Conseil ou à celui d'un comité de quartier"[118]. Aux membres cotisants s'ajoute à plusieurs niveaux d'encadrement un personnel salarié (*paid workers*). En 1913, il y avait dix-neuf secrétaires de province, treize secrétaires de quartier, quatre secrétaires administratifs et un secrétaire général administratif[119]. Les salaires étaient différents pour les hommes et pour les femmes. Là où le travail annuel masculin valait £150 à £250, les femmes percevaient de £100 à £200. Remarquons que les femmes étaient rémunérées, même si elles l'étaient moins que les hommes. Parmi les personnes salariées, il faut aussi mentionner deux autres catégories : celle des conférenciers et des conférencières *(lecturers),* puis celle, bien particulière, des assistantes sociales à l'hôpital (*almoners)* dont le salaire était payé conjointement par la COS et le *Royal Free Hospital*.

f) Conclusion

La COS acquiert, en raison de l'excellence de son organisation et de ses principes, une réputation outre-Manche comme outre-Atlantique. En France, Louis Paulian (1900), secrétaire rédacteur de la Chambre des Députés et secrétaire adjoint du conseil supérieur des prisons, déplore que l'on n'ait "pas encore compris que le fonctionnement pratique de la charité constitue une véritable science"[120]. Louis Rivière (1901), membre de la Société internationale pour l'étude des questions d'assistance, constate de son côté que le devoir des philanthropes britanniques est de "développer le caractère et le sentiment de l'indépendance"[121] et qu'il ne s'agit surtout pas de regarder l'indigent "comme un objet constant de compassion et

---

118 First Annual Report of the Council and District Committees, March 30, 1870.
119 Charles Mowat, 1961 : 147.
120 Louis Paulian, 1900, "Nécessité d'un lien commun entre les diverses œuvres charitables publiques et privées - création d'un hôtel central et d'une caisse centrale des œuvres charitables privées" in *Rapports et mémoires présentés au Congrès international d'assistance publique et de bienfaisance privée*, Paris, 30 juillet au 5 août, vol. 1.
121 Louis Rivière, 1901, "Les Offices centraux et l'organisation de la charité" in *Revue Philanthropique*, n° 8, avril : 644.

d'auto-sacrifice"[122]. Le marquis de Beauregard (1896), qui admire le travail des Britanniques et le donne comme exemple, constate cependant que "en Grande-Bretagne, le rapprochement des classes sociales est un souci majeur." [123] Pourtant, les méthodes utilisées par la COS pour l'amélioration de la condition des pauvres se heurteront bientôt aux idées préconisées par la *Fabian Society* (voir encadré Le fabianisme) ainsi que par des sociaux-démocrates ou par certains des admirateurs de Charles Booth. Ceux-ci appellent, en effet, à la disparition de l'ordre moral et de la charité des philanthropes, générateurs de pauvreté, et promeuvent un engagement fort de l'Etat. La COS résistera à ces attaques et sa méthode de traitement des pauvres restera attachée à l'idée de charité sélective[124].

Le fabianisme

Les « Fabiens » constituent depuis 1884 le plus célèbre club de pensée socialiste en Angleterre. Gros de quelques centaines de membres dans les années 1890, il en compte 2.462 en 1909. On y a vu figurer la plupart des grands intellectuels de gauche, dont George Bernard Shaw, Sidney et Beatrice Webb, mais aussi des hommes d'Etat, dont Ramsay MacDonald qui devint en 1924 le premier Premier ministre travailliste. Nombre de députés du *Labour Party* sont ou ont été affiliés au club. Pour un fabien, l'ennemi est le capitalisme dont il faut saper les bases par des réformes progressives qui rapprocheront le moment où un dernier effort "révolutionnaire" permettra de parvenir à la société "socialiste" fondée sur l'appropriation publique des moyens de production et d'échanges. En 1889, George Bernard Shaw publie les *Fabian Essays on Socialism,* exposé cohérent d'une philosophie gradualiste, empirique, hostile à tout dogme et par définition antimarxiste. L'accent porte sur l'éducation, la démocratie sociale, le rôle des syndicats, la recherche.

A Londres surtout, ils inspirent, à la fin de l'époque victorienne, le programme du parti "progressiste" en faveur de la municipalisation des eaux et de l'éclairage, du développement de transports publics à bon marché, etc. Ils sont intégrés au parti depuis sa fondation en 1900 et sont à l'origine du département de recherche créé par les travaillistes en 1917.[125]

---

122 Charles Mowat, 1961 : 73.
123 Marquis Costa de Beauregard,1896 : 5-6.
124 Charles Mowat, 1961 : 11 - 12.

2. En France

Sous l'Ancien Régime, les rapports avec les pauvres sont
entre la compassion chrétienne pour leurs malheurs et la sé'
l'Etat pour leur condition dont on ne les tient jamais pour
complètement quittes. La charité n'est presque jamais dépourvue de
sanctions et, lorsqu'elle aide matériellement les pauvres, elle s'accorde
aussi de les endoctriner religieusement. Dans la pratique, le traitement
des démunis est du même ordre qu'en Grande-Bretagne : la fraction
considérée comme indésirable (les vagabonds, les mendiants, les
'oysifs'[126] valides) est soit envoyée aux galères, soit vouée à
l'enfermement dans des institutions royales comme l'Hôpital, général
ou provincial, ou les maisons de force. La religion chrétienne préside
souverainement à la charité. Aux côtés de l'Eglise et des paroisses,
c'est à l'institution royale de la Grande Aumônerie de France[127] qu'en
est confiée la gestion.

a) Emergence de la notion de philanthropie

Avec "le Siècle des Lumières", une nouvelle attitude se fait jour.
Elle traversera la Révolution et mènera au XIXe siècle à l'édification
d'une notion complexe, charitable et philanthropique.

Les deux décennies qui précédèrent la Révolution en France
connurent ce que Catherine Duprat (1993) appelle un 'malaise social' :
un désœuvrement croissant, une aggravation du vagabondage, de la
mendicité et des abandons d'enfants. Les historiens relèvent au cours
de cette période la corruption d'une partie du clergé, la survivance
d'énormes privilèges financiers, le maintien de la noblesse la plus
ancienne et la plus titrée aux positions les plus enviables de
l'administration, en même temps que la formation d'une bourgeoisie
dite "à talents" désireuse d'y accéder. Par ailleurs, l'industrie prenait
son essor depuis 1726 avec l'extraction de la houille, le
développement des manufactures de cotonnades et du commerce
colonial. Par contre, la crise des prix agricoles, du vin et des céréales
entraîne un marasme industriel, le désœuvrement paysan et ouvrier
ainsi que l'exode vers les villes. C'est aussi à cette époque que se font

---

125 D'après *Enc. Univ.*, 1998.
126 'Oysif' : sans travail, cf. Pierre Goubert, 1984, *Initiation à l'histoire de France*, Paris,
Fayard-Tallandier : 249.
127 Le grand aumônier ou 'apochrysarius' (lat : *apocrisiarius*: mandataire) était sous
l'Ancien Régime un officier du palais chargé des affaires ecclésiatiques et de la gestion des
oeuvres de charité royales, cf. René Foignet, 1943 : *Manuel élémentaire d'histoire du droit
français*, Paris, Rousseau et Cie : 47.

sentir les effets de la suppression des 'usages' en forêts, de même que le partage des communaux qu'avait connu la Grande-Bretagne depuis longtemps[128]. La misère touchait encore beaucoup d'hommes et de femmes pour lesquels la réponse de la monarchie était toujours celle de la "police des pauvres"[129].

> "Aussi est-ce sur la réforme de l'assistance que se polarisent les propositions et les controverses sociales de la seconde moitié du siècle, sur l'humanisation de l'hôpital, les secours à domicile, l'assistance par le travail, la prévention de la mendicité."[130]

Les premières sociétés de bienfaisance laïques, "sans fin pieuse ni tutelle ecclésiastique" et que l'on pourra considérer comme répondant à notre notion de la 'philanthropie' se seraient formées à la veille de la Révolution, au cours des années 1780. Elles demandaient à leurs adhérents des cotisations élevées. L'admission des membres se faisait sur présentation et au scrutin. On trouvait parmi les administrateurs des Maçons, des patriotes, de futurs législateurs révolutionnaires. "Les philanthropes rêvent alors d'une science de l'assistance, voire d'une science des faits sociaux qui serait science morale, science prescriptive, économie sociale."[131]

En France comme en Grande-Bretagne, l'usage du mot 'philanthropie' contribue à distinguer l'intention politique du devoir religieux. Le terme pourtant est originellement associé à l'Ancien Régime et non dépourvu d'un contenu chrétien. Il aurait été introduit dès 1712 par François de Salignac de la Mothe Fénelon (1651-1715), archevêque, théologien, précepteur des princes et penseur politique[132]. Le terme décrit alors la philanthropie plus comme une vertu personnelle et individuelle que sociale. Au-delà de la charité, le mot contiendra l'idée d'un rapport personnel d'estime entre les parties. Le terme de philanthropie est utilisé par une seule association, fondée en 1780 et présidée par un député attentif aux questions de prévoyance sociale, le prince Auguste Louis Alberic d'Arenberg[133]. Ainsi apparaît la "Société philanthropique".

---

128 Pierre Goubert, 1984 : 246 s.
129 Catherine Duprat, 1993, *Pour l'Amour de l'Humanité: Le temps des Philanthropes. La philanthropie parisienne des Lumières à la monarchie de Juillet*, tome 1, Paris, Editions du Comité des Travaux Historiques et Scientifiques : 3.
130 Idem.
131 Catherine Duprat, 1993 : XXXIII.
132 *Dictionnaire historique de la Langue Française*, 1992. Voir surtout Catherine Duprat, 1993, la riche discussion sémantique dans l'introduction.
133 *Dictionnaire de Biographie Française*, 1933.

Le mot de philanthropie se trouvera en concurrence avec bien d'autres vocables dont la fortune sera moindre : libéralité, générosité, bienveillance, sociabilité, aide, assistance, etc. Parmi eux, charité et bienfaisance seront ses principaux rivaux. Catherine Duprat voit une convergence entre bienfaisance et philanthropie tout en accordant à la philanthropie sa spécificité[134]:

> "Le philanthrope s'applique à discerner l'acte utile, prévenir plutôt que soulager la misère, fournir un travail au lieu d'une aumône, encourager population et production. A l'acte efficace est donc reconnue une vertu supérieure."[135]

Assister le pauvre n'est pas le premier objectif de la philanthropie. Il s'agit surtout d'engager une action moralisatrice ou culturelle, de vulgariser l'innovation, de conduire des campagnes sociales et humanitaires. Sous la Révolution, la notion de philanthropie prendra un sens très large pour désigner plus généralement tout bienfaiteur de l'Humanité, que ce soit un inventeur, un explorateur, un scientifique ou un homme généreux. Surtout, précise ailleurs Catherine Duprat, "le rôle du philanthrope n'est jamais réduit à un simple rôle de classe (…) c'est un rôle social universel..."[136]. L'évocation de la notion de classe, en association avec celle de 'philanthropie', introduit toutefois dans la société une dimension sous-jacente de rapports hiérarchiques, sinon conflictuels. La philanthropie propose des normes de comportement à l'intention des classes populaires mais aussi des classes privilégiées. Elle se veut science et accorde aux visiteurs des pauvres vocation d'enquêteurs sociaux.

Dans les sphères administratives, on utilise un autre vocabulaire. La philanthropie y devient 'bienfaisance'[137]. L'aide officielle est "représentée à Paris par le Grand Bureau des Pauvres [et] en province

---

134 Catherine Duprat, 1993 : XVI.
135 Hermann Sabran, 1900, "Du fonctionnement et de l'efficacité des secours à domicile - entente établie ou à établir à cet égard entre l'assistance publique et la bienfaisance privée", in *Rapports et mémoires présentés au Congrès international d'assistance publique et de bienfaisance privée*, Paris, 30 juillet au 5 août, vol. 1 : 51.
136 Catherine Duprat, 1992, "Naissance de la philanthropie : jalons pour une histoire de l'action sociale (1780-1848)" in *Des philanthropes aux politiques sociales (XVIIIᵉ-XXᵉ siècle)*, Cahiers de l'Association pour la Recherche sur les Philanthropies et les Politiques Sociales, janvier 1992 : 3-8.
137 Parlant de la bienfaisance, Georges Rondel (1912) écrira : "Cette doctrine peut se résumer comme suit : lutter contre le paupérisme en continuant de faire la charité, mais la charité éclairée : demander des inspirations non aux idées religieuses mais à l'observation attentive des faits et aux discussions en commun des problèmes sociaux." La protection des faibles, assistance et bienfaisance. *Encyclopédie Scientifique*, Paris, O. Doin et fils : 12.

par les Bureaux de Charité."[138] Les secours proprement dits sont dispensés par les bureaux de Bienfaisance dont la mission est d'assurer l'assistance, en nature de préférence, aux domiciliés de la commune[139].

Tout autre est le sens du mot "charité", que préfèrent et conservent les catholiques et "qui dans son principe n'est pas action sur le monde, mais témoignage d'amour de Dieu"[140].

> "La charité comporte sans doute plus de dévouement parce qu'elle se présente toujours à l'esprit sous des traits vivants et personnifiés, tandis que la philanthropie, qui considère d'un point de vue plus vaste les maux qu'elle combat ou le bien-être qu'elle procure est moins aidée par les émotions de la sympathie et de la pitié..."[141].

Nous utiliserons, quant à nous, les mots 'philanthropique' et 'philanthrope' pour désigner les établissements d'assistance et leurs membres déclarés qui, même sans se prévaloir du vocable, entreprennent, au-delà de l'aide matérielle aux pauvres, leur éducation, non au strict plan religieux, mais domestique, culturel, civique, afin de les intégrer à un mode de vie 'respectable' et acceptable par la classe privilégiée, et pour leur éviter de sombrer dans le socialisme.

b) La philanthropie en action

La Révolution Française eut l'intention de lever l'opprobre de l'indigence. La Constitution révolutionnaire de 1793, qui ne fut jamais appliquée, posa le principe selon lequel "les secours publics sont une dette sacrée"[142]. Elle visait à substituer "la société" à l'Église et à mettre en place un service national "d'assistance". "Le législateur révolutionnaire n'entendit pas pour autant réduire la bienfaisance particulière."[143] Celle-ci conserva les mêmes fins philanthropiques : éduquer, moraliser le pauvre et nouer des liens personnels avec lui.

---

138 Louis Rivière, 1900, "Du fonctionnement et de l'efficacité des secours à domicile - entente établie ou à établir à cet égard entre l'assistance publique et la bienfaisance privée" in *Rapports et mémoires présentés au congrès international d'assistance publique et de bienfaisance privée*, Paris, 30 juillet au 5 août, vol. 1 : 134.
139 Dr Drouineau, 1900, "Du fonctionnement et de l'efficacité des secours à domicile - entente établie ou à établir à cet égard entre l'assistance publique et la bienfaisance privée", *in Rapports et mémoires présentés au congrès international d'assistance publique et de bienfaisance privée*, Paris, 30 juillet au 5 août, vol. 1 : 89.
140 Catherine Duprat, 1993 : XIX.
141 L. de Guizart, Rapport sur les travaux de la Société de morale chrétienne pendant l'année 1823-1824 : 22-23, cité par Jacques Donzelot, 1977, *La police des familles*, Paris, Editions de Minuit : 66.
142 *Enc. Univ.*, 1998.
143 Catherine Duprat, 1992 : 3-8.

Les fondations, telles que 'La Charité Maternelle', la 'Société Philanthropique', bénéficient de subventions. Les députés de l'aristocratie parisienne et du Tiers État portent au pouvoir des 'philanthropes' qui rallient des clubs comme ceux des Feuillants, des Cordeliers, des Jacobins, des Amis de la Vérité (eux-mêmes fondateurs du premier club de femmes)[144]. Mais la suppression par le Directoire de l'allocation publique à la Société Philanthropique entraîne les associations de bienfaisance parisiennes à suspendre leurs activités jusqu'au Consulat et surtout jusqu'après 1815[145]. Le Consulat ne fixe pas de conditions précises à l'attribution des secours. Des règlements prescrivent des aides en nature plutôt qu'en argent.

"Dans la première moitié du XIXe siècle, la conception chrétienne du pauvre survit en se modifiant."[146] Sous la Restauration, se reconstituent les œuvres de charité catholiques et royalistes que la Révolution pensait avoir abolies. Rivales, "les sociétés philanthropiques et charitables vont bientôt s'opposer"[147]. En 1827, on compte une trentaine d'associations philanthropiques. D'abord conciliantes et œcuméniques, les œuvres sont gagnées, de 1820 à 1830, par les conflits des églises et des partis. Dans une perspective que l'on présume 'philanthropique', on cherche, en France comme en Grande-Bretagne, à toujours mieux distinguer les bons et les mauvais pauvres. Un rapport rouennais datant de 1831 sur la question de la mendicité relève "trois classes de pauvres : 1) ceux de l'âge et de l'infirmité, 2) ceux qui sont privés de travail, 3) ceux que la fainéantise et la haine ont jetés dans la mendicité"[148]. Il en ressort une distinction, reconnue autant par les clercs que par les laïcs, entre les pauvres et les mendiants, entre les valides et les invalides. Selon leur catégorie et la conjoncture, on essaie de leur appliquer des traitements différents. En 1826, les valides sont conduits au dépôt de mendicité chargé de les occuper ; en 1830 on crée, pendant les crises, des ateliers de charité pour les sans-travail ; en 1831, on combine des mesures répressives et de secours et on ouvre des chantiers de travaux publics.

Michel Foucault (1975), qui s'intéresse aussi à l'enfermement des pauvres à partir du début du XIXe siècle, constate que la prison est

---

144 Catherine Duprat, 1992 : 4.
145 Idem : 5.
146 Yannick Marec, 1981, "Pauvres et miséreux à Rouen dans la première moitié du XIXe siècle" in *Cahiers des Annales de Normandie*, Caen, n° 13 : 143-170.
147 Catherine Duprat, 1992 : 5.
148 Auguste Barbet, 1831, "Rapport sur la question de la mendicité", in *Bulletin de la Société libre d'Emulation de Rouen* : 187-212, cité par Yannick Marec, 1981, n° 13 : 143-170.

considérée comme "un appareil disciplinaire exhaustif" et ce "en plusieurs sens : elle doit prendre en charge tous les aspects de l'individu, son dressage physique, son aptitude au travail, sa conduite quotidienne, son attitude morale, ses dispositions"[149]. L'auteur relève "l'articulation explicite" du système carcéral "sur des luttes sociales" servant de "support à la grande peur d'une plèbe que l'on croit tout ensemble criminelle et séditieuse, au mythe de la classe barbare, immorale et hors-la-loi qui, de l'Empire à la monarchie de Juillet, hante le discours des législateurs, des philanthropes ou des enquêteurs de la vie ouvrière."[150] "Ce sont ces processus qu'on trouve derrière toute une série d'affirmations bien étrangères à la théorie pénale du XVIIIe siècle [selon laquelle] le crime n'est pas une virtualité que l'intérêt ou les passions ont inscrite au cœur de tous les hommes, mais qu'il est le fait presque exclusif d'une certaine classe sociale"[151]. "Cette race abâtardie", "cette classe dégradée par la misère dont les vices opposent comme un obstacle invincible aux généreuses intentions qui veulent la combattre (...)"[152]. Le monde de la pauvreté, débarrassé des indésirables, est identifié de plus en plus aux "classes laborieuses"[153], aux "pauvres honteux", tandis que l'absence de travail sera un prétexte pour distinguer aussi les étrangers des hommes du pays[154].

c) Sur les causes de la misère et sa résolution

Parmi les analystes qui réfléchissent aux causes de la misère, certains constatent l'insuffisance des salaires selon les métiers et les catégories d'individus (les moins payées étant les femmes et les enfants). Eugène Buret[155], en 1840, établit une relation entre la misère et la richesse de quelques-uns, tandis que P. S. Lelong (1848)[156] dénonce à la fois les bas salaires et la diminution du marché intérieur.

---

149 Michel Foucault, 1975, *Surveiller et punir : naissance de la prison*, Paris, Galimard : 238.
150 Idem : 280.
151 Idem.
152 Idem.
153 Expression qui sera reprise par la suite dans l'ouvrage de Louis Chevalier, *Classes laborieuses et classes dangereuses*, Paris, Plon, 1969.
154 Yannick Marec, 1981 : 144-145.
155 Eugène Buret, 1840, *De la misère des classes laborieuses en Angleterre et en France*, Paris, cité par Yannick Marec, 1981 : 158.
156 S. Lelong, 1848, "Essai pour parvenir à la solution de la plus grave question qui puisse préoccuper les amis de l'ordre de l'humanité : amélioration du sort des travailleurs", in *Revue de Rouen*.

Parmi ces penseurs, se situe Alexis de Tocqueville (1805-1859). C'est en 1835 qu'il intervient sur ce problème. Il constate que c'est "chez les peuples les plus opulents [qu'] une partie de la population est obligée pour vivre d'avoir recours aux dons de l'autre"[157]. Tocqueville examine les effets comparés de la charité "légale" (c'est-à-dire publique) et de la charité individuelle. Il s'insurge contre la première, la "charité légale", dont l'exemple est pour lui la Loi des Pauvres Anglais, multipliant les indigents (un sixième de la population anglaise) et qui entretient les bénéficiaires dans l'oisiveté, la dégradation et la criminalité qui en découlent. Cette forme de charité divise la population en deux nations rivales, les riches et les pauvres, et "les dispose au combat"[158].

> "L'aumône individuelle, au contraire, établit un lien précieux entre le riche et le pauvre. Le premier s'intéresse par le bienfait même au sort de celui dont il a entrepris de soulager la misère, le second (…) se sent attiré par la reconnaissance, [et] un lien moral s'établit entre ces deux classes que tant d'intérêts et de passions concourent à séparer (…)"[159].

Toutefois, constate-t-il, cette charité individuelle est devenue insuffisante et "si elle est encore un instinct sublime, elle ne mérite plus à mes yeux le nom de vertu."[160] Pour éviter

> "[la] révolution violente que prépare la charité légale, il faut, non pas guérir les maux de la misère, mais les prévenir (…) Est-il impossible d'établir un rapport plus fixe et plus régulier entre la production et la consommation des matières manufacturées ?"[161]

Alexis de Tocqueville pose, sans l'approfondir ici, le problème des salaires[162]. Il est cependant un des rares penseurs qui cherchent les causes socio-économiques de la pauvreté.

Sous la IIIᵉ République, la charité privée - religieuse et laïque - se manifeste à travers plusieurs courants que distingue utilement Jacques Donzelot (1977)[163]. Il y a, d'abord, ceux qui sont tracés par les discours des économistes et des philanthropes[164] :

---

157 Alexis de Tocqueville, 1835, "Mémoire sur le paupérisme", in 1986, *Canadian Social Work Review*, n° 83, Ottawa : 27-40.
158 Idem : 36.
159 Idem : 35.
160 Idem : 38.
161 Idem : 39.
162 Ce *Mémoire sur le Paupérisme* devait être suivi d'un ouvrage qui ne vit jamais le jour.
163 Jacques Donzelot, 1977 : 61-67.
164 Idem : 66.

"D'un côté, les socialistes (William Godwin en Grande-Bretagne, les utopistes en France) proposent l'abolition de la propriété et de la famille au profit d'une gestion étatique des besoins. D'un autre côté, l'économie politique chrétienne (…) [dont la Société des établissements charitables créée en 1828] promeut une reconduction améliorée de l'ancienne charité, restaurant les liens d'obédience unissant autrefois les riches et les pauvres (...) La charité établit des rapports et des liens d'affection entre les classes, institue une hiérarchie salutaire et douce (...) Il n'appartient qu'à la religion d'adresser aux riches de sévères reproches parce qu'en même temps elle enseigne aux pauvres (...) Un troisième groupe, celui de l'économie sociale (Léonard de Sismondi, Joseph-Marie de Gérando, François Guizot, René-Louis Villermé, Charles Dupin, etc.) prolonge l'ancien esprit philanthropique du XVIIIe siècle (…) [dont] le discours de référence est celui de Malthus"[165].

Prendre le contre-pied du raisonnement charitable est pour ces philanthropes le moyen de conjurer l'avènement d'une charité d'Etat spoliatrice de fortune[166]. Ils s'accordent pour considérer que c'est "l'ancien système des obédiences clientélistes et charitables qui fait le lit du socialisme"[167]. Les philanthropes incitent à l'épargne comme pièce maîtresse du nouveau dispositif de l'assistance. Ce qu'il faut donner, ce sont plutôt des conseils que des biens[168]. Aux économistes chrétiens qui privilégient le rapport entre riches et pauvres, c'est-à-dire entre deux minorités, ces philanthropes opposent "la prise en considération de la plus grande masse des citoyens"[169]. Aux socialistes, les philanthropes opposent la famille que les premiers veulent détruire en transférant ses pouvoirs à l'Etat. Il s'agit donc pour la philanthropie de déplacer l'ancienne charité vers de nouvelles modalités d'attribution des secours, selon une procédure permettant de mieux discriminer l'"indigence factice" de la "pauvreté véritable"[170]. On attribue au baron de Gérando (1820)[171] la procédure ayant pour objectif de procéder à cette discrimination en subordonnant l'attribution des secours à une investigation minutieuse des besoins et en débusquant les artifices de la pauvreté par "la pénétration intérieure du pauvre"[172].

---

165 Idem : 62.
166 Idem : 64.
167 Idem : 63.
168 Idem : 66.
169 Idem : 63.
170 Idem : 67.
171 Marie Joseph de Gérando, 1820-1990, *Le visiteur du pauvre*, Paris, Jean-Michel Laplace, *Cahier de Gradiva,* n° 15.
172 Idem.

La philanthropie cherche à se distinguer de la charité par l'expérience, le pragmatisme[173]. Ce faisant, elle se rend, comme sa 'consœur' britannique, inquisitive.

Dès 1840 déjà, on constate une dégradation de l'image de la philanthropie sous l'effet des conflits de classes. Elle est suspecte à la population ouvrière et aux professionnels des services d'assistance. Elle est bientôt la cible des critiques des radicaux et des socialistes.

Jeannine Verdès-Leroux (1978)[174] voit le déplacement de l'"ancienne charité" vers la "bienfaisance philanthropique" déboucher sur l'"assistance sociale" (à ne pas confondre avec l'assistance publique). L'auteure définit l'"assistance sociale" comme un contre-mouvement se proposant d'arracher la classe ouvrière au socialisme en lui démontrant l'inutilité de la révolution pour améliorer sa condition. Cette 'assistance sociale' est conçue, financée, mise en œuvre par une fraction de la classe privilégiée constituée par les conservateurs qui avait perdu le pouvoir politique avec la démission de Mac Mahon en 1879. Il s'agit de grands bourgeois et d'aristocrates opposés à la République ou ralliés, ou encore résignés.

Pendant une première période, l'assistance sociale est essentiellement une affaire de femmes issues de la bourgeoisie aisée, dominant les comités de patronage, attirant les dons par leur nom, célibataires pour la plupart, cherchant une alternative à la vie familiale[175]. Leurs œuvres constituent pour elles une forme d'intervention politique plutôt qu'un travail. Avant 1914, l'assistance sociale existe sous forme de résidences (ou "colonies") sociales, copies des *settlements* de l'Angleterre de 1870 qui s'ouvrent dans les quartiers populaires et proposant des garderies, des "causeries" et des consultations morales, ou des travaux à domicile, etc.[176]). Les femmes du monde essaient de prendre contact avec les familles ouvrières. Leurs entreprises éducatives portent sur les femmes de ce milieu qui sont jugées plus malléables que les hommes. En réalité l'action de ces femmes philanthropes s'appuie sur leur profonde ignorance des classes populaires[177]. Elles pensent que l'infériorité sociale procède d'un ordre juste et qu'il ne faut apporter à cette société que des

---

173 Jacques Donzelot, 1977 : 66.
174 Jeannine Verdès-Leroux, 1978, *Le travail social*, Paris, Les Editions de Minuit : 13.
175 Jeannine Verdès-Leroux, 1978 : 14.
176 Appoline de Gourlet 1904, "Colonies sociales. La résidence laïque dans les quartiers populaires", *L'Action populaire* , 3ᵉ série , n°37 : 20.
177 Jeannine Verdès-Leroux, 1978 : 21-22.

changements minimes : "le Bon Dieu veut qu'on respecte les droits acquis."[178] Les femmes du monde qui vont au peuple n'établissent pas le contact avec les ouvriers, mais avec leurs femmes et leurs enfants. "Une sélection s'opérait", estime un contemporain[179]. En majorité, ce sont des catholiques, indépendants de leur Eglise, formant le milieu restreint des pionniers de l'assistance sociale, qui "allient un conservatisme politique profond à un réformisme moral limité"[180]. Ils ont un but précis : "assurer la paix sociale dans le progrès", parvenir "à l'union intime et féconde de toutes les classes"[181]. Leur cible est la classe ouvrière urbaine, "le groupe le plus menaçant et [qui] fait peser sur la bourgeoisie la peur du Grand Soir"[182].

La misère relèverait donc, selon cette tendance philanthropique mêlée de catholicisme, d'un traitement social et éducatif supposé approprié qui, note Jeannine Verdès-Leroux, justifie l'hégémonie culturelle de la classe privilégiée qui s'ajoute opportunément à sa domination économique[183]. Eduquer la classe ouvrière dans ce contexte, c'est la discipliner et lui imposer les représentations de cette élite, c'est lui imposer un programme de redressement. Comme le remarque aussi l'auteure, alors que les membres républicains du gouvernement prônent la 'solidarité de classes', la tendance philanthropique pro-catholique et exclue du pouvoir parle aussi de 'classes' dans des discours "empreints de compréhension" envers les ouvriers, prétendant partager leurs plaintes et leur colère contre la fraction politique républicaine[184]. Une "perception faussée de la charité", qui pousse les pauvres soit à se cacher, soit à revendiquer l'aide comme un droit, entraînera les gouvernements à passer de la charité facultative à une assistance publique ou "légale", comme la nommeront deux de ses détracteurs, Thomas Malthus et Alexis de Tocqueville[185].

Dans ce schéma, tous les indigents, même les improductifs[186], sont pris en charge par l'assistance publique, ce qui veut dire que cette

---

178 Perroy, 1927, M. Madeleine Carsignol, Paris, Spes., cité par Jeaninne Verdès-Leroux, 1978.
179 Idem 1978 : 20.
180 Jeannine Verdès-Leroux, 1978 : 13.
181 Jeannine Verdès-Leroux, 1978 : 15.
182 Jeannine Verdès-Leroux, 1978 : 16.
183 Jeannine Verdès-Leroux, 1978 : 18.
184 Idem, 1978 : 16-17.
185 Jacques Donzelot, 1977 : 61.
186 Jeannine Verdès-Leroux, 1978 : 16.

institution gouvernementale décriée est précisément celle qui sera capable de remplir les fonctions de la *Poor Law* britannique : recueillir les mauvais pauvres et laisser à l'assistance privée les meilleurs d'entre eux, susceptibles d'être éduqués, amendés et de recevoir des solutions individualisées.

La France, comme la Grande-Bretagne, est aussi soucieuse de se débarrasser des mauvais pauvres, mais elle n'entreprend pas une recherche aussi attentive que celle de Charles Booth sur la population urbaine. A la différence de cette dernière, les investigations de Louis-René Villermé portent sur la classe ouvrière des industries textiles (où la misère aussi pénètre largement) et non sur une population en partie désœuvrée[187]. Plusieurs philanthropes souhaiteraient que ces recherches mènent à une "science" et Frédéric Le Play (1806-1882) est l'homme qui répondra à leur attente sur des bases ouvrant la voie au "patronage" industriel.

Frédéric Le Play (1806-1882)

Frédéric Le Play est considéré par certains comme le premier théoricien de la sociologie de terrain. Il reçoit une éducation très chrétienne. Haut fonctionnaire et sociologue, il crée la Société d'économie sociale. Admis en octobre 1825 à l'Ecole polytechnique, il fait, durant un quart de siècle, de son activité d'expert métallurgiste le support de ses recherches sociologiques. Il veut fonder la science sociale. Son objet, les familles ouvrières, le conduit à la méthode monographique. Sa technique est l'établissement du budget familial d'une part, la collecte d'informations auprès des autorités sociales, d'autre part. Le Play fonde la Société d'économie sociale pour étudier la situation de la classe ouvrière ("personnes occupées aux travaux manuels") au moyen de ces méthodes. Son ouvrage, la *Réforme sociale en France*, est publié en 1864. En 1881 paraît le premier numéro d'une revue engagée et scientifique : *La Réforme sociale*. Il se rallie à la droite orléaniste puis au Second Empire[188].

---

187 Louis-René Villermé, 1989, *Tableau de l'état physique et moral des ouvriers-employés dans les manufactures de coton, de laine et de soie*, Paris, Jules Renouard et Cie.
188 Antoine Savoye, 1987, "Une réponse originale aux problèmes sociaux : l'ingénierie sociale (1885-1914)", in *Vie Sociale*, n°s 8-9 ; *Enc. Univ.*, 1998; Robert Castel, 1995, *Les métamorphoses de la question sociale : une chronique du salariat*, Paris, Fayard: 427.

Selon Robert Castel, Frédéric Le Play élève le patronage industriel à la dignité d'un principe de "gouvernementalité" politique[189]. Par le patronage volontaire, écrit Le Play :

> "l'autorité militaire des seigneurs qui étaient chargés autrefois de défendre le sol sera remplacée par l'ascendant moral des patrons qui dirigeront les ateliers de travail."[190]

Frédéric Le Play entre en contact avec Léon Lefébure (1838-1911), fondateur de l'OCOB. La science sociale de Le Play est en arrière-plan des idées philanthropiques du XIXe siècle en France.

d) L'OCOB et son organisation

Léon Lefébure, ancien député, résolument chrétien, mais sans exclusive, fondait en 1890 l'Office Central des Institutions Charitables, devenu en 1896 l'Office Central des Œuvres de Bienfaisance (OCOB). S'inspirant des réalisations anglo-saxonnes, il souhaite qu'une coordination s'établisse entre la multitude d'œuvres existantes.[191]

> "Il faut que les œuvres se connaissent, coordonnent leurs efforts, ce qui permettra une meilleure organisation, et évitera aussi 'les industries de la fausse indigence', c'est-à-dire les miséreux qui sollicitent des secours partout. Deux efforts sont donc nécessaires : la recension des œuvres et la recension des pauvres qui doivent aller de pair."[192]

Dans ses statuts, l'OCOB énonce ainsi ses objectifs :

> "L'association d'assistance libre, dite "Office Central des Œuvres de Bienfaisance", a pour but de rendre l'exercice de la charité plus efficace, de faire connaître aussi exactement que possible l'état de misère et les œuvres destinées à la soulager, de discerner et de propager les moyens les plus propres à la prévenir et à la combattre"[193]

.

L'OCOB se charge de faire "une enquête sur les œuvres charitables" et de les "relier" entre elles. Elle "recueille des renseignements sur les pauvres", encourage "la création d'œuvres d'assistance par le travail", facilite "le rapatriement des individus susceptibles de trouver des moyens d'existence hors de la capitale",

---

189 Robert Castel, 1995 : 408.

190 Frédéric Le Play, 1867, *La Réforme sociale en France*, Tome II : 413, cité par Robert Castel, 1995 : 408.

191 Anonyme, 1994, "Un effort centenaire de recension des établissements" in *Vie Sociale* (Etudes : Les structures d'hébergement pour personnes âgées), n ° 5, septembre/octobre.

192 Idem.

193 Cf. 'Textes fondamentaux de l'Office Central des Œuvres de Bienfaisance'.

"échang(e) des informations et des services avec les œuvres charitables établies à l'étranger.

L'OCOB est géré par un Conseil d'administration qui compte de trente à quarante membres élus par l'assemblée générale. Celle-ci réunit une fois par an les membres fondateurs et bienfaiteurs. Le Conseil est assisté de commissions et d'un comité de dames patronnesses. Les premières commissions recouvrent les finances, les enquêtes, la propagande. Puis sont créées la commission d'assistance par le travail, celle du contentieux, la commission administrative, la commission de la répartition des libéralités, les commissions des enquêtes sur les œuvres à l'étranger et la correspondance internationale.

L'association se compose de membres bienfaiteurs, fondateurs, titulaires, souscripteurs (cette dernière dénomination change en 1896 et devient 'adhérents').

"Le titre de bienfaiteur est donné par le Conseil de l'Œuvre, sur la proposition du Bureau, aux personnes qui, par un don exceptionnel ou par des services signalés, auront contribué à son développement. Sont membres fondateurs ceux qui font à l'Œuvre une libéralité de 300 francs, au moins, donnés en une fois. Sont membres titulaires ceux qui versent une cotisation annuelle de 25 francs au moins. Sont membres souscripteurs, ceux qui versent une cotisation annuelle de 10 francs"[194].

Les souscripteurs peuvent aussi être des personnes morales, c'est-à-dire des sociétés, des compagnies, des comptoirs, des chambres syndicales, des journaux.

A la différence de la COS, l'OCOB ne recrute aucun personnel salarié et gère seulement huit antennes en province (Bordeaux, Lyon, Lille, Roubaix, Tourcoing, Clermont-Ferrand, Nancy, Pau)[195]. Ajoutons qu'elle n'éditera qu'un seul périodique, le *Bulletin de l'Office Central des Œuvres de Bienfaisance* publiant des communications de membres sur des sujets divers.

La philanthropie, à travers l'édification d'associations comme la COS et l'OCOB, se présente comme une tentative pour éduquer des êtres sans culture et les réintégrer dans la société. Elle conçoit toute une partie de la population en situation infantile et en besoin d'assistance. Ce faisant, elle participe d'une idéologie qui rejoint les idées dominantes de l'époque : celle de la famille comme modèle des

---

194 *Annuaire juillet 1890 (fondation), rapports et comptes rendus*, 21 mai 1892. Précisons que ce texte change dans le temps.
195 *Paris charitable et prévoyant*, 1904, 3ᵉ édition, Paris, Plon : 8.

relations sociales. C'est au sein de la famille que se résolvent les problèmes de solidarité et d'entraide. Les tâches qui y sont liées sont généralement assumées par les femmes, surtout par la mère ou par la fille aînée. Ainsi les rôles familiaux peuvent être transposés aussi bien à l'ensemble de la société qu'aux entités dont elle se compose. On pensait donc que "la gestion d'une société philanthropique pourrait aussi se comparer à celle d'une famille : les hommes pourvoiraient l'intelligence et la direction : 'les femmes leur bon cœur, leur plus juste intuition du droit".[196]

Ces idées trouvent dans le paternalisme un renfort. Sans que cette dernière notion se rapporte à la pauvreté à proprement parler, puisqu'elle s'applique surtout aux ouvriers, le paternalisme, comme la philanthropie, s'inscrit dans les idéologies fondées sur l'instauration de liens prétendus familiaux entre classes. La philanthropie s'ouvre ainsi davantage aux femmes, en leur assignant un rôle maternel ou sororal auquel on accorde une portée sociale.

---

196 Theodore Parker, *A sermon on the public function of Woman*, Boston, 1853 : 19 cité par Franck Prochaska, 1980 : 17.

DEUXIÈME PARTIE

LES FEMMES

"Les femmes souffrent l'Histoire
mais ne la font pas."
Ava Maria Araujo, 1980.

QUE SONT LES FEMMES ?

Si les définitions lexicales du pauvre le situent dans une conjoncture qui suffirait à expliquer sa condition, la définition de la femme, dans le vocabulaire français, se rapporte surtout à la permanence de sa physiologie, sinon de son anatomie qui la renvoie à elle-même. Selon le *Dictionnaire Historique de la Langue Française*, (1992), d'Alain Rey, 'femme' vient du latin 'femina' qui signifie "qui allaite" et d'une racine indo-européenne 'dhe' 'téter, sucer' " 'Femina' a le sens de 'femelle d'animal' puis de 'femme' et 'épouse'; il a concurrencé 'mulier' 'femme' qui a donné l'italien 'moglie', l'espagnol 'mujer', l'ancien français 'moïllier' (jusqu'au XIVᵉ siècle) et 'uxor' 'épouse' qui a abouti en ancien français à 'oissour', attesté jusqu'à la première moitié du XIIIᵉ siècle."

Antoine Furetière, ecclésiastique et grammairien, définit la 'femme' dans son *Dictionnaire Universel,* (1690), comme "celle qui conçoit et qui porte les enfants dans son ventre". Mais à cette définition il ajoute quelques considérations contradictoires sur sa moralité. Ainsi, il précise que si "Saint Augustin appelle les 'femmes' le sexe dévot", Salomon dit que : "(...) de mille hommes il en a trouvé un bon, et de toutes les 'femmes' pas une".

Le *Dictionnaire de la Langue Française* d'Emile Littré (1877), désigne par le mot femme "l'être qui dans l'espèce humaine appartient au sexe féminin". Le sexe 'féminin' est dans cet ouvrage, "caractérisé physiologiquement par l'ovaire" bien que l'on ne trouve pas la contrepartie de cette précision physiologique dans la définition de l'homme, qui se confond par contre avec ce qu'il y a de plus valorisant dans l'espèce humaine, la culture.

Dans le *Trésor de la Langue Française* (1980), la femme est celle qui "élabore des ovules, conçoit et enfante". Sur les neuf pages qui lui sont consacrées, une colonne et demie décline les différents sens du mot femme relatifs à son organogénie.

Le *Grand Robert* (1994) définit 'femme' comme un "être humain appartenant au sexe capable de concevoir les enfants, à partir d'un ovule fécondé". Les caractéristiques physiologiques de la femme ne semblent jamais se séparer de celle-ci.

Cependant, (1982) la notion de 'éternel féminin' (et non celle de 'femme') qui figure dans le *Dictionnaire des Symboles* "(...) guide le désir de l'homme vers une transcendance" évoquée par Goethe et Dante. Il rappelle que, pour le poète Aragon, "la femme est l'avenir de l'homme", tandis que, pour le jésuite Teilhard de Chardin, la femme est "la grande force cosmique".

Dans les dictionnaires anglo-saxons, le mot *'woman'* met moins en évidence la spiritualité ou la physiologie de la femme que ses traits sociaux : son sexe, son âge, sa classe. *The Oxford Dictionary of English Etymology* (1996) définit *'woman'* comme un "être humain adulte du sexe féminin", servante. Vieil anglais : *wifman* (neutre), masculin, plus tard féminin. Formé de *wif woman + (man)* neutre; une formation particulière à l'anglais, non trouvée dans les plus anciens documents, les mots primitifs étant *wif* (WIFE) et *cwene (QUEAN)*.
"Dans ce même ouvrage, *'lady'* est une "femme de position supérieure (donc l'équivalent d'un titre); une épouse au XIIIe siècle; une femme délicate au XIXe siècle." Par contre,*' female'* désigne "le sexe qui engendre les enfants."

Pour *The Shorter Oxford English Dictionary on Historical Principles,* (1975), *'woman'* est "un être humain adulte du sexe féminin (...). un terme d'adresse (...) évoquant des attributs du sexe féminin tels que l'inconstance, la prédisposition aux larmes ou la faiblesse physique, également sa position d'infériorité ou d'assujettissement." *'Woman'* est aussi "une servante, une camériste". Toujours selon le *Shorter, 'lady'* se rapporte à "la responsable d'une demeure; une femme qui administre des subordonnés, l'équivalent féminin de *'lord'* : une femme qui fait l'objet d'une dévotion masculine; une maîtresse ou la bien-aimée au Moyen Age, une femme de position sociale supérieure; dans le langage présent, souvent un synonyme courtois de 'femme', un terme d'adresse habituel, une femme dont les manières, les habitudes et la sensibilité sont celles qui caractérisent les hautes classes de la société; comme un titre honorifique au Moyen Age, une épouse, une consorte, la femelle d'un animal."

On trouve dans le *Webster' s Third New International Dictionary,* (1981), qu'une 'femme' est "un être humain de sexe féminin - différent de 'l'homme', une adulte - différente de la 'fille', un être humain de sexe féminin en tant que telle, sans prendre en considération un statut spécial (tel que la naissance, la situation ou la fonction), un être humain de sexe féminin d'une classe ou d'un rang inférieur à celui considéré normalement comme celui d'une *'lady'*. Un être humain de sexe féminin appartenant à une catégorie particulière et généralement spécifiée (par la naissance, la condition ou la fonction) (...) La fraction féminine de la race humaine (...) Une personne du sexe féminin qui en sert une autre ou qui lui est subordonnée." Dans ce dictionnaire, *'lady'* est la "maîtresse de servantes : une femme qui gère l'organisation domestique de la maison (...) Une femme qui exerce les droits ou une autorité de propriétaire; une femme à qui l'obéissance ou le respect sont dus comme à un maître ou à un seigneur (...) Une femme de bonne famille ou occupant une position sociale supérieure."

De ces définitions lexicales, remarquons que *'women'* a une connotation beaucoup plus sociale que 'femme' en français. Le sens physiologique qui ressort des descriptions francophones est reporté sur *'female'* dans les présentations anglo-saxonnes. La perception qu'ont les Anglais et les Français pèse lourdement sur le destin et la promotion sociale de leurs femmes.

CHAPITRE III

PRÉLUDE MANQUÉ
À L'ÉMANCIPATION DES FEMMES

Des circonstances favorables à l'émancipation féminine auraient pu apparaître au XVIIIe siècle en France sous l'effet de l'essor philosophique et en Grande-Bretagne en raison de l'essor économique. Pourtant, Françaises et Anglaises sont victimes de leur histoire nationale respective : turbulente et contradictoire pour les premières, florissante et injuste pour les secondes.

1. En France : les Françaises victimes de la philosophie

Le concept de "droit naturel",[197] énoncé en Grande-Bretagne par John Locke (1632-1704)[198], est adopté en France dans la Déclaration des Droits de l'Homme du 26 août 1789. En se référant ainsi aux droits égaux qu'aurait, de naissance, chaque individu, la Révolution ouvrait des perspectives de citoyenneté aux Françaises. Mais le concept entraîne aussi dans son sillage une ambiguïté majeure avec la notion de "nature" dont se saisirent les milieux conservateurs pour définir la condition sociale des femmes. Nombre de progrès sociaux favorables aux femmes proposés par la Révolution furent ainsi remis en cause parfois pour fort longtemps.

a) Aux prises avec la Nature

Alors qu'au XVIIe siècle on conçoit selon Danielle Haase-Dubosc (1999) "qu'il n'y a pas de nature sexuelle des femmes"[199], au XVIIIe siècle, c'est par un discours prétendument fondé sur les progrès de la science, mais lourd de préjugés, que les femmes sont confrontées à cette "nature". Certains des meilleurs esprits du temps comme les plus

---

197 Florence Gauthier, 1992, *Triomphe et mort du droit naturel en Révolution*, 1789, 1795, 1802, Paris, Presses Universitaires de France : 9.
198 Philosophe anglais selon qui le pacte social ne détruit pas les "droits naturels".
199 Danielle Haase-Dubosc, 1999, *Ravie et enlevée : De l'enlèvement des femmes comme stratégie matrimoniale au XVIIe siècle*, Paris, Albin Michel : 168.

partiaux font usage de découvertes scientifiques pour accabler les femmes d'un nouveau credo. Appartenant au seul sexe capable de procréer, elles sont irrévocablement liées à la maternité. Arlette Farge (2001), commentant Denis Diderot (1713-1784), apprend de celui-ci que "leur utérus les laissant sans répit, elles s'exaltent très vite."[200] Les femmes sont "soumises (dit-on) à un système physiologique d'humeurs très contrasté et à des forces utérines débordant [leur] volonté". La femme est dite posséder "un corps qui lui échappe, dans la violence comme dans la faiblesse". Dans la ligne de ce raisonnement, un criminologue affirme que le "crime féminin surgit justement des excès de son sexe"[201] et que "la criminalité des femmes est contagieuse et en ce sens plus dangereuse"[202]. C'est cette violence "hystérique" que l'homme doit chercher à contrôler. Les femmes, confrontées en toute occasion aux métastases de leur présumée "nature", sont menacées d'être écartées définitivement de la culture.

b) Aux prises avec la Société

C'est encore l'argument de "nature" qui est utilisé pour empêcher les femmes d'exercer leur pleine capacité civique dans les institutions telles que le mariage, la citoyenneté, le droit.

– Le mariage

En France, la femme reste placée dans le mariage sous la tutelle de l'époux, chargé de son instruction[203]. Elle est mineure "en raison de sa fragilité et de son irresponsabilité"[204]. Selon l'article 213 du Code civil, le mari doit protection à sa femme et la femme doit obéissance à son mari[205]. Le droit, pour le mari, de se faire justice en cas de désobéissance, s'appuie également sur la même "présomption de fragilité et d'irresponsabilité de sa femme."[206]

L'inégalité des conjoints avait trouvé, dans la France révolutionnaire, un début de résolution favorable aux femmes à travers

---

200 Arlette Farge, 2001, "Jeu des esprits et des corps au XVIIIe siècle" in Cécile Dauphin et Arlette Farge, *Séduction et Sociétés : approches historiques*, Paris, Seuil : 75.
201 Cécile Dauphin, 1997, "Fragiles et puissantes, les femmes dans la société du XIXe siècle" in Cécile Dauphin et Arlette Farge, *De la violence et des femmes*, Paris, Albin Michel : 93.
202 Idem.
203 Idem.
204 Cécile Dauphin, 1997 : 94.
205 Nicole Arnaud Duc, 1991, "Les contradictions du droit", in Georges Duby et Michelle Perrot, *Histoire des femmes : le XIXe siècle*, 1991 - 4, Paris, Plon : 103.
206 Cécile Dauphin, 1997 : 93.

le divorce par consentement mutuel, autorisé par une loi de 1792. Cette loi, qui reconnaissait "la stricte égalité des époux"[207], représentait un grand pas "sur le chemin de la citoyenneté des femmes"[208]. Elle est restreinte par le Code civil de Bonaparte en 1804 et elle est abolie en 1816 "sous l'action du théoricien monarchiste, le vicomte de Bonald"[209] qui faisait grief aux révolutionnaires d'avoir ruiné la "société naturelle" dans laquelle "la femme est sujet et l'homme est pouvoir"[210].

– La citoyenneté

Au-delà du mariage, l'Etat représente un niveau d'insertion civique dont l'accès aux femmes est encore restreint. Pourtant celles-ci "travaillent par mille moyens à être des sujettes de l'histoire"[211], c'est-à-dire des citoyennes. "Du haut en bas de l'échelle sociale, elle[s] occupe[nt] l'ensemble des espaces, sauf sans doute celui de la guerre"[212].

Selon Eliane Viennot (1991) "la participation des femmes à la vie politique était une évidence au XVIe siècle"[213]. Mais cette participation se manifeste subversivement hors des institutions légales. D'après Arlette Farge (1991), les femmes ont un rôle "d'actives émeutières"[214] dont on trouve un modèle commun en Grande-Bretagne, en France, en Hollande, en Allemagne[215]. "Du XVIe au XVIIIe siècle, d'Amsterdam à Naples, l'on croisait des femmes appelant les hommes à la révolte."[216] "La rhétorique émeutière des révolutionnaires françaises s'ancre dans une longue tradition : battre le tambour, tourner en dérision l'autorité

---

207 Jacques Marseille et Nadeije Laneyrie-Dagen, 1993, *Les Grands Evénements de l'Histoire des Femmes*, Paris, Larousse : 202-203.
208 Geneviève Fraisse, 1995, *Muse de la Raison : Démocratie et exclusion des femmes en France*, Paris, Gallimard : 172.
209 Geneviève Fraisse, 1995 : 168.
210 Elisabeth Sledziewski, 1991, "Révolution Française : le tournant" in Georges Duby et Michelle Perrot, *Histoire des femmes en Occident: le XIXe siècle*, 1991 - 4, Paris, Plon : 45.
211 Arlette Farge et Natalie Zemon Davis, 1991, "Introduction", in Georges Duby et Mchelle Perrot, *Histoire des femmes en Occident : XVIe - XVIIIe siècle*, 1991 - 3, Paris, Plon : 16
212 Arlette Farge et Natalie Zemon Davis, 1991, "Introduction", in Georges Duby et Michelle Perrot, 1991 - 3 : 13.
213 Eliane Viennot, 1991, "Des 'femmes d'Etat' au XVIe siècle : les princesses de la Ligue et l'écriture de l'histoire" in Danielle Haase-Dubosc et Eliane Viennot, *Femmes et Pouvoirs sous l'Ancien Régime*, Paris, Editions Rivages : 77.
214 Arlette Farge et Nathalie Zemon Davis, 1991 - 3 : 19.
215 Arlette Farge, 1991, "Evidentes émeutières", in Georges Duby et Michelle Perrot, 1991 -3 : 482.
216 Dominique Godineau, 1991, "Filles de la Liberté et Citoyennes Révolutionnaires", in Georges Duby et Michelle Perrot, 1991 - 4 : 29.

par des rites carnavalesques, légitimer son action par son rôle maternel n'a rien de nouveau et procède de pratiques anciennes."[217]

Ce n'est que sous la Révolution que ces actions commencent à être reconnues comme des moyens d'accéder à la légalité. Au départ, les femmes "revendiquent en fait le droit de participer à la vie politique comme membres de la communauté sociale, et non pas de faire partie du corps électoral."[218] Parmi les revendications formulées par les femmes, celle de Pauline Léon (1768-?) pourrait avoir une portée encore ignorée : "Le 6 mars 1792, [elle] lit à la barre de la Législative une pétition signée par plus de 300 Parisiennes réclamant le droit naturel' de s'organiser en garde nationale."[219] Mais l'Assemblée riposte qu'en raison "des qualités de son esprit et du rôle qu'elle doit jouer dans la vie"[220], "une femme ne sera ni soldat, ni philosophe, ni gouvernant"[221]. La volonté des femmes révolutionnaires de constituer une garde nationale montre néanmoins qu'elles étaient conscientes du fait que l'activité militaire, presque exclusivement masculine, pouvait être le socle du pouvoir des hommes[222].

– Les droits

Grâce à l'émeute, aux interventions des femmes dans les instances publiques et politiques, et aussi à l'action de personnages comme Condorcet (1743-1794)[223] et Olympe de Gouges (1748-1793)[224], quelques progrès des droits civils sont acquis en France. Elisabeth Sledziewski (1991) cite en particulier l'accession à la majorité civile des filles comme des garçons à vingt et un ans, l'admission à témoigner dans les actes d'état civil, l'autorisation de contracter

---

217 Idem.
218 Dominique Godineau, 1988, *Citoyennes tricoteuses : Les femmes du peuple à Paris pendant la Révolution française*, Aix-en-Provence, alinéa : 273.
219 Dominique Godineau, 1991, in Georges Duby et Michelle Perrot, 1991 - 4 : 36.
220 D'après le médecin P.-J.-G. Cabanis, 1802, *Rapport du physique et du moral de l'homme*, Paris, cité par Geneviève Fraisse, 1995, *Muse de la Raison : Démocratie et exclusion des femmes en France*, Paris, Gallimard : 157.
221 Idem.
222 Sur l'exclusion de femmes-soldats de l'armée révolutionnaire voir aussi Dominique Godineau, 1988 : 264.
223 Philosophe et mathématicien, Condorcet publie, le 3 juillet 1790, dans le n° 5 du *Journal de la Société de 1789*, un article "Sur l'admission des femmes au droit de cité"; cf. Dominique Godineau, 1988 : 271.
224 Auteure de la "Déclaration des Droits de la Femme et de la citoyenne", rédigée en 1791, dans laquelle elle demande l'élargissement aux femmes de tous les droits reconnus aux hommes. Voir Jacques Marseille et Nadeije Laneyrie-Dagen, 1993 : 208-209.

librement des obligations, l'égalité des droits de succession et du partage des "biens communaux" lors du divorce[225].

Cependant, sous le Consulat et avec le retour aux valeurs pré-révolutionnaires, Nicole Arnaud-Duc (1991) constate "une véritable attaque contre le sexe féminin " dans le droit civil[226]. Le Code Napoléon publié en 1804 retire aux femmes la faculté de témoigner pour les actes d'état civil. En matière de rapports sexuels, la femme ne bénéficie d'aucune protection contre l'abus masculin et le proxénétisme. Dans le mariage, la femme est soumise financièrement à son époux dont elle n'hérite pas. L'adultère de l'épouse est puni de prison ; celui de l'homme, même habituel, est toléré s'il est commis hors du domicile conjugal. Le meurtre de l'épouse prise en flagrant délit d'adultère par son mari est "excusable". En cas de divorce, la garde des enfants est confiée en priorité à l'homme[227]. Dans la même veine, "le Code pénal de 1810 ne distingue plus le viol de l'attentat à la pudeur commis avec violence"[228]. Si en 1791 l'auteur(e) d'un avortement était puni de vingt ans de fers, en 1810 le Code pénal punit désormais dans tous les cas la femme concernée, qu'elle ait été ou non consentante·. Autre aggravation de la condition pénale de la femme, le Code de 1810, en confondant l'avortement et l'infanticide, expose la femme ayant avorté à la peine capitale[229].

Le bilan entre acquis et pertes des femmes en ce qui concerne le mariage, la citoyenneté et le droit reste encore plus discutable sur le plan de la culture.

c) Aux prises avec la Culture

En ce qui concerne l'éducation des femmes, la France révolutionnaire est l'objet d'un débat incroyablement obscurantiste. Sylvain Maréchal (1750-1803), avocat éclairé, rédacteur d'un *Almanach des Honnêtes Gens* et ex-collaborateur du révolutionnaire François-Noël Babeuf (1760-1797)[230], fait paraître en 1801 une brochure intitulée *Projet d'une loi portant défense d'apprendre à lire*

---

225 Elisabeth Sledziewski, 1991, "Révolution Française : le tournant", in Georges Duby et Michelle Perrot, 1991 - 4 : 43-46.
226 Nicole Arnaud-Duc, 1991, "Les contradictions du droit", in Georges Duby et Michelle Perrot, 1991 - 4 : 99.
227 Jacques Marseille et Nadeije Laneyrie-Dagen, 1993 : 208-209.
228 Nicole Arnaud-Duc, 1991, "Les contradictions du droit", in Georges Duby et Michelle Perrot, 1991 - 4 : 101.
229 Idem.
230 Geneviève Fraisse, 1995 : 21.

aux femmes[231]. Selon Geneviève Fraisse (1995), l'enjeu "est d'empêcher les femmes d'accéder à la vie publique"[232]. Si la loi "se place sous la protection de la Raison"[233], les considérants du projet s'appuient sur la Nature "pour exiger l'absolue soumission des femmes à ce rôle naturel."[234]. Ainsi, "les deux sexes sont parfaitement égaux"[235] puisque la Raison "ne se différencie guère de la Nature, [étant] elle aussi, une source de vérité transcendante."[236] Or "la Raison décrète que la raison des femmes n'est pas bonne, [ni] conforme à leur destination sociale."[237] D'ailleurs, "la Raison ne veut pas, plus que la langue française, qu'une femme soit auteur."[238] "La seule étude envisageable [pour les femmes] est la 'science du ménage'."[239] Pour le considérant numéro sept du projet de Sylvain Maréchal, il est "nuisible qu'une femme passe de la nature à la 'culture'. "[240] Cette harangue était nourrie de discours à prétention médicale énoncés à la fin du XVIIIᵉ siècle par Cabanis, Moreau de la Sarthe, Jouard et Virey[241]. On apprend en particulier de Julien-Joseph Virey en 1844 que la relation entre femme et homme est menacée de destruction "en cas d'activité autonome de l'esprit chez une femme."[242] "L'être né pour la génération terrestre est le moins apte à [la génération] céleste ou spirituelle."[243] C'est en "se tenant plus près de leur nature", par leur fonction reproductrice, que les femmes laissent naturellement la culture aux hommes[244].

Au-delà de ce jargon à prétention scientifique, les progrès néanmoins induits par la Révolution en ce qui concerne les acquits féminins se heurteront en France, au cours du demi-siècle suivant, aux

---

231 Idem : 129.
231 Geneviève Fraisse 1995 : 22. (Ce texte sera réédité en 1841 et en 1853.)
232 Idem.
233 Idem : 27.
234 Cité par Geneviève Fraisse, 1995 : 29-30.
235 Idem : 30.
236 Idem.
237 Idem : 31.
238 Idem : 35.
239 Geneviève Fraisse, 1995 : 34.
240 Cité par Geneviève Fraisse, 1995 : 36.
241 Geneviève Fraisse, 1995 : 130. L'auteure se réfère surtout à P.-J.-G. Cabanis et Julien-Joseph Virey.
242 Julien-Joseph Virey, 1844, *De la Physiologie dans ses rapports avec la philosophie*, cité par Geneviève Fraisse, 1995 : 133.
243 Julien-Joseph Virey, 1844, cité par Geneviève Fraisse, 1995 : 152.
243 Idem.
244 Geneviève Fraisse, 1995 : 143.

contre-révolutions impériales et monarchiques, de sorte que ce siècle brillant, s'il a éveillé les esprits et préparé l'avenir, n'a pas été le prélude à une émancipation féminine notoire. A l'aube du XIXe siècle, les femmes françaises, même des classes supérieures, ne semblent pas préparées au rôle que leur assigneront les bourgeois de l'ère industrielle.

2. En Grande-Bretagne : les Britanniques victimes des hiérarchies

La Grande-Bretagne du XVIIIe siècle n'est pas sans avoir été troublée par la Révolution française, mais modérément dans la mesure où la *gentry*[245] et les milieux d'affaires avaient déjà conquis des droits parlementaires contre la royauté un siècle auparavant avec Oliver Cromwell (1599-1658)[246]. Néanmoins, la Révolution eut à son commencement un écho favorable parmi les *Whigs*[247], les *Dissenters*[248] et certains politiciens comme Charles James Fox (1749-1806), ou le philosophe cosmopolite Thomas Paine (1737-1809)[249]. En 1793, l'exécution de Louis XVI et la guerre contre la France retournèrent l'opinion britannique.

La femme britannique des classes moyennes et supérieures est livrée dès son enfance à un double conditionnement, religieux et éducatif, conçu pour la préparer à la soumission conjugale.

a) *Aux prises avec la religion*

Si en Grande-Bretagne, où les recherches d'Isaac Newton (1642-1727) avaient jeté le doute sur les explications sociales se rapportant à la "Nature", l'inégalité entre sexes trouve moins à s'appuyer sur cet argument, les femmes sont toujours renvoyées au préjugé biblique. La religion chrétienne associe l'infériorité féminine à la chute originelle: il est juste que celle qui entraîna l'homme dans le péché lui soit assujettie. L'Eglise par ordre de la Couronne était chargée, depuis 1562, de rappeler les conséquences de cette faute féminine en lisant

---

245 Petite noblesse non titrée.
246 Oliver Cromwell : Puritain, notable, homme politique et militaire qui s'est trouvé à la tête de coalitions changeantes de la *gentry* et des milieux d'affaires. Il est l'artisan de l'exécution du roi Charles Ier en 1649. Cf. Asa Briggs, 1987, *A Social History of England*, London, Penguin : chapitre 6.
247 Whigs : nom donné aux membres du parti libéral d'opposition.
248 Dissenters : nom donné aux opposants à l'Eglise d'Etat.
249 Roy Porter, 1991, *English Society in the Eighteenth Century*, London, Penguin : 349 s.

tous les dimanches aux fidèles l'*Homélie sur le mariage*[250]. Selon celle-ci "la femme n'est qu'une créature faible, dénuée de force et de constance d'esprit. Donc facilement troublée, elle est prédisposée, davantage que les hommes, aux affections et aux faiblesses mentales. Plus elle est exaltée, plus elle s'entête dans ses caprices et dans ses partis pris"[251]. Pour la sauvegarde de la paix domestique, l'Homélie conseille au mari de ne point battre sa femme en raison de son seul droit, mais en tenant compte du fait qu'elle est "le vaisseau le plus faible, d'un cœur frêle, le plus inconstant, qu'un seul mot peut abîmer dans la colère"[252]. En conclusion, l'épouse idéale du XVIe siècle est faible, soumise, charitable, vertueuse et pudique. Ses fonctions sont le ménage et l'éducation des enfants ; elle doit savoir garder le silence à l'église comme chez elle et être à tout moment soumise à l'homme.[253]

b) Aux prises avec la "bonne éducation"

L'éducation des jeunes Anglaises est conçue pour les préparer à leurs devoirs d'épouses. "Au XVIe siècle, l'usage de placer en pension dans une autre famille les jeunes gens, de quinze à vingt-quatre ans, et les jeunes filles, de quinze à dix-neuf ans, était courant chez les aristocrates et dans la *gentry*"[254]. Les jeunes filles sortant d'une école de bienfaisance étaient facilement embauchées dans une maison aisée où on leur enseignait les vertus de la propreté et la nécessité de soigner leur apparence.[255] "Au XVIIe siècle, l'apparition et la multiplication des *boarding schools* [pensionnats] prolonge et sécularise la tradition du pensionnat conventionnel."[256] A Londres, le premier pensionnat ouvre dès 1617, et la capitale en comptera jusqu'à quatorze au cours du siècle."[257] "Vers 1650, toute ville digne de ce nom s'honore d'abriter une pension destinée avant tout à transformer les filles de la bourgeoisie commerçante en épouses présentables pour les

---

250 Cité par Lawrence Stone, 1990, *The Family, Sex and Marriage in England 1500-1800*, London, Penguin : 138.
251 Cf. Lawrence Stone, 1990 : 138.
252 Cf. Lawrence Stone, 1990 : 180.
253 Idem. Notons l'occurrence du mot "faible" qui vient quatre fois dans le texte original de 10 lignes.
254 Martine Sonnet, 1991, "Une fille à éduquer", in Georges Duby et Michelle Perrot, 1991 - 3 : 121.
255 Olwen Hufton, 1991, "Le travail et la famille", in Georges Duby et Michelle Perrot, 1991 - 3 : 33.
256 Martine Sonnet, 1991 - 3 : 125.
257 Idem.

gentilshommes de la *gentry*."[258] Mary Wollstonecraft (1759-1797), femme d'origine modeste, admiratrice à ses débuts de la Révolution française, juge futile l'enseignement qu'on donne aux filles dans ces pensionnats privés incapables de les développer intellectuellement. Elle publie en 1787 un ouvrage sur l'éducation des filles dans lequel elle souhaite un enseignement public, mixte et égalitaire[259]. De leur côté, deux écrivains renommés, Daniel Defoe (1660-1731) et Jonathan Swift (1667-1745), pensent qu'une femme instruite est de meilleure compagnie pour son mari[260]. Quant à John Locke (1632-1704), le philosophe qui a inspiré la Déclaration des Droits de l'Homme en France, il se prononce en faveur d'une éducation permettant aux mères d'être les premières institutrices de leurs enfants.[261] Quelques années plus tard, Lady Mary Wortley Montagu (1689-1762), la Britannique qui avait découvert la condition des femmes en Orient, considère l'éducation de ses trois filles "comme un travail à plein temps."[262]

c) Aux prises avec la parenté masculine

A la différence de la langue française qui ne connaît que le mot "femme" comme antonyme féminin au mot "mari", la langue anglaise reconnaît à l'épouse un nouveau statut en lui accordant le titre de *wife*[263]. Sa condition conjugale, au XVIIIᵉ siècle, reste néanmoins très soumise. L'obéissance de la femme envers son père, son mari et son fils aîné est affirmée par une légalité privilégiant la primogéniture masculine. Depuis le XVIᵉ siècle, les épouses anglaises n'ont qu'un accès limité à leurs biens fonciers : par le mariage, mari et femme deviennent une seule personne devant la loi, "cette personne étant le mari"[264]. Par souci de transmettre intact le patrimoine familial, le mari concentre entre ses mains les biens du ménage. La veuve n'en hérite pas et elle ne peut légalement attendre aucun secours de ses enfants, sauf (si elle n'est pas remariée) de son fils aîné qui lui doit le couvert, le coucher et l'accès au feu commun. Jusqu'à une loi de 1839[265], la

---

258 Idem.
259 Mary Wollstonecraft sera l'auteur(e) en 1792 d'un texte sur la défense des Droits de la Femme (*A Vindication of the Rights of Women*) .
260 Martine Sonnet, 1991 - 3 : 119.
261 Idem.
262 Olwen Hufton, 1991 - 3 : 50.
263 La même remarque pourrait être faite à propos de "fille" et "*daughter*" : le premier mot se réfère à une individualité féminine sans attache spécifique et le deuxième est un terme de parenté inexistant dans la langue française.
264 Cité par Lawrence Stone, 1990 : 222.
265 Idem.

veuve n'avait pas plus de droits sur ses enfants que sur ses biens. En matière criminelle, si le mari tue son épouse, il est condamné à être pendu. Pour le meurtre de son mari, la Britannique est brûlée vive, ce qui advient encore en 1725[266]. "Dans l'Angleterre du XVIIIe siècle, la femme convaincue d'une liaison adultère était condamnée à une lourde compensation financière à verser à son mari."[267] Ajoutons que dans les classes inférieures un homme pouvait vendre son épouse, un joug sur les épaules, au marché voisin[268].

En 1869 encore, le philosophe et économiste John Stuart Mill (1806-1873) qualifie la position légale de la femme britannique de "dépendance totale". Il cherchera, quelques années plus tard, à lui ménager des perspectives d'émancipation en lui attribuant des "qualités spéciales".

---

266 Idem.
267 Sara F. Matthews Grieco, 1991, "Corps, apparence et sexualité", in Georges Duby et Michelle Perrot, 1991 - 3 : 92.
268 Lawrence Stone, 1990 : 35.

CHAPITRE IV

QUALITÉS TRADITIONNELLES
ET QUALITÉS SPÉCIALES DES FEMMES

Jusqu'à l'apparition des associations philanthropiques, on fait peu de cas des femmes comme telles dans les activités charitables. Non qu'elles en aient été absentes, bien au contraire, mais parce que leur rôle se fondait dans la banalité et la modestie de la charité religieuse. Malgré la participation indiscutable des femmes à celle-ci, elles restent, comme le note Catherine Duprat, assez 'silencieuses'[269].

Leur présence dans le mouvement philanthropique ne va pas de soi. La pauvreté que génère le monde industriel n'est pas, a priori, de leur ressort. L'industrie est exclusivement la construction et la gestion d'hommes qui s'y confrontent à un milieu ouvrier encore surtout masculin au départ. Les rapports sont axés autour d'une institution, le salariat, étrangère aux femmes des classes moyennes et supérieures. C'est un monde inégalitaire en essence, hostile, rude et même considéré comme dangereux.

La philanthropie cherche à inverser les situations ci-dessus. Aux relations froides, âpres et comptables du salariat, elle prétend substituer des rapports familiers et éducatifs, 'heureux et naturels' avec "les pauvres".[270]

1. Qualités traditionnelles des femmes

Il existait traditionnellement dans les milieux aisés "deux idéaux-types de la représentation féminine : la femme "en glorieuse maternité" prodiguant amour et soins au sein de son foyer; la femme

---

269 Catherine Duprat, 1992, "Naissance de la philanthropie : jalons pour une histoire de l'action sociale. (1780-1848)" in "Des philanthropes aux Politiques sociales (XVIIIᵉ-XXᵉ.)", *Cahiers de l'Association pour la Recherche sur les Philanthropies et les Politiques Sociales*, janvier.
270 Enid Moberly Bell, 1942, *Octavia Hill, a biography*, London, Constable and Co, Ltd : 108.

"en glorieuse sainteté", la religieuse, 'mère des pauvres' (…)"[271]. La présence des femmes dans l'histoire de la charité reflétait l'idée que l'on se faisait de la distribution ancestrale des fonctions et des rôles sociaux. Il était convenu que les femmes étaient les garantes du privé, de la famille, du subjectif et des sentiments. Elles n'appartenaient pas, en raison de leur état[272], au domaine de l'action, de l'activité. Il était convenu de les situer du côté de l'observation, de l'écoute, de la discrétion, de la recherche silencieuse.

Ainsi séparait-on 'l'esprit féminin', qui fonctionne à la sensibilité, au sentiment, à l'intuition, de l'esprit masculin, domaine d'ordre, d'action, de décision : les femmes appartiennent en priorité au monde de l'intérieur, au privé. Comme le disait Jean-Jacques Rousseau, "l'un doit être actif et fort, l'autre passif et faible"[273].

La philanthropie, pour beaucoup, relèverait toujours de la pensée masculine et de son système de valeurs. Accueillir les femmes dans des associations philanthropiques aurait été les "mêler" à des affaires d'hommes.

2. Leurs nouvelles qualités "spéciales"

A l'imagerie traditionnelle de la femme, fondée sur un naturalisme brut et sur une spiritualité sublime, se substitue, de façon assez insidieuse et parfois confuse, celle d'une autre femme disposant de 'qualités spéciales'. On lui découvre, à partir de considérations désormais plus sociales que charitables, des qualités nouvelles, distinctes de ses qualités traditionnelles, qui justifieraient sa présence et ses actions dans le monde de la philanthropie. Les nouvelles qualités des femmes permettent de marquer une distinction, sans les séparer, entre les notions de charité et de philanthropie, d'introduire dans cette dernière les vertus de la première, sans se mettre sous la tutelle de la religion, en bref, de laisser aux élites[274] laïques l'initiative philanthropique.

---

271 Catherine Duprat, 1977, "Le silence des femmes - Associations féminines du premier XIXᵉ siècle", in Alain Corbin, Jacqueline Lalouette, Michèle Riot-Sarcey, 1997, *Femmes dans la Cité (1815-1871)*, Paris, Creaphis.
272 J'oppose 'état' (ce qui relève de la différence biologique) à 'condition', qui décrit ce que la femme ou l'homme sont dans la société en raison de leurs capacités. La confusion de l'état et de la condition ramène la femme, ou l'homme, à un déterminisme biologique.
273 Jean-Jacques Rousseau, 1966, *Emile ou de l'éducation*, Paris, G. F. Flammarion : 466.
274 Appartiennent à "l'élite" les classes sociales qui dominent l'économie et la culture, ainsi que ceux et celles qui les secondent.

Ce sont les femmes qui introduisent entre les classes des normes relatives à la famille. Ayant, croit-on, une bonne connaissance du domaine privé, elles gèrent plus facilement que les hommes "la sphère domestique du peuple". De part et d'autre de la Manche, le discours dominant qui les a longtemps exclues et placées dans le domaine domestique est amené à changer. Les femmes sont désormais invitées et acceptées dans la mesure où ces notions nouvelles, parallèles à celles qui animent concurremment la féminisation de la religion[275], les prétendent porteuses d'autres vertus qui leur seraient propres et susceptibles, peut-être, d'atténuer la dureté des rapports sociaux. Elles sont bienvenues, pour cette sagesse, dans les conseils, les commissions, les comités et autres instances du monde de la philanthropie. Leurs 'qualités spéciales' leur permettraient de s'y intégrer dans une perspective proche des conceptions rationnelles des hommes. Elles maintiendraient les femmes dans un espace globalement masculin où, quelles que soient leurs activités, elles restent soumises aux pratiques comme à l'idéologie du sexe dominant.

Les idées relatives aux qualités 'spéciales des femmes' prévalent dans tous les milieux intellectuels, en Grande-Bretagne comme en France[276]. John Stuart Mill et Auguste Comte[277] en débattent et, s'ils concluent tous deux aux qualités spéciales des femmes, le premier se fait l'avocat de l'égalité des sexes, pas le second. Auguste Comte combine un féminisme social militant et un phallocratisme inaltérable. Divorcé de sa première épouse, il fait de sa deuxième compagne le symbole de la féminité parfaite, une sorte de déesse Humanité susceptible d'inspirer une nouvelle religion[278]. Il s'appuie sur la biologie, en appelle à la nature qui lui semble établir solidement la hiérarchie des sexes. "Le sexe femelle est constitué en une sorte d'état d'enfance radicale"[279]. "Le cerveau des femmes est moins grand, moins fort que celui des hommes, (…) moins capable d'un effort prolongé, (…) mais propre à faire plus en moins de temps."[280]

---

275 Olive Banks,1990, *Faces of Feminism, : a Study of Feminism as a Social Movement*, Oxford, Blackwell : 90.
276 Laurence Klejman et Florence Rochefort , 1989, *L'égalité en Marche : le féminisme sous la Troisième République*, Paris, Presses de la Fondation Nationale des Sciences Politiques.
277 Annie Petit, 1997, "La femme dans la politique positive : les débats entre Auguste Comte et Stuart Mill", in Alain Corbin et al., 1997.
278 Annie Petit, 1997 : 461.
279 Cité par Annie Petit, 1997 : 464.
280 Idem.

Stuart Mill "n'admet pas la subordination d'un sexe à l'autre"[281]. L'éducation importe davantage, selon lui, que les divergences physiologiques pour façonner un homme ou une femme. Stuart Mill constate que l'obsession des soins minutieux de la vie domestique distrait l'esprit sans l'occuper et ne permet aucun travail intellectuel qui requiert une attention suivie. La philosophie, pourtant, a besoin de l'expérience des femmes, mais celles-ci, qui ont principalement des hommes comme public, ont peur de leur désapprobation[282].

Auguste Comte astreint la femme à la passivité économique et militaire. Elle est inapte à 'gouverner' même dans la vie domestique, seulement à 'gérer'. "L'assujettissement social des femmes sera nécessairement indéfini, quoique de plus en plus conforme au type moral universel, parce qu'il repose directement sur une infériorité naturelle que rien ne saurait détruire, et qui est même plus prononcée chez l'Homme que chez les autres animaux."[283]

Stuart Mill explique leur "désaccord par les différences de mœurs et d'éducation en France et en Angleterre"[284]. Il récuse l'opinion d'Auguste Comte qui dénie aux femmes "l'esprit de suite": "Je crois qu'on ne trouve nulle part dans les desseins importants, plus de patience et de longanimité que chez elles"[285]. Elles sont plus aptes à la prépondérance de la raison sur la passion que les hommes "car le renoncement aux choses qu'elles désirent est chez elles, l'ordre usuel de la vie"[286].

Auguste Comte accorde cependant, lui aussi, des qualités spéciales aux femmes : "Ce sexe est certainement supérieur au nôtre quant à l'attribut fondamental de l'espèce humaine, la tendance à faire prévaloir la sociabilité sur la personnalité."[287] "Promues 'prêtresses spontanées de l'Humanité', [les femmes] sont l'objet de culte, privé ou public, qui est seul conforme à leur dignité"[288]. Mais, "les hommes doivent commander malgré [leur] moindre moralité"[289]. "Aux hommes la vie active, la vie publique et la maîtrise de toutes les richesses"[290],

---

281 Idem.
282 Annie Petit, 1997 : 463.
283 Annie Petit, 1997 : 467.
284 Cité par Annie Petit, 1997 : 468.
285 Idem.
286 Cité par Annie Petit, 1997 : 468 s.
287 Cité par Annie Petit, 1997 : 471.
288 Cité par Annie Petit, 1997 : 472.
289 Cité par Annie Petit, 1997 : 473.
290 Idem.

aux femmes le progrès, mais "dans une existence de plus en plus domestique"[291]. La femme "doit se borner à diriger la vie privée comme base normale de la vie publique"[292]. Elle n'intervient que par médiation et procuration masculines. Elle est interdite d'héritage pour la pousser au mariage d'amour et non d'intérêt[293]. "Comte investit les femmes d'une sorte de toute-puissance affective, à laquelle il fait obligation aux hommes de se soumettre", mais Annie Petit (1997) se demande si, en définitive, le philosophe leur accorde droit de cité[294].

3. En Grande-Bretagne

Les femmes en Grande-Bretagne ont été longtemps considérées comme irrémédiablement inférieures et longtemps soumises aux punitions corporelles, dont le *brank*[295] et le *ducking stool*[296] dont on signale encore l'usage en 1809. En 1620, le roi James Ier demandait à l'évêque de Londres d'instruire son clergé de prêcher "contre l'insolence des femmes" et, au XVIIIe siècle, Lord Chesterfield plaçait les hommes au-dessus des enfants mais au-dessous des hommes[297]. C'est seulement dans le *Reform Bill* de 1832 que "le terme de *person* est utilisé à la place de *male.*"[298]

Les femmes anglaises des classes moyennes et supérieures étaient depuis longtemps liées aux activités charitables. La loi des pauvres de 1601 polarisait ces activités autour des paroisses. La religion étant seule à offrir aux femmes une faible ouverture sur l'extérieur, beaucoup de celles-ci contribuaient activement et modestement aux œuvres de la charité pastorale. Leur apprentissage charitable dans les paroisses révélait leurs capacités, supposées innées, à apporter aux déshérités le réconfort. La religion confirme sa place de droit dans le monde de la charité car si c'est le devoir des femmes de se consacrer aux œuvres de régénération morale, "(…) elles y ajoutent une

---

291 Idem.
292 Idem.
293 Idem.
294 Annie Petit, 1997 : 474.
295 Le *brank* était une bride métallique maintenant une pièce de fer sur la langue de la femme punie pour l'empêcher de parler; L. W. Cowie, 1996, *Dictionary of British Social History*, Hertfordshire, Wordworth Editions : 101.
296 Le *ducking stool* était une punition pour les femmes bavardes et querelleuses… La coupable était liée à une chaise fixée au bout d'une planche et plongée dans l'eau, L. W. Cowie, 1996 : 101.
297 L. W. Cowie, 1996 : 321.
298 Nicole Arnaud-Duc, 1991, "Les contradictions du droit" in Georges Duby et Michelle Perrot, *Histoire des femmes en Occident : le XIXe siècle*, Paris, Plon : 91.

dimension supplémentaire, celle de l'excellence de leur sexe, (...) elles savent mieux comment parler au peuple, (...) elles sont plus près du monde, de la vie, et de la mort[299]". La conception que se fait la société victorienne de la nature féminine est induite par " (...) un type de relation spécifique entre évangélisatrices et évangélisés car c'est en tant que source de vie, d'amour, et de compassion que ces femmes se sentent investies de la capacité de se faire entendre des hommes et de Dieu."[300] "La vocation féminine, et la seule, c'est le foyer et la maternité. Servir et obéir, voilà ses tâches"[301]. En contrepartie, la femme est "l'ange de la maison", "l'inspiratrice et la conseillère", "la prêtresse du foyer", en même temps que "l'image de l'innocence et de la pureté"[302]. "Femme poupée et force civilisatrice de l'univers (...) elle crée la paix domestique et même la paix tout court"[303], donc aussi la paix sociale comme l'espéreront les philanthropes.

A propos des rapports entre sexes, François Bédarida cite ce poème d'Alfred Tennyson (1809-1892), que l'on considérait comme la figure majeure de la poésie victorienne :

"L'homme pour le champ, la femme pour le foyer,
L'homme pour l'épée, elle pour l'aiguille
L'un par le cerveau, l'autre par le cœur
L'un commande, l'autre obéit."[304]

Le capitalisme, selon François Bédarida (1990), privilégie l'homme et, avec lui, le "culte des qualités viriles : énergie créatrice, endurance, esprit de conquête et d'aventure, capacité d'invention, goût du rationnel, intelligence spéculative"[305]. L'homme est donc fait "pour protéger la femme, fleur fragile, créature faible, née pour la soumission et le dévouement."[306] Un débat contradictoire s'ouvre autour de l'image de la femme, définie en apparence par ses vertus "naturelles", comparées à celle de l'homme. Franck Prochaska (1980) confirme ce que l'on pensait traditionnellement des sexes. Les femmes sont "compatissantes et dévouées jusqu'au sacrifice et (...) adroites envers les

---

299 Françoise Barret-Ducrocq, 1991, *Pauvreté, charité et morale à Londres au XIXe siècle*, Paris, P.U.F. : 108.
300 Françoise Barret-Ducrocq, 1991 : 109.
301 Bédarida François, 1990, *La société anglaise, du milieu du XIXe siècle à nos jours*, Paris, Seuil : 166.
302 François Bédarida, 1990 : 167.
303 Idem.
304 Alfred Tennyson, The Princess, in François Bédarida, 1990 : 167.
305 François Bédarida, 1990 : 166.
306 Idem.

jeunes, les malades, les vieux et les pauvres."[307] Les hommes apportent l'intelligence et l'initiative, les femmes leur bon coeur, une intuition plus vraie de ce qui est juste, le don et la grâce !

La philanthrope la plus influente de son temps est une essayiste conservatrice très écoutée, Hannah More. Elle est considérée comme l'inspiratrice des femmes disposant de loisirs abondants pour connaître leur voisinage immédiat dans la perspective, voulue par Dieu, d'assumer les besoins de la communauté. Les qualités de ces femmes pouvaient à la fois verser dans le conservatisme et le progressisme. Le cas de Hannah More est illustratif de ce point de vue.

Hannah More

Auteure d'ouvrages à succès, en particulier : *Coelebs in Search of a Wife* (1809) et *Moral Sketches of Prevailing Opinions and Manners* (1819), Hannah More déclarait que "le pauvre devait être humble, sobre et diligent, qu'il devait révérer la constitution britannique, haïr les Français, croire en Dieu et en la bonne volonté de l'aristocratie". Elle pensait que "le temps et l'argent (...) arrachés à de vaines et frivoles tentations, étaient plus sagement utilisés pour la charité chrétienne." En temps que "réformatrice", elle soutenait que la moralité, la résignation et la compassion, c'est-à-dire les vertus domestiques des femmes, étaient précisément ce dont avait besoin la vie publique britannique. Elle est la fondatrice des *Sunday Schools* destinées à enseigner la religion, la lecture et l'écriture aux pauvres. Elle éditait également des opuscules de propagande religieuse, les *Cheap Repository Tracts*, dispensant des conseils édifiants aux pauvres. Elle les encourageait "à marcher avec humilité et à agir avec bonté". Hannah More est citée avec enthousiasme pour avoir affirmé que "la charité est la vocation d'une dame; le soin des pauvres est sa profession". Elle et d'autres recommandaient aux classes inférieures de se convaincre que leur basse condition leur avait été assignée par le Seigneur. Le conservatisme épais de Hannah More ne l'empêchera pas de faire l'admiration des suffragettes qui considéreront qu'elle contribua à valoriser la position sociale et intellectuelle des femmes.[308]

---

307 Franck Prochaska, 1980, *Women and Philanthropy in Nineteenth Century England*, Oxford, Clarendon Press : 6.

308 D'après L.W. Cowie, 1973 : 278; Patricia Hollis, 1979, *Women in Public - the Women's Movement, 1850-1900*, London, George Allen & Unwin Ltd : 230, Robert Pearce and Roger Stearn, 1994, Government and Reform, 1815-1918, London, Hodder and Stoughton : 21, Franck Prochaska, 1980 : 6-7, 39-41, 74, 118-119, 162-163, 214, 223, 227.

Sur la voie d'une relative capacité d'initiative, "à Londres, au XIXᵉ siècle, la charité fut prise en main par des femmes dès que la misère apparut comme un problème social et sa solution comme un problème moral"[309]. "Souvent, contre une opposition considérable, des femmes installèrent leurs propres associations ou persuadèrent des dirigeants masculins d'institutions publiques et charitables de leur donner l'occasion de servir"[310]. Une des premières associations entièrement féminines aurait été la *London Bible Women and Nurses Mission* (à l'origine *The Bible and Domestic Female Union),* fondée en 1857 par Ellen Ranyard et gérée par des femmes.

Ellen Ranyard-White

Née en 1810 à Nine Elms, cette fille d'un fabricant de ciment, fut très jeune une visiteuse des pauvres. En 1857, la misère des femmes des taudis du quartier de Saint-Gilles de Londres lui suggère, pour leur porter secours, de créer une association sur le modèle de la *Bible and Foreign Bible Society,* une société missionnaire fonctionnant dans les colonies. Les membres, toutes des femmes rémunérées, vendront la Bible aux populations paupérisées de la capitale et les conseilleront en matière domestique. Pour devenir femme missionnaire, il fallait suivre un cours de trois mois sur les Ecritures, la Loi des Pauvres, l'hygiène ainsi que, plus tard, sur les principes de la *Charity Organisation Society.* Ellen Ranyard dénoncera le caractère corrupteur des aumônes et cherchera à développer chez les pauvres le sens de la responsabilité individuelle. Par la suite, elle recruta dans ce milieu des femmes pour former des infirmières. Octavia Hill mit en pratique dans les années 1860 certaines de ses idées. Ce fut toujours l'intention d'Ellen Ranyard de travailler avec d'autres associations pour diminuer les rivalités sectaires.[311]

Déjà les ambitions de *The Bible and Domestic Female Union* préfigurent celles des mouvements philanthropiques, c'est-à-dire "modifier le comportement moral et social des familles nécessiteuses."[312] La combinaison entre religion et éducation contribue

---

309 Françoise Barret-Ducrocq, 1991.
310 Franck Prochaska, 1980 : 138.
311 D'aprés Francoise Barret-Ducroq, 1991 : 107-112 et Franck Prochaska, 1980 : 126-130.
312 Françoise Barret-Ducrocq, 1991 : 108.

à évoquer une femme charitable qui se distinguera par des qualités nouvelles qui lui sont propres. Ces femmes en viennent à réorienter la bienfaisance dans des directions qui s'accommodent mieux de leur perception des besoins de la société et plus encore des circonstances liées au bien-être des familles. Sont-ce des femmes qui engendrent cet infléchissement de la charité vers ce que nous appelons la philanthropie ? L'influence féminine ira grandissante dès que les actions s'étendront à des campagnes en faveur de réformes morales et légales. C'est ce courant que les historiens considèrent comme "puissant" et "philanthropique", qui aboutit en 1842 à la loi interdisant le travail au fond des mines des femmes et des enfants et, en 1847, à la loi de dix heures pour les mêmes[313].

Cependant, pour la plupart des autorités et particulièrement pour les hommes, si la contribution des femmes est supérieure en degré, elle resterait inférieure en nature. Les femmes doivent être les assistantes des hommes et conserver une place subordonnée.

Les vertus traditionnelles féminines, en voie de transformation, favorisent cependant l'émergence relativement tardive, vers 1880-90, d'une *"new woman"*[314]. "A la fois en Angleterre et aux Etats-Unis, la naissance des sciences sociales advient dans des circonstances qui interpellent les femmes"[315]. Au milieu de l'époque victorienne, la situation économique s'améliore, le nombre des emplois augmente, les salaires réels progressent et les ouvriers découvrent le syndicalisme[316]. En revanche, le développement d'une pauvreté quasi institutionnelle générée par les bas salaires plus que par le malheur exige une insertion améliorée de la population paupérisée dans la société. La vocation de la COS, plus portée par la philanthropie que par la charité, va contribuer à façonner l'image d'une *new woman*. Pour les philanthropes, l'important est d'aller vers l'extérieur, de s'occuper du sort des autres mais aussi de "préserver et développer la masculinité ou la féminité de l'individu et leur capacité à prendre soin d'eux-mêmes"[317]. Olive Banks (1981), qui perçoit un même mouvement aux Etats-Unis, y constate un engouement quasi mystique que l'on retrouvera en Grande-Bretagne :

---

313 Roland Marx et al., 1998, "Epoque victorienne", *Enc. Univ.*
314 François Bédarida, 1990 : 164.
315 In Martin Blumer and al., 1991, *The Social Survey in Historical Perspective, 1881-1940*, Cambridge, Cambridge University Press : 35.
316 Roland Marx et al., 1998, *Enc. Univ.*
317 Charles Mowat, *The Charity Organisation Society 1869-1913, Its Ideas and Work*, London, Methuen, 1969 : 69.

"L'Union pour la Sobriété des femmes considéra que Dieu avait donné aux femmes la mission de réformer le monde et qu'elles étaient, par nature, plus capables que l'homme pour y parvenir."[318]

Olive Banks constate aussi une tendance à une féminisation de la religion à laquelle n'échappent pas les Britanniques. Le cardinal Manning, un réformateur social notoire, voit dans les femmes une puissante force de bien dans la société[319]. L'antique malédiction biblique de la femme s'oublie au profit d'une femme nouvelle que John Ruskin, progressiste à beaucoup d'égards sans être féministe, croit également investie de la mission de sauver l'humanité du péché[320]. Olive Banks considère que, dès la seconde moitié du XIXe siècle, un "idéal de supériorité [féminine] avait acquis une large acceptation parmi les réformateurs moraux, hommes et femmes"[321]. Les femmes apparaissent alors comme différentes des hommes et même, fondamentalement, comme des créatures supérieures. Cette supériorité proviendrait, non de la moralité rationnelle que partageraient hommes et femmes selon les notions qui ressortaient de "l'âge des Lumières" mais sur l'idée que hommes et femmes n'étaient pas semblables.[322] Se poserait alors une question cruciale pour l'avenir des femmes : est-ce une supériorité inhérente ou la différence de sexe qui accorde aux femmes des qualités spéciales ? Les femmes étaient-elles différentes ou supérieures ? En fait, chaque réponse pouvait entraîner des arguments dans chaque sens. Ce qu'on appelait alors la "mystique maternelle", "si elle était acceptée, pouvait en définitive mener à un dangereux retour vers ce dont le féminisme cherchait à se libérer ", la femme au foyer.[323]

Des voix s'élevèrent pour condamner ces 'qualités spéciales', dont celle de Stuart Mill : "ce qu'on appelle maintenant la nature des femmes est une chose éminemment artificielle."[324] D'autres estimèrent que les femmes devaient énoncer leurs idées en une forme acceptable par l'opinion dominante masculine.

---

318 Olive Banks,1996, *Faces of Feminism* , Oxford, Blackwell : 89.
319 Olive Banks,1996 : 91
320 Idem.
321 Idem.
322 Olive Banks, 1996 : 96.
323 William O'Neill, 1968, *Feminism as a radical ideology* cité par Olive Banks, 1996 : 98-99.
324 In Alice Rossi, 1970, *Essays on Sex Equality. John Stuart Mill and Harriet Taylor Mill*, Chicago, University of Chicago Press : 148, cité dans Olive Banks, 1996 : 96.

Notons ici que la notion de qualité spéciale ne fait que modifier la condition (ou le "rôle") des femmes parmi les élites, mais qu'elle peut accentuer encore davantage une soi-disant différence d'état entre femmes et hommes[325].

4. En France

Pour les contemporains des Lumières, constate Catherine Duprat (1997), la femme est tout amour. Donner est sa vocation traditionnelle. Depuis le XVIIIe siècle, pareille vertu, ainsi reconnue de tous, ne pouvait que faire souhaiter le concours des femmes aux tâches austères de l'assistance aux pauvres[326]. "Les attentions des femmes sont plus douces, leurs soins plus empressés, leurs manières plus prévenantes"[327]. Lors de la formation à Paris des Comités fraternels[328] de 1789-1790, puis des Comités de bienfaisance sectionnaires[329], "nombreuses allaient être les femmes à participer aux nouveaux organes d'assistance comme collectrices d'offrandes ou visiteuses des pauvres"[330].

En 1837, un visiteur de l'infirmerie Marie Thérèse vante "la charité spéciale, plus délicate, plus adroite" des femmes. Nul mieux qu'elles ne saurait donc aider, secourir, consoler. L'affectif, la relation à autrui, l'imagination, l'intuition, la discrétion, l'observation, voilà les dispositions "féminines" reconnues par des hommes comme valeurs essentielles pour faire le bien.

Outre ces qualités traditionnelles des femmes, "la femme chic a aussi l'âme religieuse"[331]. "Elle a une élégance morale (...) elle est bonne (...) exquisément polie[332]. "La jeune fille doit avant tout se faire

---

325 Hélène Le Doaré, 1991, "Note sur une notion : le rapport social de sexe", in *Les Cahiers d'Encrages,* Etat et rapports sociaux de sexe, hors-série, premier trimestre : 8-10.
326 Catherine Duprat, 1997 : 79-100.
327 Bernard d'Airy, rapporteur du Comité des Secours Publics de la Législative en 1792, in Alain Corbin et al. 1997 : 97.
328 Sous la Révolution, il s'agissait d'une "caisse de contributions volontaires par les citoyens riches ou aisés (...) pour venir en aide aux indigents. " Catherine Duprat, 1993, *Pour l'amour de l'humanité - Le temps des philanthropes - La philanthropie parisienne des Lumières à la monarchie de Juillet,* tome 1, Paris, Edition du comité des travaux historiques et scientifiques : 156.
329 Nouveau nom des comités fraternels rebaptisés ainsi en 1790. Catherine Duprat, 1993 : 158.
330 Catherine Duprat, 1997 : 80.
331 Marie-Claire Grassi, 1994, "Le savoir-vivre au féminin 1820-1920", in *Littérature du Goût, De la Conversation et des Femmes,* 1994, Clermont-Ferrand, Association des Publications de la Faculté des Lettres et Sciences Humaines de Clermont-Ferrand : 217.
332 Idem.

remarquer par son goût et non par son savoir"[333]; "(…) elle ne doit pas avoir d'opinion politique"[334].

Au temps de Paul Bourget[335] encore, "une intellectuelle qui fait des conférences [est] suspecte d'être une femme de mauvaise vie."[336] "Le monde ne tient pas à ce que vous sachiez beaucoup"[337], leur rappelle-t-on. Mais les femmes sont "tout sauf insignifiantes"[338]. Au XIXe siècle, écrivains, philosophes, hommes politiques découvrent, comme les Britanniques, d'autres spécificités à leurs compagnes et soulignent leurs "qualités très spéciales" qui conviennent au mouvement philanthropique. Elles ont la faculté de nouer des alliances, de s'assurer des concours bienveillants et jouissent, de la part de l'administration, d'une prérogative d'accès à certains établissements hospitaliers ou carcéraux.

Dans la classe aisée, les femmes sont libres de charges domestiques et plus susceptibles d'assumer des tâches de bénévolat. Selon l'un des pères fondateurs de la sociologie française, Emile Durkheim[339], les femmes possèdent, en effet, des qualités 'spéciales' : "Les deux grandes fonctions de la vie psychique, écrit-il, se sont dissociées, l'un des sexes a accaparé les fonctions affectives et l'autre les fonctions intellectuelles." Les femmes bénéficieraient ainsi de l'affectivité qui se trouve à la rencontre de leur histoire culturelle et de l'histoire de la philanthropie.

Les "qualités spéciales" des femmes, tenues pour être un éloge sans cesse réitéré, vont devenir un instrument, parmi d'autres, de leur aliénation. Michelle Perrot constate que ces "qualités spéciales sont le pur produit d'un travail de langage"[340].

Comme en Grande-Bretagne, le mouvement féministe français apporte sur ce point des arguments qui contiennent en eux-mêmes une

---

333 Marie-Claire Grassi, 1994 : 225.
334 Idem.
335 Paul Bourget (1852-1935) : écrivain qui eut une influence décisive, dans les lettres françaises, au lendemain du naturalisme. Représentant de la tradition et de l'ordre moral, il devient le romancier des milieux catholiques conservateurs.
336 Anne Martin-Fugier, 1983, *La Bourgeoise, Femme au temps de Paul Bourget*, Paris, Grasset : 27.
337 Marie-Claire Grassi, 1994 : 226.
338 Stéphane Michaud, 1991, "Idolâtres - Représentations artistiques et Littéraires", in Georges Duby et Michelle Perrot, 1991 : 126.
339 Emile Durkheim, 1973, *De la division du travail social*, Paris, Presses Universitaires de France : 23-24.
340 Geneviève Fraisse et Michelle Perrot, 1991, "Ordres et Libertés", in Georges Duby et Michelle Perrot, 1991, *Histoire des Femmes - le XIXe siècle -*, Paris, Plon : 17.

difficile contradiction. "La femme symbolique est devenue un enjeu, un instrument de pouvoir."[341] Or, "(...) le pouvoir dévolu aux femmes tient à un contrat par lequel celles-ci abandonnent toute prétention personnelle, politique ou sociale."[342]

Eugénie Niboyet, féministe saint-simonienne[343] et fouriériste[344], retourne les arguments traditionnels en faveur d'une prééminence masculine. Elle considère que la compagne de l'homme est son égale sinon sa supérieure[345]. De même, Jeanne Deroin, féministe et saint-simonienne également, veut une parole égale à celle de l'homme[346]. Ernest Legouvé, un contemporain de Stuart Mill, nommé au Collège de France par Hippolyte Carnot[347], réhabilite la féminité mais au risque de l'enfermer dans la maternité, comme dans son *Histoire morale des femmes* (1849), livre qui rencontre un vif succès en Europe[348]. "La maternité sert d'argument en faveur de réformes éducatives et législatives."[349] Cet auteur se représente les hommes et les femmes en tant qu' "égaux", mais distincts sur tous les plans, la famille étant l'unité sociale et politique fondamentale.

Les "qualités spéciales" auxquelles on ne cesse de recourir sont-elles modelées par l'histoire, par la gent masculine ou proviendraient-elles de "l'éternel féminin"? Celui-ci gagne progressivement du terrain en mettant au centre du problème cette faculté maternelle

---

341 Stéphane Michaud, 1991 : 127.
342 Idem : 138.
343 Saint-simonisme, philosophie sociale élaborée par Claude Henri de Rouvroy, comte de Saint-Simon, né à Paris en 1760. Celui-ci apparaît à la fois comme le dernier encyclopédiste du XVIIIe siècle et comme le premier socialiste français de l'ère industrielle. Les saint-simoniens s'accommodent de l'autorité pourvu qu'elle soit éclairée et conforme à l'intérêt du plus grand nombre. Au lendemain de leur condamnation, due à leur tendance socialisante, ("À chacun selon sa capacité, à chaque capacité selon ses œuvres, plus d'héritage!"), ils s'engagent dans la recherche de la "femme messie". D'après Ernest Labrousse, 1998, *Enc. Univ.*
344 Renvoie à Charles Fourier, 1772-1837, utopiste français, qui rechercha l'harmonie entre les désirs humains et les sciences exactes. On lui attribue, peut-être à tort, le féminisme. D'après Simone Debout- Olezkiewicz, 1998, *Enc. Univ.* Geneviève Fraisse, 1995 : 315, signalait déjà que "le mot féminisme est abusivement attribué depuis la fin du XIXe siècle à Fourier (...)".
345 Jean Baubérot, "De la Femme Protestante", in Georges Duby et Michelle Perrot, 1991 : 208.
346 Michelle Perrot, "Sortir", in Georges Duby et Michelle Perrot, 1991 : 490.
347 Hippolyte Carnot, (1801-1888), fils de Lazare Carnot (1753-1823), ancien saint-simonien et premier ministre de l'Instruction publique de la IIe République en 1848, *Enc. Univ.*, 1998.
348 Evelyne Lejeune-Resnick, 1991, *Femmes et Associations (1830/1880) vraies démocrates ou dames patronnesses ?* Paris, Publisud : 10.
349 Anne-Marie Käppeli, 1991, "Scènes Féministes", in Georges Duby et Michelle Perrot, 1991 : 497.

considérée par certaines comme "(...) la seule spécificité féminine susceptible d'unir les femmes de 'toutes nuances d'opinions et de religion' (...)[350]. Mais, cette spécificité n'est-elle pas traitée comme une "qualité spéciale" parmi d'autres ?

La notion de "qualité spéciale" est précisément d'attribuer à chaque fois aux femmes de nouvelles particularités. Elles ne parviendront pas à mieux en sortir que des précédents vices ou vertus dont les hommes les ont affligés au cours de l'histoire, sans compter que ces attributs imaginaires ou excessifs ne s'appliquent qu'à une faible fraction des femmes privilégiées et ignorent celles qui, quotidiennement, affrontent les cadences du travail à domicile et dans les ateliers.[351]

Sous le prétexte de l'apriorisme masculin des "qualités spéciales", les femmes de l'élite pourront-elles envisager leur entrée dans la vie publique, par le biais de la philanthropie, pour le meilleur ou pour le pire ? Pourra-t-on aussi découvrir des "femmes sans qualité" qui, ne se basant que sur leurs progrès intellectuels propres, leurs initiatives individuelles et leur positionnement dans la société, affirmeront leur présence ou subiront-elles encore les relents tenaces d'un paternalisme bienveillant comme celui que distillent les associations philanthropiques pour définir leur vocation ?

---

350 Michèle Riot-Sarcey, 1994, *La démocratie à l'épreuve des femmes. Trois figures critiques du pouvoir 1830-1848*, Paris, Albin Michel : 82.
351 Louise Tilly and Joan Scott, 1978, *Women, Work and Family,* New York, Holt Rinehart and Winston ; Aline Valette, 1897/1984, "La Fronde", in Marcelle Capy et AlineValette, 1984, *Femmes et Travail au XIXe siècle*, Paris, Syros : 42-79 - "la femme qui n'obtient qu'à grand-peine l'accès des carrières dites libérales, (...) est jetée à 'corps perdu' dans l'atelier et dans l'usine (...)". "Elles représentent pourtant un effectif de 4.415.000 en France et leur travail rapporte deux milliards quatre cent soixante millions. (...) 100.000 femmes à Paris ne gagnent que 1,10 franc par jour (...) tous comptes faits elles ne disposent que de 0,11 franc par repas."

CHAPITRE V

PRÉSENCE DE FEMMES DANS LES INSTANCES DE LA COS ET DE L'OCOB[352]

Une fois pourvues de leurs qualités spéciales, les femmes de l'élite ne voient pas leur champ d'action considérablement changé : l'enfance, la gestion domestique, l'hygiène, la santé, l'éducation, l'assistance aux pauvres enfin. Elles se mobilisent dans des associations philanthropiques comme la COS et l'OCOB, qui tentent de faire s'accommoder les classes inférieures à la précarité matérielle engendrée par l'industrialisation. Quel sera l'effet de cette expérience sociale sur le sort de ces femmes ? Où se situent-elles et quelle place occupent-elles dans les structures de ces deux associations ? Afin d'évaluer la proportion relative des hommes et des femmes dans chacune des instances hiérarchiques de ces associations, nous avons fait des comptages. Ils ont été réalisés, à intervalles de cinq ans, entre 1870 et 1914[353], à partir de listes nominatives figurant dans les rapports annuels et les annuaires, ne faisant apparaître que le sexe et l'état civil, mais pas l'âge. Les titres nobiliaires, qui ne donnent pas l'état civil, ne peuvent être comptés que pour le sexe. Il est bien évident que les nombres qui ressortent de ces comptages n'ont qu'une valeur indicative et non statistique.

1. Les femmes de la *Charity Organisation Society*

Dès le premier rapport annuel du conseil de la COS, le 30 mars 1870, l'association se présente comme mixte : sur soixante membres, deux femmes siègent au conseil (*Mrs* William Grey et *Miss* Octavia Hill). Des femmes sont également pointées dans certains comités de quartier à partir de 1870, puis pour l'ensemble de ces comités en 1875.

---

352 Pour ce chapitre et les suivants VI, VII, VIII, ont été dépouillés les documents d'archives de ces deux institutions dont les procès-verbaux des différentes intances et les textes fondamentaux.
353 La date de 1914 a été retenue en raison du fait que la Première Guerre mondiale a affecté la place des femmes en général.

Le sexe des membres du comité exécutif apparaît en 1880 et celui des membres de ses sous-comités en 1885.

Les femmes de la COS ne sont pas séparées des membres masculins. Le 'nous' recouvre des hommes et des femmes[354]. Les femmes agissent en tant que membres de leur milieu social, indépendamment du sexe. On parle ainsi dans le dixième rapport annuel de 1879 d'un "corps d'hommes et de femmes" pour mentionner l'ensemble du personnel.[355]

En 1914, les femmes administrent en province quarante-cinq des antennes localisées dans des grandes villes, sur un peu plus d'une centaine que compte la COS dans tous le pays.

A Londres, à la même période, elles se positionnent à tous les niveaux. Elles sont réparties dans les 38 comités de quartier *(District committees)*, dans le comité exécutif *(Administrative committee)* et ses quatre sous-comités permanents sur le travail de quartier *(Permanent Sub-committees on District work)* ainsi que dans le conseil *(Council)*.

a) Les comités de quartier (District Committees)

Nous avons sélectionné un comité de quartier dans chacune des cinq fractions territoriales de la capitale (suivant le découpage géographique de la COS).

---

354 Exemple dans le *Sixteenth Annual Report of the Council and District Committees*, December 15, 1885 : 54.
355 *Tenth Annual Report of the Council and District Committees*, second edition, April 5, 1879 : 9.

Tableau 1 : composition par sexe des comités de quartier

	Ouest **Kensington** H/F	Nord **Islington** H/F	Centre **Holborn*** H/F	Est **Stepney** H/F	Sud **Clapham** H/F
1870	71/7	–	–	–	56/0
1875	85/10	75/2	80/0	25/6	63/0
1880	79/17	53/8	50/3	15/4	55/3
1885	60/19	32/11	14/2	27/2	32/0
1890	47/34	28/19	17/5	29/2	28/10
1895	43/44	25/19	37/15	22/11	16/12
1900	39/42	21/25	42/20	21/11	18/11
1905	44/50	36/36	38/13	20/9	11/12
1910	45/49	29/41	23/21	22/18	39/38
1914	25/29	22/48	28/23	23/20	40/37

* Ce *District committee* a été redécoupé plusieurs fois. En 1895 le *Holborn committee* est associé au *Clerckenwell and Saint Luke committee*. Puis en 1900, on y ajoute *The City of London*. Enfin, en 1910, ce *District* devient le *Saint James - Soho and Holborn committee*.

D'après la composition des comités de quartier, nous constatons à l'ouest et au nord une augmentation du nombre de femmes par rapport à celui des hommes. Cette progression est particulièrement sensible en 1895 dans le comité de Kensington et en 1900 dans celui d'Islington. Au centre et à l'est, le nombre de femmes est inférieur à celui de leurs homologues masculins. Toutefois, dans ces deux comités de quartier, la différence entre le nombre d'hommes et de femmes devient beaucoup plus faible en 1910 et en 1914. Ainsi, la tendance se solderait pour cette période en faveur d'une participation croissante des femmes. C'est une remarque qui vaut vraisemblablement pour le comité de Clapham au sud, bien que le nombre de femmes n'y apparaisse supérieur à celui des hommes qu'en 1905 et 1910.

D'une manière générale, retenons que les femmes sont relativement nombreuses dans les comités de quartier les mieux famés, mais que leur nombre augmente partout avec le temps par rapport à celui des hommes. Le nombre des femmes dépasse celui des hommes en 1900 et 1910 et l'égale en 1905 dans le quartier d'Islington. On peut se demander également si les comités ne favorisent pas un recrutement plus spécialement féminin de philanthropes de second rang, chargé du tout-venant. C'est en effet la fonction des comités de quartier "de connaître des besoins et des détresses qui leur sont signalés, d'enquêter à leur sujet et de les traiter (en accord avec les principes généraux de l'association)"[356].

Dans les règlements toutefois, les missions des comités de quartier ne sont pas réservées aux membres féminins. Ce que font les femmes à la COS se définit comme ce que font les hommes.

b) Le comité exécutif (The Administrative Committee)

Au comité exécutif, dont la fonction est de "s'occuper de toutes les affaires de l'association qui ne sont pas spécialement réservées au Conseil et d'exercer le contrôle nécessaire sur ses exécutants"[357], le nombre de femmes est, ici par contre, nettement inférieur à celui des hommes.

---

356 Cf. les textes fondamentaux de la Charity Organisation Society.
357 Idem.

Tableau 2 : membres du comité exécutif

	Nombre d'hommes	Nombre de femmes
1870	–	–
1875	–	–
1880	15	1
1885	14	3
1890	15	4
1895	14	4
1900	15	4
1905	13	6
1910	11	7
1914	11	8

Cette faible proportion de femmes membres du comité exécutif indique que l'activité de cette instance décisive relève obstinément du masculin. Le nombre de ces femmes augmente progressivement mais celui des hommes reste toujours supérieur. Selon Madeline Rooff (1972) : "A la fin des années 1860 il n'était pas encore habituel pour les femmes de prendre une part active dans les affaires publiques. Même si elles avaient des occupations en dehors de leurs foyers, telles que l'adhésion à une association charitable, le travail responsable serait naturellement entre les mains des hommes. Les hommes formaient le comité exécutif."[358] La part des hommes et des femmes dans les différentes instances de la COS indique le niveau de responsabilité accordé aux deux sexes.

---

358 Madeline Rooff, 1972, *A Hundred Years of Family Welfare - A Study of the Family Welfare Association (formerly, Charity Organisation Society) 1869-1969*, London, Michael Joseph : 63.

c) Les sous-comités sur le travail de quartier du comité exécutif
(Sub-committees on District work of the Administrative
committee)

Constitués pour "(...) prendre en charge une fraction spéciale du travail du Conseil" (c'est-à-dire le domaine médical, l'émigration ou l'épargne)[359], les sous-comités permanents semblent réserver des responsabilités à un nombre croissant de femmes.

Tableau 3 : membres des sous-comités

	Nombre d'hommes	Nombre de femmes
1870	–	–
1875	–	–
1880	–	–
1885	28	9
1890	24	8
1895	25	15
1900	35	22
1905	28	23
1910	33	27
1914	34	39

Alors que le nombre d'hommes diminue dans les sous-comités à partir de 1905, le nombre de femmes progresse de façon continue. La présence des femmes n'est donc pas seulement figurative. Elles interviennent ici de manière décisive, de par la nature du travail qui s'y fait. Cependant, les membres des sous-comités, qui n'appartiennent pas au comité exécutif, n'arbitrent pas, ne délibèrent pas, modérant la participation féminine.

---

359 Cf. les textes fondamentaux de la Charity Organisation Society.

d) Le conseil (the Council)

La participation des femmes est inversement proportionnelle à la responsabilité de l'instance à laquelle elles appartiennent. Si elles sont membres d'une unité peu influente, elles occupent substantiellement le terrain. Si, au contraire, elles interviennent dans des instances considérées comme plus sérieuses, elles sont moins nombreuses. Les femmes ne sont pas proportionnellement représentées à tous les niveaux.

Afin d'apprécier davantage les différences, voyons de quel sexe sont les membres du conseil réunis pour "prendre en considération toutes questions de principes sur les affaires relevant du travail de l'association en général"[360].

Tableau 4 : membres du conseil

	A H/F	B H/F	C H/F	D H/F	E H/F	F H/F	G H/F	H H/F	Total
1870	1/0	2/0	1/0			–		–	60/2
1875	1/0	2/0	2/0			–		–	86/3
1880	1/0	2/0	2/0	75/2	105/8	4/0	13/?	–	202/12
1885	1/0	2/0	1/0	72/15	97/14	4/0	12/?	–	189/31
1890	1/0	2/0	1/0	75/20	101/22	7/1	18/?	–	205/45
1895	1/0	2/0	3/0	73/26	97/25	6/1	16/?	–	198/53
1900	1/0	2/0	2/0	76/34	115/39	11/	16/?	–	223/78
1905	1/0	2/0	3/0	76/33	116/51	9/2	15/?	–	222/88
1910	1/0	2/0	3/0	78/41	128/61	11/?	19/?	20/?	262/111
1915	1/0	3/0	3/0	81/47	133/65	23/?	21/?	15/?	280/123

A : Présidence *(chair)*
B : Vice-présidence *(vice - chairmen)*
C : Trésorier *(treasurer)*
D : Représentants des comités de quartier *(district committee representatives)*.
E : Membres d'office des comités de quartier *(district committee ex officio)*.
F : Membres des œuvres municipales *(members of metropolitan charities)*.
G : Membres surnuméraires *(additional members.)*
H : Membres surnuméraires provinciaux *(additional provincial members)*.

Le conseil compte peu de femmes et aucune n'occupe les postes de la présidence, de la vice-présidence ou de la trésorerie. Les femmes

---

360 Idem.

appartiennent soit aux œuvres municipales, soit aux comités de quartier, à moins qu'elles ne soient surnuméraires. On constate que, si au total leur nombre progresse à partir des années 1880, cette progression, qui n'est pas continue, vient probablement des comités de quartier. Dans ces derniers, en effet, à partir des années 1880-1890, le nombre d'hommes stagne alors que le nombre de femmes augmente. La proportion de femmes s'accroît. Est-ce que ces changements quantitatifs s'expliquent par des changements qualitatifs ?

On peut penser que les hommes membres de ces comités de quartier seraient aussi des représentants au conseil et auraient une double appartenance. C'est une hypothèse vérifiable avec le tableau suivant.

Tableau 5 : membres des comités de quartier siégeant au conseil

		Ouest	Nord	Centre	Est	Sud
1870	H/F	–	–	–	–	–
	% H	–	–	–	–	–
	% F	–	–	–	–	–
1875	H/F	–	–	–	–	–
	% H	–	–	–	–	–
	% F	–	–	–	–	–
1880	H/F	28/4	30/2	21/0	32/0	69/4
	% H	88	94	100	100	95
	% F	12	6	0	0	5
1885	H/F	29/10	29/8	23/4	31/1	57/6
	% H	74	78	85	97	90
	% F	26	22	15	3	10
1890	H/F	31/10	27/9	18/4	32/5	68/14
	% H	76	75	82	86	83
	% F	24	25	18	14	17
1895	H/F	31/16	30/11	16/2	34/8	59/14
	% H	66	73	89	81	81
	% F	34	27	11	19	19
1900	H/F	36/15	39/21	11/3	42/17	63/17
	% H	71	65	79	71	79
	% F	29	35	21	29	21
1905	H/F	34/16	37/22	11/2	40/14	70/30
	% H	68	63	85	74	70
	% F	32	37	15	26	30
1910	H/F	36/21	52/29	4/0	40/18	74/34
	% H	63	64	100	69	69
	% F	37	36	0	31	31
1914	H/F	41/27	39/24	7/4	42/19	85/38
	% H	60	62	64	69	69
	% F	40	38	36	31	31

Le pourcentage d'adhérents masculins des comités de quartier siégeant aussi au conseil est en effet nettement supérieur à celui des femmes, ce qui semble confirmer notre supposition selon laquelle ce sont des hommes, et non des femmes, appartenant aux comités de quartier qui sont choisis pour représenter ceux-ci au conseil, bien qu'avec le temps ce pourcentage aille en décroissant.

Parmi les femmes dont le nombre siégeant au conseil augmente, on compte des célibataires[361], des femmes mariées[362] et quelques femmes titrées[363]. L'état civil de ces dernières n'apparaissant pas dans leurs titres, nous les classons à part.

Tableau 6 : état civil et statut social des femmes du conseil

	Nombre de *Miss*	Nombre de *Mrs*	Total	Nombre de femmes titrées
1870	1	1	2	0
1875	2	0	2	1
1880	9	3	12	0
1885	21	8	29	2
1890	26	18	44	1
1895	29	24	53	0
1900	61	17	78	0
1905	74	12	86	2
1910	91	18	109	2
1914	96	25	121	2

Au conseil, les femmes mariées sont moins nombreuses que les célibataires. Ces dernières sont d'âge indéterminé, donc soit en attente du mariage, soit veuves.

e) Le fonds général (General Fund)

Beaucoup de femmes modèrent leur insertion en ne dépassant pas le stade d'adhérentes. Si une adhésion représente, certes, un moindre

---

361 Mentionnées '*Miss*' sur les registres.
362 Mentionnées '*Mrs*' sur les registres.
363 Mentionnées '*Ladies*' ou désignées par leur titre.

degré d'engagement, elle est significative malgré tout parce qu'elle marque le passage de la sphère privée à la sphère publique par le simple effet d'une contribution financière. Cette procédure subordonne l'entrée des femmes à une question d'argent (donc aussi, dans certains cas, à l'accord du père ou du mari). On peut percevoir ce degré d'insertion à travers le tableau des adhésions au principal organe financier de la COS, le Fonds Général *(General Fund)*.

Tableau 7 : adhésions au Fonds Général

	Donateurs (trices)		Souscripteurs (trices)	
	Total*/F	% F	Total*/F	% F
1870	–/–	–	–/–	–
1875	110/43	39 %	247/40	16 %
1880	599/125	21 %	573/110	19 %
1885	603/144	24 %	830/215	26 %
1890	586/208	35 %	1.052/281	27 %
1895	577/181	31 %	1.286/403	31 %
1900	395/122	31 %	1.242/492	40 %
1905	411/122	30 %	1.537/534	35 %
1910	405/131	32 %	1.465/515	35 %
1914	371/126	34 %	1.544/370	24 %

* Personnes physiques (hommes), plus les personnes morales et les anonymes qui se comptent en unités.

Jusqu'en 1895, le pourcentage des souscriptrices *(subscribers)* est inférieur à celui des donatrices *(donors)*. A partir de 1900, la tendance semble montrer que le nombre de femmes à faibles moyens augmente au détriment des donatrices susceptibles de verser au moins £10.10s. Les femmes d'un rang inférieur, plus nombreuses, affectent socialement l'origine des fonds sans néanmoins remettre en cause la prépondérance masculine.

f) Patronage

Dans cette perspective, il faut s'attendre à une majorité d'hommes parmi les notabilités extérieures sollicitées par la COS pour patronner l'association.

Tableau 8 : membres du patronage

	Nombre d'hommes	Nombre de femmes
1870	–	–
1875	33	1
1880	44	1
1885	44	2
1890	42	2
1895	39	3
1900	36	3
1905	36	3
1910	32	5
1914	36	4

g) Conclusion

Donatrices, souscriptrices, membres des comités de quartiers, du comité exécutif, de ses sous-comités et du conseil, les femmes sont partout à la COS. Elles sont cependant nettement plus nombreuses dans les instances inférieures que supérieures, sans que l'on puisse savoir si c'est en raison de leur sexe ou de leur inexpérience de fait, à moins que, dans ce climat masculin toujours prédominant, ce positionnement ne soit attribué à certaines de leurs "qualités spéciales" qui les doteraient d'une meilleure compréhension des cas concrets que des problèmes abstraits et justifieraient par là même une permanente subordination naturelle.

2. Les femmes de l'Office Central des Œuvres de Bienfaisance

A la différence de la COS, les Offices centraux existants en province, à Bordeaux, Lyon, Lille, Roubaix, Tourcoing, Clermont-Ferrand, Nancy et Pau, sont tous administrés par des hommes[364]. De plus, à l'OCOB, fondé en 1890, les femmes ne sont pas recrutées dès la création de l'association : elles n'apparaissent qu'en 1893[365]. A partir de cette date, elles se répartissent à l'intérieur de l'OCOB, selon le tableau ci-dessous.

Tableau 9 : distribution des membres de l'OCOB

	Conseil d'administration	Commissions*	Comité des Dames
1890	33/0	20/0	–
1895	34/0	37/0	0/51
1900	41/0	38/0	0/60
1905	40/0	33/0	0/57
1910	21/1	43/0	0/76
1914	46/1	50/0	0/67

*Ces commissions administratives comprennent à l'origine les finances, les enquêtes, la propagande. Puis, sont créées à partir de 1894 les commissions d'assistance par le travail, du contentieux, la commission administrative, la commission de la répartition des libéralités, les commissions des enquêtes sur les œuvres à l'étranger et sur la correspondance internationale.

Nous constatons que les femmes sont mises à l'écart et qu'il semble y avoir une ségrégation entre les fonctions des hommes et des femmes. Celles-ci sont confinées dans un seul comité qui prend l'apparence d'une instance purement honorifique. Font-elles, comme on le leur reproche, de la philanthropie "(...) une de ces élégantes

---

364 *Paris charitable et prévoyant*, 1904, 3ᵉ édition, Paris, Plon : 8.
365 *Annuaire, rapports et comptes rendus*, 30 mai, 1893.

corvées qu'exige leur situation mondaine" ?[366] L'important pour elles, dans ce cas, serait plus d'accéder au comité des dames que d'occuper un poste de responsabilité dans l'organe exécutif. Leur situation matrimoniale et leur statut social de 1893 à 1914 suggèrent qu'en tant que membre du comité des dames elles sont, en effet, de la meilleure société comme l'indique le tableau suivant :

Tableau 10 : état civil et statut social des membres du comité des dames

Etat civil / Statut social	Roturières	Nobles	Total
Célibataires	5	1	6
Mariées	63	49	112
Total	68	50	118

Cinquante des femmes de l'OCOB sont d'éminentes personnalités. La plupart possèdent le titre de comtesse, mais l'éventail nobiliaire peut revêtir six déclinaisons :

Tableau 11 : dimension nobiliaire du comité des dames

Titres nobiliaires	Nombre
Princesses	3
Duchesses	2
Marquises	9
Comtesses	21
Vicomtesses	5
Baronnes	10
Total	50

---

366 *Annuaire, rapports et comptes rendus*, 11 juin 1897 : 52.

Les titres prestigieux des dames patronnesses donnent un caractère honorifique à leur participation. Membres d'un comité vidé de toute substance, réduites à un rôle nominal, l'appartenance sociale de ces dames patronnesses "(...) les empêche de prendre des initiatives"[367]. Elles n'entreprendront rien jusqu'en 1910. Le 22 juin de cette année, l'assemblée générale leur confie comme tâche principale d'organiser une vente de charité tous les deux ans. Elles sont également invitées à

> "(...) se consacrer à la recherche de nouveaux adhérents, [à] se préparer à assurer la direction de certaines libéralités, à faire de la propagande sous toutes ses formes et [à] amener, si elles le peuvent, de 'belles âmes consolatrices' "[368].

Les femmes de l'OCOB laissent la place aux "candidats (masculins) pour occuper les fonctions de membres du Conseil d'administration"[369]. Les activités de la commission administrative, celles du contentieux, des finances, de la publicité et des fêtes de charité, de la répartition des libéralités, des enquêtes sur les œuvres charitables de France, des enquêtes sur les œuvres à l'étranger reviennent également aux hommes. Le conseil et les commissions restent de fait des lieux interdits, même aux femmes titrées.

Signalons toutefois une exception : l'entrée d'une femme au conseil d'administration de l'OCOB, le 8 juin 1907. Il s'agit de Léonie Chaptal (1873-1934), "arrière-petite-fille du Comte Chaptal, ministre de Napoléon Ier"[370].

---

367 Evelyne Lejeune-Resnick, 1991, *Femmes et associations (1830-1880)*, Paris, Publisud : 142.

368 *Annuaire, rapports et comptes rendus*, 22 juin 1910 : 56.

369 Cf. les textes fondamentaux de l'OCOB.

370 Anonyme, 1993, "Léonie Chaptal 1873-1934". Synthèse "in *Vie Sociale* (Aux Origines du Service Social Professionnel : quelques figures féminines - notices biographiques.), n°s 3 - 4, Spécial : 31.

Léonie Chaptal (1873-1934)

Née dans une famille de la haute bourgeoisie catholique, elle est confiée à un précepteur. Dès 17 ans elle s'occupe d'oeuvres durant la villégiature de sa famille. A l'âge de 20 ans, la prêtrise de son frère et son amitié avec la famille d'Hippolyte Taine (1828-1893), critique littéraire, psychologue et historien de renommée mondiale, l'amènent à s'engager dans les œuvres du faubourg de Plaisance, un quartier pauvre infesté par la tuberculose et frappé par la mortalité infantile. A 28 ans, sa présence auprès du docteur Ancelet à "L'Assistance Maternelle et Infantile de Plaisance" et à "La Société Anonyme des Logements de Plaisance" fait d'elle une femme du domaine médical et social. A 30 ans, en créant "L'Œuvre des tuberculeux Adultes"[371], elle acquiert une place éminente dans le milieu. A 34 ans, elle rejoint la plus haute instance de l'OCOB. A 40 ans, elle entre au Conseil supérieur de l'assistance publique. A 54 ans, elle est nommée au "Comité de la protection de l'enfance et de la jeunesse" à la Société des Nations et remplit des missions d'enquêtes dans sept pays. Parallèlement, elle s'engage dans la formation des infirmières et des assistantes sociales[372].

Ce cas n'entraîne pas une entrée perceptible d'autres femmes dans les instances dirigeantes de l'OCOB. Le comité des dames patronnesses, en consacrant un minimum de participation, demeure le lieu de l'activité féminine par excellence. Les simples adhérentes, qui ne font que verser leur cotisation, participent moins encore aux activités de l'association. Leur degré d'insertion se mesure surtout à travers leur participation financière.

---

371 Evelyne Dieblot et Sylvie Fayet-Scribe, sans date, "Les œuvres de Léonie Chaptal dans le XIVe arrondissement de Paris (1900-1938)", in *Créativité des Œuvres Privées et Prémisses de leur insertion dans le secteur public en France (1889-1938),* Paris, ministère des Affaires Sociales et de l'Emploi / Société Française des Chercheurs sur les Associations, document dactylographié : 17 - 21.
372 Cette notice a été faite d'après : Anonyme, 1993, "Léonie Chaptal 1873-1934. Synthèse : 31"-35, Anonyme, 1993, "Editorial : Un besoin d'histoire" in *Vie Sociale* (Aux Origines du Service Social Professionnel : quelques figures féminines - notices biographiques), n°s 3-4 Spécial, Evelyne Dieblot et Sylvie Fayet-Scribe, sans date : 17-21. Sur Léonie Chaptal, voir aussi chapitre VIII.2.

Tableau 12 : adhésions à l'OCOB *

		1890 (b)	1895	1900	1905	1910	1914
Bienfaiteurs	Total /F	5/1	10/4	13/4	12/3	11/5	10/5
	F	20 %	40 %	31 %	23 %	45 %	50 %
Fondateurs	Total /F	85/15	177/45	211/56	197/49	198/50	194/51
	F	18 %	25 %	27 %	25 %	25 %	26 %
Titulaires	Total /F	147/51	276/113	417/187	448/215	435/239	452/145
	F	35 %	41 %	45 %	48 %	55 %	32 %
Souscripteurs (a)	Total /F	328/120	470/204	715/380	834/507	902/557	976/631
	F	37 %	43 %	53 %	61 %	62 %	65 %

(a) Ce terme change en 1896 et devient "adhérents". Mais cela ne modifie pas le montant de la cotisation qui reste de 10 francs.
(b) Ces données font état du premier exercice de l'OCOB, c'est-à-dire de juillet 1890 date de fondation, qui s'étend exceptionnellement jusqu'en mai 1892.

* Dans ce comptage, sont inclus les hommes, les anonymes et les personnes morales.

Le pourcentage de femmes cotisantes, par rapport à la totalité des membres physiques et moraux, augmente continûment dans des proportions qui approchent le doublement dans les catégories extrêmes des bienfaiteurs et des souscripteurs. On peut supposer, à partir de là, que les femmes qui ne subissent pas de contrôle sur leurs revenus, c'est-à-dire les plus riches et les plus pauvres, sont aussi les plus aptes à adhérer.

Avec une majorité de souscriptrices, un assez bon nombre de titulaires, quelques fondatrices et bien davantage de bienfaitrices, la place des femmes dans l'association n'est pas négligeable. Faute d'être actives dans l'exécutif, les femmes de l'OCOB seraient surtout de généreuses donatrices.

3. Quelques points de comparaison entre la COS et l'OCOB

Le mode d'émancipation des femmes de la COS et de l'OCOB est comparable dans la mesure où elles entrent dans un milieu dominé par les hommes. Mais elles y parviennent à partir d'un point de départ distinct et par des chemins différents. Les recrutements de la COS et de l'OCOB ne se font pas rigoureusement dans les mêmes milieux sociaux. Les femmes de ces différents milieux ne sont pas dans la même proportion dans chacune des associations. C'est la raison pour laquelle, probablement, les femmes de la COS sont réparties dans toutes les instances de l'association tandis qu'à l'OCOB, elles se concentrent dans le comité des dames. Si à la COS leurs fonctions à différents niveaux sont bien définies, à l'OCOB elles restent mal déterminées.

Enfin, même en se limitant aux instances supérieures, la totalité des femmes de l'OCOB concentrée dans le comité des dames est presque moitié moindre que la fraction des femmes de la COS appartenant au conseil.

Tableau 13 : femmes du conseil (COS)
et du comité des dames (OCOB)

	Conseil (COS)	Comité des dames
1870	2	–
1875	3	–
1880	12	–
1885	31	–
1890	45	0
1895	53	51
1900	78	60
1905	84	57
1910	111	76
1914	123	67

La disproportion ci-dessus confirme la puissance de la COS et le développement de la philanthropie en Grande-Bretagne. Toutefois, les Parisiennes progressent et participent elles aussi au mouvement vers la philanthropie du haut de leur condition. Quel est le lien entre ce que sont les femmes de ces deux associations et ce qu'elles font ?

CHAPITRE VI

ACTIVITÉS DES FEMMES

Sachant que les femmes préservent, d'une part, leur milieu d'appartenance sociale et leurs attaches domestiques et qu'elles doivent, d'autre part, se conformer à la demande de leurs associations, jusqu'à quel point leurs activités philanthropiques contribuent-elles à leur émancipation ? Les exigences du recrutement de ces institutions divisent le personnel, et en particulier les femmes, selon plusieurs clivages principaux qui interagissent : celui du sexe, celui de l'état civil et celui du bénévolat.

1. Portée de l'activité des femmes de la COS
Les femmes se retrouvent au sein d'une association possédant des règles et composée d'un personnel hiérarchisé. Celui-ci est fait en premier lieu d'hommes et de femmes bénévoles *(volunteers),* mariés ou non. Les titres de donateur et souscripteur annoncent la participation financière des uns et peuvent conduire à des positions honorifiques au sein de l'administration de l'association. Mais, d'autre part, la COS, dès sa création, recrute aussi un personnel rémunéré et mixte *(paid staff).*[373]

Dans cet environnement, une homogénéisation sociale semble prendre place. Le conseil adopte, le 18 novembre 1872, une recommandation qui :
> "(...) considère d'une grande importance que des femmes de toutes classes soient encouragées à s'intéresser au travail de l'association"[374].

En 1876, une déclaration semblable est consignée, mais qui s'étend explicitement aux deux sexes :
> "(...) afin que notre travail atteigne les pauvres eux-mêmes, pour gagner les sympathies et la coopération de toutes les classes, et la confiance de ceux qui luttent eux-mêmes contre la pauvreté,

---

373 Charles Loch Mowat, 1961, *The Charity Organisation Society*, London, Methuen : 27.
374 *Fourth Annual Report of the Council and District Committees*, March 19, 1873 : 17.

l'association fait appel à l'énergie d'hommes et de femmes de différentes conditions dans la vie désirant travailler dans des circonstances nouvelles pour un seul objectif : l'amélioration de la situation générale du pauvre."[375]

Dans un tel contexte, toutes les femmes deviennent d'"aimables dames" *(kind ladies)*, "bien intentionnées" *(well-meaning)*, des membres d'une association philanthropique "de bonne réputation" *(of good character)* "qui en sont venues à réfléchir" *(who have come to think)*[376]. Certaines d'entre elles sont dites "femmes d'expériences" *(experienced ladies)* et "femmes instruites" *(trained ladies)*[377]. Effectivement, la plupart des documents ignorent les différences de statut entre les membres.

a) Le bénévolat des femmes

A la différence des hommes qui sont généralement placés aux postes de responsabilité et ayant autorité sur les femmes, celles-ci se tiennent pour la plupart dans des positions subordonnées. Leur bénévolat s'explique le plus souvent par ce qui apparaît comme des dispositions[378] personnelles. Les unes ont une situation sociale (fortune, titre) qui les conduit à faire leurs œuvres surtout pour entretenir leur prestige dans le monde. Pour d'autres, le souci de maintenir leur situation d'épouses ou de filles pèserait davantage sur leur participation. Certaines sont philanthropes pour être en phase avec les hommes de leur famille. Quelques-unes considèrent l'activité philanthropique comme une école de la vie.

---

375 *Seventeenth Annual Report of the Council and District Committees*, second edition, March 22, 1876 : 9.

376 Voir respectivement le *Thirteenth Annual Report of the Council and District Committees*, second edition, May 2, 1882 : 16, le *Sixteenth Annual Report of the Council and District Committees,* December 15, 1885 : 68 et le *Twenty-fourth Annual Report of the Council and District Committees*, February 24, 1893 : 10, le *Annual Report of Holborn Committee : 30 in the Seventeenth Annual Report of the Council and District Committees*, second edition, March 22, 1876, le *Fifteenth Annual Report of the Council and District Committees*, second edition, May 23, 1884 : 32.

377 Se reporter à l'*Annual Report of Hampstead Committee : 23 in* le *Thirty-fourth Annual Report*, second edition, March 16, 1903, puis au *Seventeenth Annual Report of the Council and District Committees*, second edition, January 18, 1886.

378 Selon Pierre Bourdieu, l'ensemble de dispositions stables des acteurs sociaux est un "habitus", cf. 1992, *Réponses, pour une anthropologie réflexive*, Paris, Seuil : 99-115.

– Pour un titre et une fortune

La générosité n'a de sens que pour les femmes jouissant d'une fortune personnelle. Leur image publique se construit sur ce qu'elles possèdent et dispensent.

Le cas de figure le plus notable est celui des femmes jouissant d'un titre nobiliaire. En "faisant ses œuvres", par exemple, la Princesse Louise, vice-présidente et membre du comité de patronage de la C.O.S., agit conformément à son rang. Sixième enfant de la reine Victoria[379], son titre de noblesse est de bon augure dans le monde de la charité et de la philanthropie. "Faire ses œuvres" revient ici à prêter son nom. Elle honore, et en quelque sorte officialise, l'association à laquelle elle s'intéresse et confirme en même temps sa propre éminence sans s'impliquer autrement.

L'autre cas de figure est celui de femmes mariées, maîtresses de leur fortune. "A partir de 1870 et 1874 l'indépendance patrimoniale des époux anglais est totale"[380]. Dès lors, les femmes aisées de la COS conservent leur patrimoine personnel lors du mariage et peuvent œuvrer à leur gré, indépendamment de leur époux et de sa situation financière.

– Pour un état civil donné

L'implication des femmes dépend aussi des principales phases de leur vie, à savoir le célibat, le mariage ou (le veuvage). Le fait de s'engager dans une activité philanthropique peut s'expliquer à la fois par l'expérience que doit avoir une jeune fille de famille honorable avant le mariage et par la place que doit occuper une bonne épouse dans le monde.

Miss Susan Grovenor, par exemple, fille de l'*Honourable* Norman Grovenor "(...) travaillait dans le comité de quartier de Marylebone, dans Baker Street, avant son mariage en 1907 avec John Buchan"[381]. Elle était dans l'expectative d'un statut conjugal. Comme les douze

---

379 *Europa Biographical Dictionary of British Woman*, 1983, London, Europa : 263. Voir également David Duff, 1940, *The life of H.R.H. Princess Louise, Duchess of Argyll*, London, Stanley Paul. Jehanne Ware, 1988, Princess Louise, *Queen Victoria's unconventional daughter*, London, Collins.
380 Nicole Arnaud-Duc, 1991, "Les contradictions du droit" in Georges Duby et Michelle Perrot, *Histoire des femmes en Occident : le XIXe siècle*, Paris, Plon : 111.
381 Charles Loch Mowat, 1961 : 101.

autres "célibataires", sur les quinze bénévoles du sous-comité provincial, son expérience renvoie à son célibat[382].

Les bénévoles mariées pratiquent plus souvent la philanthropie en rendant visite aux pauvres dans un rayon proche de leur domicile. Le tableau 5 du chapitre V montre que les femmes du quartier ouest ne se répartissent pas uniformément dans toute la capitale et "s'exportent" relativement moins dans le quartier est, plus pauvre et plus dangereux. En revanche, les devoirs et les obligations d'une femme mariée d'un certain rang relèvent pour une large part de la mondanité et sont davantage liés à sa position de maîtresse de maison. Une femme mariée peut ainsi "œuvrer sur invitation", comme l'indique le rapport annuel du comité de *South St Pancras* en 1885, qui signale trois rencontres au cours de l'hiver, nommément chez trois couples différents[383]. Recevant chez elles leurs homologues de la COS, ces femmes exercent leur activité philanthropique dans le domaine féminin par excellence, la maison. Plus encore, la pièce où se tient la réunion des philanthropes peut être, comme chez *Mrs* Berry, un boudoir, espace domestique sélect par excellence (encore que la présidence revienne à un homme)[384].

– Pour se mettre en phase avec des hommes

Parmi les autres dispositions personnelles incitant les femmes à se mobiliser en faveur de la C.O.S., certaines semblent avoir été conduites par l'intention de prolonger l'activité philanthropique des hommes de leur famille. L'engagement d'une femme est concevable à partir de la situation de ses proches ou par l'influence du milieu culturel ou professionnel dont ils émanent.

Miss M. Jones, par exemple, secrétaire honoraire dans un comité de quartier, est concernée par les pauvres comme l'est son père, administrateur de l'asile de Stepney[385]. Un rapprochement analogue est possible entre *Miss* Lawrence, membre du comité exécutif de la C.O.S., et son père, juge à la Haute Cour[386]. Quant à l'intérêt porté aux

---

382 Les différentes instances ne déclarant pas systématiquement le nombre de leurs bénévoles, nous n'avons pu recueillir ces chiffres que pour ce sous-comité.
383 *Sixteenth Annual Report of the Council and District Committees*, December 15, 1885 : 86.
384 Idem : 100.
385 *Fifth Annual Report of the Council and District Committees*, March 18, 1874 : 18.
386 Madeline Rooff, 1972, *A Hundred Years of Family Welfare Association - A study of the Family Welfare Association (Formerly Charity Organisation Society) 1869-1969*, London, Michael Joseph : 294.

problèmes sociaux par Octavia Hill, membre du comité exécutif, il est, comme l'indique sa biographie, d'origine familiale.[387]

Octavia Hill (1838-1912)

Figure notoire de la philanthropie britannique, Octavia Hill est la fille d'un homme d'affaires, marchand de blé et banquier. Les Hill furent longtemps installés à Peterborough comme fermiers et marchands; le grand-père d'Octavia était banquier : un homme riche et important. Son père, James Hills qui était un homme d'affaires méticuleux, s'autorisait une somme hebdomadaire fixe pour les dépenses domestiques afin de vivre simplement et d'épargner. Il fait faillite néanmoins en 1825, reconstruit une affaire de commerce de coton et de grains et se lance dans toutes sortes d'activités publiques. Il se donne un *penny paper* pour promouvoir des réformes sociales.

A la mort de sa deuxième épouse en 1832, il invite une éducatrice professionnelle Caroline Southwood Smith comme préceptrice de son fils et de ses cinq filles, puis il l'épouse. Elle lui donne trois filles dont Octavia en 1838. James Hill fait à nouveau banqueroute en 1840. Les enfants du premier mariage retournent chez leur grand-père. En 1843, *Mrs* Hill tombe malade et ne peut plus s'occuper de ses enfants. Son père, le Dr Southwood Smith, les prend en charge. Médecin, il s'occupait de réformes sociales et surtout sanitaires. Il pensait que les épidémies récurrentes dans les quartiers pauvres venaient des conditions insalubres de vie, ce qui provoqua un tollé de protestation de la part de ceux (comme les propriétaires de maisons insalubres) qui prétendaient qu'il s'agissait d'un *act of God,* que les pauvres aimaient la crasse et qu'il ne fallait pas s'opposer à leur liberté d'y vivre. Il parvint néanmoins à ce que le premier *Public Health Act* soit voté en 1848.

Octavia est une fillette précoce, gaie et pleine d'initiatives. Elle lit voracement. Elle aide son grand-père à recopier des textes sur les réformes sanitaires, dont elle se souvient adulte. Elle et ses sœurs vivent dans le confort d'une propriété de campagne. Elles y rencontrent des gens intelligents préoccupés par les questions sociales, tels que Frederick Denison Maurice, socialiste chrétien, qui valorise les services personnels aux pauvres, ou John Ruskin qui patronne pour elle en 1864 un programme de logement dont elle assume la gestion.

En 1869, Octavia Hill présente un exposé majeur de ses convictions à la COS[388] : "De l'importance d'aider les pauvres sans faire l'aumône"

---

387 Octavia Hill semble avoir bénéficié de subsides plutôt que de salaires.
388 Fondée en 1868, la COS porte d'abord le nom de *The London Association for the Prevention of Pauperization and Crime*. La liaison persistante de la pauvreté et du crime

(The Importance of Aiding the Poor Without Almgiving). Sur quoi, le révérend Fremantle lui confie le secteur de *Walmer Street* dans la paroisse de Marylebone en mai 1869 pour y appliquer ses idées. Il s'agit d'une paroisse complètement dépravée *(demoralised)* par les indemnités *(doles)*. Elle supprime les aides matérielles et insiste pour qu'elles ne soient distribuées qu'après enquêtes des ressources de toute la famille de l'assisté. Elle préfère que l'on offre du travail plutôt que de l'argent et ne verse l'aide que si le travail est fait. Octavia Hill apportera à cette tâche les ressources de son intelligence et de son imagination en essayant d'inculquer aux pauvres l'importance de payer leur loyer, c'est-à-dire de gérer leur budget domestique dans les limites de leurs ressources[389]. Cette tâche d'éducation ménagère est accessible aux femmes des classes aisées dont l'apprentissage charitable dans les paroisses aurait révélé déjà leurs capacités, supposées innées, à apporter aux déshérités le soutien moral et bienfaisant de leur féminité. Négligeant quelque peu les miséreux sans domicile relevant de la Loi des Pauvres, elle préconise l'abandon relatif d'une charité qu'elle estime débilitante.

Elle veut œuvrer de préférence à la création de "liens heureux et naturels"[390] avec les 'pauvres', rendus fréquentables et amendables. "Ce que j'essaie de faire est simplement, à mes yeux, un peu d'éducation pour adultes ou de travail correctif parmi quelques gens corrompus par les gratuités."[391] Elle souhaite que les riches considèrent les 'pauvres' dans leur condition familiale plutôt que comme une 'classe' séparée. Dès que ses idées commencent à être reconnues, elle devient un arbitre pour la COS, puis officier de liaison chargée de coordonner toute l'aide, privée et publique, distribuée dans la paroisse. Les progrès sont lents en raison des oppositions nombreuses qu'elles rencontrent. Aidée et reçue par le haut clergé, où certains trouvent que la COS n'est qu'organisation et pas charité, elle choisit la COS contre la paroisse.

Octavia Hill fit aussi campagne pour la préservation des espaces verts et fut associée à plusieurs administrations dont la *Royal Commission on the Poor Law* en 1905.[392]

---

explique le caractère quasi pénal des maisons de travail (*workhouses*), sans lesquelles la politique éducative d'Octavia Hill, s'exerçant sur une fraction sélectionnée des 'pauvres', serait vaine. (Voir chapitre IX ce qu'en pense Béatrice Webb.)

389 Voir ci-dessous le récit d'une jeune femme qui trouve plus de satisfaction à remplir ces tâches éducatives qu'à apporter un secours matériel à ceux qu'elle aide.

390 D'après Enid Moberly Bell, 1942, *Octavia Hill, a biography*, London, Constable and Co, Ltd : 108.

391 In Enid Moberly Bell, 1942 : 110.

392 D'après le *Macmillan Dictionary of Women's biography*, 1989, *Who Was Who 1897-1915*, 1920, London, Adam and Charles Black Limited, et Enid Moberly Bell, 1942.

Si l'influence d'un père pèse éventuellement sur l'activité philanthropique de sa fille, celle d'un mari n'est parfois pas moins lourde sur celle de son épouse. La participation de *Mrs* Allen, secrétaire honoraire dans un comité de quartier, est voisine de celle de son époux, chargé de l'application de la loi des pauvres *(poor law guardian)*[393]. L'activité philanthropique de l'épouse peut représenter un accroissement de prestige pour le mari. C'est le cas lorsque l'époux remplit, lui aussi, une fonction à la COS. A la fin des années 1890, *Mr* Blyth, par exemple, membre du comité exécutif, peut se flatter de la présence de sa femme au comité d'épargne. Si cette façon conjugale et familiale d'être philanthrope reste très tournée sur elle-même, d'autres femmes cherchent sans calcul une école personnelle de la vie, comme le montre le cas suivant d'une célibataire.

– Pour apprendre à l'école de la vie

Une des futures disciples d'Octavia Hill, alors qu'elle pratiquait ses visites charitables selon des formes traditionnelles, découvre une nouvelle voie. L'évolution de cette jeune femme illustre concrètement la différence entre la charité et la philanthropie que nous avons évoquée abstraitement à plusieurs reprises dans les chapitres précédents. Cette expérience concrète mérite d'être citée longuement.

"J'étais une très jeune fille quand j'ai commencé à faire mes premières visites dans le quartier de Westminster. Je n'avais aucune expérience, ni personne pour me conseiller, je ne connaissais rien de la Loi des Pauvres, et je n'avais pas assez d'expérience pour bien juger des caractères. Je constatais les besoins et je faisais comme mes collègues - je donnais de l'argent, de la nourriture et du combustible - et pourtant il me semblait étrange que les besoins ne diminuaient jamais, le bon d'épicerie donné cette semaine était à nouveau réclamé la semaine suivante. Rétrospectivement, je ne peux me souvenir d'avoir aidé aucune famille assez efficacement pour qu'elle cesse de réclamer mes aumônes.

Après un certain temps, je fréquentais un secteur plus riche de Londres. Là-bas, dans ce quartier, je m'attendais à ne pas trouver de pauvreté, les petites maisons semblaient extérieurement si prospères et si bien tenues; mais malheureusement celle qui m'avait précédée n'avait jamais cessé de donner des bons de soupe, d'épicerie, de viande et de charbon, et je découvrais que ces gens apparemment aisés étaient indignés si je ne leur laissais pas un bon quelconque à

393 Charles Loch Mowat, 1961 : 89.

chaque visite. On ne me connaissait que comme "dame distributrice" et toute tentative amicale de conversation était généralement interrompue par "Avez-vous un bon d'épicerie aujourd'hui, mademoiselle ?" ou par des commentaires sur "l'aimable dame" qui avait l'habitude de venir, et "qui ne partait jamais sans laisser quelque chose".

J'étais désespérée. De plus en plus, je me rendais compte que je ne pourrais jamais réellement me faire l'amie des pauvres de cette façon, et je décidais d'essayer une autre approche. Les circonstances m'amenèrent au sud de Londres et, après bien des réflexions, je pris en charge quelques logements sous la responsabilité de Mlle Octavia Hill, et désormais le but de mes visites n'était plus de donner de l'argent aux pauvres, mais d'en obtenir d'eux. Je tirais bien des leçons de cette relation nouvelle, et j'acquis une connaissance intime de la vie de nos classes laborieuses comme je ne l'avais jamais eue auparavant. Mes gens, sachant que je venais pour affaires, n'attendaient aucun secours et ils me parlaient très simplement de leurs difficultés : le mari infidèle, l'épouse dépensière, la fille sauvageonne, la fille laide, le bébé mal portant, l'enfant maladif. Même si j'avais été autorisée à leur en donner, les vraies difficultés des pauvres n'auraient pas pu être résolues par des bons d'épicerie. Donc, désirant connaître un "moyen plus parfait" pour les aider, j'adhérais à la *Charity Organisation Society*. J'avais l'impression que seule je ne pouvais pas faire face à ces immenses besoins; je n'avais ni assez d'expérience, d'argent ou de connaissances. Je craignais d'adopter l'attitude désespérée de tant de nos plus sérieux bénévoles qui, étant seuls, se sentent dépassés par le péché et le chagrin qui les entourent. Je voulais connaître les résultats des expériences des autres. Je ne pouvais pas comprendre pourquoi un apprentissage est jugé nécessaire pour toutes les autres sortes de travaux féminins - soigner, enseigner, coudre - alors que la connaissance des moyens appropriés d'aider nos pauvres est supposée venir aux femmes naturellement; et je ressentais fortement combien avaient été graves les résultats des erreurs du passé. Une femme étudie avant de toucher les blessures physiques des pauvres. Doit-elle faire moins avant d'essayer de guérir leurs plaies morales ? Est-ce surprenant que, se livrant sans préparation à ce travail, sa tendresse, sa patience, sa sagesse et son courage échouent si souvent ? J'avais l'impression qu'en fréquentant la *Charity Organisation Society,* j'allais à l'école; j'avais tant à apprendre et à désapprendre en quoi des associations avaient déjà commencé, dans le voisinage immédiat de mes gens, à les aider : quels principes de secours avaient été découverts capables d'aider sans induire une perte d'amour-propre; le type de foyer le mieux adapté à la formation des jeunes filles; les orphelinats les plus convenables pour les filles et les garçons sans mères ni pères; les meilleures maisons de convalescence; les hôpitaux spécialisés. Par dessus tout, j'ai appris à connaître ceux et celles qui travaillaient autour de moi."[394]

Cette jeune femme souhaite renoncer à l'expérience "charitable" et acquérir une formation philanthropique afin de maîtriser une compétence et une technicité menant à une meilleure connaissance du milieu et éventuellement à une professionnalisation.

b) Limites du bénévolat

On sait, depuis Hannah More, que "la charité est la vocation d'une dame; le soin des pauvres est sa profession"[395]. On prétend aussi que l'intérêt des femmes pour les activités philanthropiques viendrait de leur souhait d'échapper à leur routine mondaine. Activité "morale", donc, qui se manifesterait dans le bénévolat.

> "Beaucoup de femmes victoriennes souffrent plus ou moins consciemment du peu de place qui leur est laissée dans la vie sociale, d'une vie trop sage, trop confinée au même cercle de connaissances et aux mêmes routines, et [qu'elles] trouvent dans ces territoires inconnus et dangereux que sont les quartiers pauvres, chez ces sauvages que sont leurs habitants, le moyen d'exalter leur existence, d'y démontrer leur compétence spirituelle, d'y exposer leur courage et leur détermination, d'y acquérir un statut et d'y imposer le respect."[396]

Anna Summers (1979) leur prête une intention sociale plus lointaine qui trahit en fait une arrière-pensée masculine que nous avons déjà dénoncée, atténuer par l'aménité due à leur sexe, la dureté des rapports de classe :

> "Les femmes tissent un réseau de relations personnelles au-delà des barrières de classes précisément lorsque les hommes négligent l'aspect social dans les rapports de travail."[397]

Les femmes seraient incitées par leur milieu et surtout par leurs mentors masculins à essayer, par la philanthropie, de gommer les effets, qu'elles ignorent, de l'exploitation sociale. Si elles sont félicitées, souvent sans réserve, pour leur dévouement, l'hypothèse d'Anna Summers selon laquelle les visites bénévoles aux pauvres par

---

394 *The Charity Organisation Review*, volume 1, n° 7, July 15, 1885 : 306.
395 "Charity is the calling of a lady ; the care of the poor is her profession", Hannah More, 1809, "Coelebs in Search of a Wife" in Patricia Hollis, 1979, *Women in Public : the women's Movement 1850-1900*, London, George Allen & Unwin Ltd : 230.
396 Françoise Barret-Ducrocq, 1991 : 141.
397 Anna Summers , 1979, "A Home from Home : Women's philanthropic Work in the 19th Century", in Sandra Burman (ed.) *Fit Work for Women*, London, Saint Martin.

les femmes oisives de la bourgeoisie ne sont pas du dilettantisme ou un passe-temps, mais un engagement personnel impliquant le sacrifice de leurs loisirs et l'acquisition d'un savoir-faire, cette hypothèse ne semble pas totalement confirmée par la pratique des femmes de la COS. Il est impossible de dire s'il y a davantage de célibataires parmi les visiteuses que de femmes mariées et davantage de femmes sans enfants parmi ces dernières que de mères. Il faut aussi relativiser le travail des visiteuses qui ne se fait qu'auprès des foyers 'convenables', les autres ayant été mis à part ou rejetés.

Dans les faits, il semble que la pratique philanthropique reste dictée par le mode de vie des femmes de la classe aisée et par leurs horaires mondains. La participation des femmes bénévoles à la COS se reflète dans la manière dont elles gèrent le temps qu'elles accordent à leurs comités de quartier. Le choix des heures de réunions n'est pas innocent. Il révèle l'adhésion de ces femmes à leur milieu social ou leur volonté de s'en détacher. Dans le quartier de *Saint Saviour*, par exemple, elles participent à des rencontres philanthropiques tenues le mardi et le jeudi[398]. Ces réunions, organisées en milieu de semaine[399], épargnent le temps des autres engagements de la vie mondaine. Les membres du comité de Stepney se réunissent à 11 heures le vendredi et gardent libre l'après-midi. On précise dans le quartier de Clerkenwell que "le comité se réunit le mardi à 11 heures et, *si nécessaire*, le vendredi à 16 heures"[400].

En assurant une permanence dans les bureaux des comités de quartiers, communément ouvrables de 10 à 17 heures[401], elles s'astreignent certes à une activité philanthropique régulière et journalière, mais l'astreinte est modérée, cependant, par une fermeture quotidienne de 12 à 16 heures. Les membres féminins du comité de *Hampstead,* par exemple, travaillent de 10 à 12 heures puis de 16 à 17 heures[402], horaire qui semble approprié aux femmes du monde. Cet emploi du temps place leur code de classe en travers d'une démarche vers le professionnalisme.

Ces femmes qui dispensent une aide et utilisent leur influence au service des pauvres peuvent, selon Anna Summers, n'exercer sur eux

---

398 Cf. la première page de tous les rapports annuels du quartier de Saint Saviour.
399 Bien que les bureaux de certains comités de quartier soient ouverts le samedi, le vendredi est le dernier jour de réunion possible.
400 Cf. Première page de tous les rapports annuels du comité de Clerkenwell.
401 Indication donnée au début de chaque rapport annuel de comité de quartier, après la liste des membres.
402 Cf. la première page de tous les rapports annuels du comité de Hampstead.

qu'une faible pression. En revanche, elles acquerraient par ce biais une sensation de pouvoir en dehors de leur foyer. Les visiteuses des pauvres sont conscientes d'accéder à de nouvelles fonctions dans la société mais de façon ambiguë : leurs initiatives sont à la fois progressives et réactionnaires. En affirmant leur point de vue féminin, les femmes philanthropes contribuent indirectement à l'émancipation des femmes, mais d'abord à celle de leur propre classe. Par contre, les initiatives philanthropiques pourraient contrarier directement l'émanci-pation des femmes des classes inférieures.[403]

Dès le XIXe siècle, en Grande-Bretagne, les associations philanthropiques dépendent largement de ces visiteuses bénévoles. La suite de l'histoire montre que "l'introduction des services d'aide sociale suppose l'existence de cette vaste force de travail impayée ". Et lorsque les femmes sont recrutées comme travailleuses sociales d'Etat, c'est toujours de telle sorte que soient confirmés leur statut domestique et leur dépendance envers les hommes. L'intitulé *A home from Home"* enregistre la visiteuse dans son rôle domestique et la retient de trouver un statut différent au sein de la société. La philanthropie ouvre peu de possibilités d'emploi aux femmes et seulement à un niveau inférieur du travail social, pense Anna Summers. Elle contribue par contre à les séparer les unes des autres[404].

Dans les associations philanthropiques, confirme Ronald Watson (1975), la participation des femmes est relativement faible dans un milieu fondé sur la reconnaissance masculine, "(...) en dépit du changement de position des femmes dans la société et du fait que le travail social est une profession féminine."[405] Mais celles qui pratiquent le travail bénévole le font en 'amatrices', pense Ronald Watson à l'opposé d'Anna Summers. Elles ne s'embarrassent pas d'un professionnalisme qui tend, à la fois, à les confiner au bas de la profession et qui leur dénie encore tout contrôle sur leur propre éducation. Elles participent de façon spécifique au travail de contact avec les pauvres bien qu'elles soient pour la plupart exclues des comités exécutifs et des décisions des principales associations bénévoles. Si, au tournant du siècle, elles occupaient une position centrale dans le monde de la philanthropie, cela s'explique par le fait

---

403 Anna Summers, 1979.
404 Idem.
405 Ronald Watson, 1975, *Women in Social Work*, Routledge and Paul Kegan Ltd.

qu'elles entreprennent généralement leur tâche philanthropique par conviction.[406]

c) Vers la pré-professionnalisation

Ce qui pourrait attester de l'avancée des femmes dans le domaine public est la formation qu'elles reçoivent à la COS. Celle-ci est, dans les premiers temps de l'association, faible et surtout axée sur les conceptions et les efforts d'Octavia Hill.

> "La COS avait la chance de trouver chez [cette femme] un enseignement pratique de ses méthodes de gestion ménagère à ses propres recrues."[407]

Pour créer une "armée de bénévoles", attirer un plus grand nombre de candidats et de candidates dans la philanthropie, Octavia Hill encouragera ses visiteurs(euses) à travailler pour les œuvres locales en collaboration avec les écoles et avec la *Charity Organisation Society*.

> "Quand Octavia Hill et Margaret Sewell joignirent leurs forces dans la décennie 1890 pour mettre en place un cours combiné de pratique et de théorie pour leurs bénévoles comme pour les salarié(e)s, la valeur éducative d'un tel cours fut immédiatement évidente."[408]

Pourtant, en novembre 1894, *Miss* Dunn Rose Gardner, dans son exposé devant le conseil - "Formation des bénévoles", *("Training of Volunteers")* [409] - ne s'adresse encore qu'à des hommes. Elle les invite à s'intéresser à un séjour en terre de pauvreté. Les comités de quartier

> "(...) devraient être des centres d'intérêts et de formation d'apprentissage pour ces hommes talentueux et perceptifs qui, appartenant aux classes commerçantes ou laborieuses et résidant dans le voisinage, devraient en raison de leurs qualités occuper une place majeure dans la gestion de la charité locale de plusieurs quartiers de Londres."[410]

L'activité de formation des gens de terrain n'est encore envisagée qu'à partir de préoccupations masculines.

Le rapport annuel de 1896 indique que la formation prend une place croissante chaque année dans

---

406 Jane Lewis, 1991, *Women and Social Action in Victorian and Edwardian England*, London, Edward Elgar Aldershot.
407 Madeline Rooff, 1972 : 234.
408 Madeline Rooff, 1972 : 235.
409 Exposé d'information qui fait partie d'une première série portant le n° 46 et datée du 26 novembre 1894.
410 Madeline Rooff, 1972 : 277.

"(...) former des bénévoles est maintenant la fonction reconnue de plusieurs comités. On distingue quatre types d'étudiants : ceux qui viennent par curiosité philanthropique, ceux qui sont des acteurs 'de bonne foi', ceux qui ont déjà travaillé avec les églises ou d'autres associations et qui peuvent être gagnés à coopérer avec la COS, le dernier petit groupe, ceux qui continueront à travailler pour l'association et qui pourraient devenir ses dirigeants."[411]

En mai 1897, le conseil décide de nommer un comité pour la formation. Le premier rapport de ce comité fut adopté le 12 décembre 1898. Il distinguait deux sortes de formations, celle des visiteurs de quartier et des 'travailleurs extérieurs', d'une part et, d'autre part, celle des membres responsables de la COS.[412]

"Les méthodes de formation ont été le sujet d'un important exposé de Mme Bosanquet à la conférence de la COS donnée dans la Maison des Travailleurs du Textile à Londres en juillet 1900."[413]

Helen Bosanquet met essentiellement l'accent sur le travail militant des enquêteurs mais aussi des enquêtrices, des bénévoles et des salariées. Les catégories aidées, les pauvres, les non-voyants, les enfants, les malades mentaux, les personnes âgées, les sans-emploi, sont ainsi traitées selon la doctrine de la COS qui, on le sait, n'accorde pas de secours sans une étude de cas très sérieuse.

Cette année-là, en 1900, les comptes rendus sur la formation des bénévoles se multiplient. Le comité de Southwark annonce que :

"(...) beaucoup de nouvelles auxiliaires - principalement venues des résidences universitaires pour femmes - qui se rendent avec assiduité à leurs rendez-vous, le ou les jours convenus, sont toujours prêtes à être employées de toutes les manières possibles."[414]

De son côté, le conseil déclare que :

"(...) le nombre de femmes qui se sont formées dans la perspective d'entreprendre un travail charitable systématique à Londres et ailleurs, en rapport ou non avec l'association, a tellement augmenté (...) que les écritures relatives à la formation occupent une grande part du travail quotidien du personnel de secrétariat dans plusieurs comités de quartier..."[415].

Que des femmes "neuves", maintenant nombreuses, aient recours à une formation signifie peut-être aussi qu'au-delà de l'amateurisme elles envisagent de se conformer à des normes professionnelles.

---

411 Charles Loch Mowat, 1961 : 108.
412 Charles Loch Mowat, 1961 : 109.
413 Charles Loch Mowat, 1961 : 110.
414 Madeline Rooff, 1972 : 278.
415 Idem.

En 1901, une étape nouvelle dans la formation fut atteinte. Un nouveau comité sur l'Education Sociale fut formé,

"pressant de former des comités régionaux à travers le pays, comprenant des professeurs des universités, le clergé, des gardien(ne)s de la Loi des pauvres, des instituteurs(trices), des professeurs d'écoles, des représentants de maisons d'accueil, de mutuelles et de filiales de la COS". [416]

Ces efforts aboutirent en 1904 à l'ouverture d'une Ecole de Science Sociale *(School of Social Science)* à Liverpool sous la direction du professeur Gonner, ami de Charles Loch[417]. Parallèlement commençait à Londres la mise en place d'une Ecole de Sociologie *(School of Sociology)* qui fut ouverte en octobre 1903[418]. En 1912, alors que le président en était Bernard Bosanquet et que cette Ecole de Sociologie rencontrait des problèmes financiers, la *London School of Economics* proposa de l'intégrer comme département de sciences sociales, ce qui fut fait.[419]

Une contradiction apparaît bientôt cependant : alors que les méthodes et le savoir-faire professionnels ne s'étaient ni développés, ni conceptualisés dans la perspective d'être enseignés scolastiquement, les cursus deviennent graduellement de plus en plus théoriques[420].

Le mouvement pour la formation marque l'apogée de la COS que Charles Mowat (1961) situe entre 1875 et 1903. Il est donc de durée limitée et ne forme qu'un nombre restreint d'individus, femmes et hommes. Malgré le recrutement féminin signalé en 1900, la formation que reçoivent les femmes de la COS ne se préoccupe pas du sexe des recrues. Cet enseignement avait plusieurs faiblesses. Premièrement, trop porté vers la théorie, il semble moins susceptible d'attirer une audience féminine plus impliquée de fait et hiérarchiquement dans des tâches pratiques. Deuxièmement, bien que la formation de la COS prévoit celle de ses visiteuses, de ses secrétaires salariées, de ses assistantes sociales, l'avenir des femmes qui la reçoivent se situe dans le service public :

"L'éducation, la Loi des pauvres et les métiers de santé attiraient bien des femmes qui avaient commencé comme travailleurs

---

416 Charles Loch Mowat, 1961 : 111.
417 Madeline Rooff, 1972 : 237.
418 Charles Loch Mowat 1961 : 112.
419 Madeline Rooff, 1961 : 238-239.
420 Marjorie Smith, 1952, *Professional Education for Social Work in Britain : An Historical Account,* New York, Family Welfare Association.

charitables, dans les services publics. (...) L'administration locale devenait un employeur significatif de femmes"[421].

Pourtant, selon Lord William Beveridge (1879-1963 *(welfare)*, sur vingt-six pionniers et pionnières de ce mouvement, on ne comptera que six femmes[422]. A la base pourtant, nombre des premières dispositions de l'Etat-providence au XXe siècle sont encore fondées sur la mobilisation continue de cette force de travail féminine[423].

La formation, venue tardivement à la COS, ne semble pas avoir joué un rôle proéminent dans la formation des femmes, ni en nombre ni en qualité. Il est difficile d'y voir une contribution significative à leur émancipation. Dans un monde où l'analphabétisme est en recul, l'éducation des femmes de la COS, en s'améliorant, ne faisait que rester relativement au même niveau.

d) Occuper une fonction rémunérée

L'activité des bénévoles que nous avons considérée jusqu'à présent relève en définitive toujours de l'amateurisme. En face, une autre catégorie de philanthropes se constitue, en particulier à la COS : les salariées. Leur présence et leurs activités sont indiscutables. Notre problème a été de les identifier avec précision en raison de l'absence d'archives comptables. On sait par Charles Mowat que, dès le début de la COS,

> "le travail quotidien des bureaux de quartier était partiellement accompli par des bénévoles - surtout des femmes. C'est l'un des traits caractéristiques de la COS, qu'un personnel salarié était employé aux études de cas depuis le début : quelquefois il s'agissait d'un agent, mais les comités les plus importants avaient un ou deux autres employés, appelés collecteurs, enquêteurs, agents d'enquête. On entend peu parler de ces fonctionnaires : c'étaient des hommes de la classe dite 'travailleuse' *(working class)* qui se distinguaient des membres, sur certaines listes des comités, par le fait qu'au lieu d'être dits "*Esquire* ", ils apparaissaient simplement comme *Mr* X... Leurs salaires, en 1887, étaient généralement d'environ 30s. par semaine (£78 par an) (...) mais l'agent de *St-George-in-the-East* recevait £138. 1s. 6d."[424]

---

421 Patricia Hollis, 1979 : 228.
422 William Henry Beveridge, 1948, *Voluntary Action : a report on Methods of Social Advance*, London, Allen and Unwin Ltd : 153.
423 Anna Summer, 1979.
424 Charles Loch Mowat, 1961 : 27-28.

Parfois les collecteurs recevaient sur les souscriptions une commission qui pouvait s'élever à plus de £36[425]. Charles Mowat précise que ce personnel se recrute aussi parmi les femmes :

> "Au début, les enquêteurs sur cas venaient des deux extrêmes : d'une part, le travailleur bénévole ayant des loisirs, l'homme aux moyens indépendants, la femme mariée ou la célibataire plus âgée, la jeune fille non mariée et, d'autre part, l'agent de la classe travailleuse."[426]

Deux raisons semblent avoir présidé à ce recrutement. L'une est la visite des pauvres à laquelle certains membres bénévoles, surtout des femmes, ne pouvaient s'exposer sans risques, l'autre raison étant l'absentéisme de personnes n'ayant d'autre incitation que leur bonne volonté. Les fonctions administratives occupées par des hommes et des femmes salariés de la COS, *(paid workers)* pouvaient être celles de secrétaire de quartier *(district secretary)*, secrétaire de province *(provincial secretary)*, secrétaire administratif(ve) *(organising secretary)*, ou secrétaire itinérant(e) *(travelling secretary)*. En 1913, les salaires sont augmentés : la rémunération des femmes est de £100 à £200 par an, pour les postes où le travail masculin est payé £150 à £250[427] et où, dans le pays, le salaire féminin moyen annuel est de £48 à £60[428]. Il s'agit donc de rémunérations confortables et attrayantes, capables de retenir les bénéficiaires au-delà de leurs convictions généreuses. De tels salaires supposent en contrepartie de bonnes qualifications.

Le degré d'instruction des salariées de la COS pouvait leur servir, comme aux secrétaires de quartier, à mener des études de cas. Elles apparaissent deux ans après leurs homologues masculins appelés collecteurs *(collectors)*, enquêteurs *(enquirers)* ou agents d'enquête *(Inquiry Agents)* qui, quant à eux, entrent en scène dès 1883[429]. A cette

---

425 Idem.
426 Charles Loch Mowat, 1961 : 39.
427 Charles Loch Mowat,1961 : 147.
428 Estimation calculée à partir de l'"Average Full-time Earning of Women over 18 ", in Edward Hunt, 1973, *Regional Wage Variation in Britain 1850-1914*, Oxford, Clarendon Press : 111. *Eric Hobsbawm, 1968, Industry and Empire*, Harmondsworth, Penguin Book : 167, donne £77 par an comme salaire moyen d'un ouvrier adulte employé toute l'année en 1914 et £35 annuel comme salaire moyen d'une femme ouvrière adulte employée toute l'année.
429 Cette date ne recoupe pas l'information précédente donnée par Charles Loch Mowat selon laquelle le personnel rémunéré était employé "depuis le début" pour les études de cas. Charles Mowat, 1961 : 27 et 39.

date, on compte deux femmes salariées, puis six en 1897[430]. Les secrétaires de quartier sont supposées

> "(...) accorder une écoute patiente à ceux qui viennent en détresse à l'association pour connaître les causes de cette détresse et pour qu'on s'occupe de leur cas."[431]

Travaillant dans les comités de quartier à Londres, ces femmes sont amenées à réfléchir à leur fonction. Elles calculent et argumentent, comme le fait une secrétaire administrative, *Miss* Plater, qui décrit son travail comme suit :

> "La dimension du travail d'une secrétaire administrative à Fulham et à Hammersmith croît sans cesse, mais un bureau actif, avec nombre de stagiaires en formation et plus encore de bénévoles qui ne donnent que quelques heures de travail par semaine, occupe tellement de temps que beaucoup d'affaires du dehors doivent être écartées. Le bureau de Fulham devient peu à peu un centre de travail pour le quartier et des représentants de nombreuses associations nous rendent visite pour discuter de projets de travail et pour évoquer des cas difficiles (...)"[432]

Les femmes qui occupent la fonction de secrétaire administrative féminisent le poste. Le recrutement par la suite de *Miss* Kelly dans le quartier de Saint-James et de Finsbury le confirme. Elle y exerce une activité de gestion :

> "La vraie difficulté d'un travail constructif dans le centre de Londres est la multiplicité des associations de toutes sortes, religieuses et sociales, s'occupant d'une population en constante diminution. Dans les limites de notre quartier, il n'y a pas moins de vingt-trois paroisses, dont certaines sont presque entièrement composées de boutiques et d'entrepôts."[433]

Pour maintenir la vie de l'association, les femmes philanthropes, lorsqu'elles exercent une fonction administrative, peuvent être amenées à rejeter les conventions. "Le soupçon (ne) pèse (plus) sur les déplacements des femmes et notamment des femmes seules"[434]. La nomination en 1907 d'une secrétaire itinérante montre que voyager peut se conjuguer désormais au féminin. Certes, déjà certaines femmes comme les anthropologues, les sportives, les gouvernantes, les

---

430 Il existe à cette date quatorze secrétaires de quartier au total. Cf. Ronald Watson, 1975, *Women in Social Work*, London, Routledge and Kegan Paul Ltd : 29.
431 Cf. les textes fondamentaux de la Charity Organisation Society.
432 *Forty-third Annual Report of the Council and District Committees*, second edition, June 17, 1912 : 39.
433 *Forty-fourth Annual Report of the Council and District Committees*, second edition, June 2, 1913 : 14.
434 Georges Duby et Michelle Perrot, 1991 : 479.

étudiantes ne se déshonorent plus en voyageant. Mais au sein de l'association cette reconnaissance de l'individualité des femmes est nouvelle. Par là, les femmes peuvent accéder à des activités de plus grande envergure :

"(...) une nouvelle approche fut essayée selon laquelle *Miss* Marsland de Torquay, passa plus deux mois à Turnbridge Wells tandis que son bureau était repris par *Miss* Fortey de Bristol"[435].

A propos de sa secrétaire itinérante, le sous-comité provincial rapporte encore :

"En plus de courtes visites à Chatham, Derby, Camberley, Turnbridge Well et à Torquay *Miss* Marsland passa plus de deux mois à Portsmouth pendant l'été, outre une quinzaine de jours plus tôt dans l'année; et d'octobre jusqu'à la fin décembre, elle aida l'association de Bristol pendant sa période de fusion avec la Ligue Civique."[436]

L'arrivée en 1911 d'un secrétaire itinérant, *Mr* Shairp, ne renverse pas la tendance à la féminisation du poste, déjà notée pour les secrétaires administratives. L'activité de cet homme se conçoit en creux par rapport à celle de sa collègue féminine :

"*Miss* Marsland a consacré son temps l'année dernière surtout dans des villes du sud du Trent, laissant le nord de l'Angleterre dans la sphère d'influence de *Mr* Shairp."[437]

L'activité d'une femme salariée dans le Sud du pays délimite le champ d'action de son collègue masculin. L'expertise féminine est prise en considération. Un changement dans la distribution traditionnelle des rôles est-il en cours ?

L'autorité masculine sur les femmes demeure toutefois. Le cas de *Miss* Willans, secrétaire assistante de *Mr* Shairp, en est un exemple. Elle

"(...) permet *[à Mr Shairp]* d'établir des rapports amicaux avec un grand nombre d'associations y compris des Confréries d'Entraide et, par deux fois, elle a été invitée plusieurs semaines à aider des associations afin d'introduire de nouvelles méthodes dans leur travail."[438]

---

435 *Thirty-eight Annual Report of the Council and District Committees*, second edition, July 1, 1907 : 26.
436 *Forty-second Annual Report of the Council and District Committees*, second edition, March 22, 1911 : 56.
437 *Forty-third Annual Report of the Council and District Committees*, second edition, June 17, 1912 : 64.
438 *Forty-third Annual Report of the Council and District Committees*, second edition, June 17, 1912 : 58.

L'activité de *Mr* Shairp ne se décrit pas sans la rapporter à celle de *Miss* Willans. Le sous-comité provincial souligne ainsi que

"Aux associations qui ont besoin de la visite prolongée d'une personne d'expérience, il envoie sa secrétaire-assistante, *Miss* Willans qui a fait du bon travail, comme par exemple, à York et à Keighley."[439]

Miss Willans apparaît comme une interlocutrice satisfaisante et compétente, de telle sorte qu'ici la responsabilité d'une mission assumée par un homme peut être confiée à une femme, mais subordonnée.

Les femmes de la COS se partagent, comme nous l'avons vu, entre le bénévolat et le salariat, mais il est important de relever à ce point que certains membres craignent que les secrétaires rémunérées puissent soustraire aux bénévoles leur responsabilité et les reléguer au second rang.[440]

La rémunération d'une partie des femmes de la COS contribue à faire de celles-ci des secrétaires compétentes et sans doute appréciées de leurs supérieurs, toujours masculins. Leur capacité n'altère pas la hiérarchie des sexes. Il faudra des femmes peu ordinaires, et peu nombreuses, pour apparaître comme des personnalités comparables à leurs homologues masculins.

2. Portée de l'activité des femmes de l'OCOB

Si l'activité des femmes de la COS révèle plusieurs profils différents selon ce qu'elles sont et ce qu'elles deviennent dans la vie, il n'en est pas de même de celles du comité des dames[441] de l'OCOB. En France, l'activité philanthropique est surtout le fait de femmes mariées et non salariées. Entre 1893 et 1914, on n'enregistre que cinq dames patronnesses célibataires (chapitre V, tableau 10), ce qui situe de façon générale la pratique philanthropique après le mariage, sinon dans sa dépendance. Les épouses œuvrent, mais dans le cadre des contraintes de leur position sociale et conjugale. Il s'agit, pour elles, ou de se conformer à une convention sociale ou de se mettre en phase avec un époux.

---

439 Idem.
440 Charles Loch Mowat, 1961 : 108.
441 Ce Comité des dames est composé sur la fin de la période d'étude (circa 1914) d'une présidente d'honneur, d'une présidente, de 3 vice-présidentes, de 3 secrétaires, de 12 conseillères et de membres ayant le titre de "dames patronnesses".

a) "Faire ses œuvres"

Cette activité peut s'expliquer, à la différence de la COS, en fonction d'un seul modèle dominant, c'est-à-dire par la noblesse de la plupart des membres du comité des dames. Ce comité est un parterre de femmes titrées. Elles sont toutes mariées à des hommes de grande notoriété, présidents de sociétés ou membres de la haute administration. Elles se trouvent par leur truchement au coeur d'un réseau d'associations philanthropiques. La comtesse Jean-Rémy Chandron de Briailles, dame patronnesse, puis conseillère du comité des dames pendant 16 ans, est mariée à un membre du conseil d'administration de l'Œuvre des orphelinats agricoles, également président du comité d'administration de l'Œuvre des pauvres du Sacré-Cœur et aussi membre du conseil d'administration de l'OCOB[442]. Le compte rendu de leurs actions dans les documents de l'OCOB fait état de certaines grandes dames exerçant des libéralités. Il en est ainsi de la générosité de la comtesse Greffulhe[443]. Cependant, la dépendance d'une femme envers un mari qui "administre souvent (les) biens"[444] du couple laisse supposer qu'elle se tient toujours "dans la ligne de l'effacement, du gommage"[445]. Dans la majorité des cas, pourtant, son nom est associé aux dons de son mari.

L'appartenance des femmes philanthropes à la noblesse et leurs liens de parenté expliquent, donnent un sens, une substance à ce qu'elles font. Le cas de la marquise Costa de Beauregard, la plus éminente des femmes du comité des dames, est l'exemple achevé de cette concordance entre noblesse et philanthropie. Présidente de ce comité de 1893 à 1909, puis présidente d'honneur de 1910 à 1914, elle œuvre ostensiblement pour satisfaire une convenance. La marquise appartient, tout comme les cinquante autres membres titrés (sur les cent dix-huit du comité), à un milieu où les femmes s'inscrivent par tradition dans l'espace associatif. Son rôle n'est pas tant le résultat d'un choix qu'une exigence mondaine, une règle de son milieu.

Pour les mêmes raisons, l'activité de ces philanthropes ne peut se dissocier de la position sociale de leur époux, ni de leur résidence. L'un et l'autre sont des marqueurs sociaux indissociables. La marquise

---

442 Positions dans la société données par le *Bottin Mondain*, 1903, Paris, Bottin S.A.et les annuaires de l'O.C.O.B.
443 *Annuaire, rapports et comptes rendus*, 22 juin 1910 : 63.
444 Nicole Arnaud-Duc, 1991: 111.
445 Marie-Claire Grassi, "Le savoir-vivre au Féminin 1820-1920" in *Littérature - Du Goût - De la conversation et des Femmes,* Clermont-Ferrand, Association des Publications de la Faculté des Lettres et des Sciences Humaines de Clermont-Ferrand, 1994 : 288.

Costa de Beauregard est philanthrope parce que son mari est académicien, écrivain et homme politique[446], et aussi parce que son lieu d'habitation, le 44 de la rue de Bourgogne dans le VIIe arrondissement de Paris[447], fixe une tonalité. Les bonnes œuvres de cette femme importent dans la mesure où elle est l'épouse d'un homme célèbre et qu'il n'est pas indifférent d'habiter là plutôt qu'ailleurs quand on est une dame patronnesse[448].

Les femmes de l'OCOB se partagent entre noblesse d'Ancien Régime et noblesse d'Empire. Or, le comité des dames est un lieu de rencontre où l'opposition traditionnelle entre ces nobles d'origine rivale disparaît. La présence de la comtesse d'Aymery, d'ancienne noblesse, et celle de la comtesse de Tocqueville, de la noblesse d'Empire, semblent l'indiquer[449]. Elles ont toutes les deux un titre qui célèbre un passé différent mais implique des positions analogues vis-à-vis de l'histoire contemporaine. Ces deux femmes ont une activité qui ne revient pas à une seule forme de noblesse, mais, plus ostensiblement, au "sentiment d'avoir accompli (un) devoir"[450].

Le réseau de leurs positions sociales et les liens de parenté les unissant entre elles expliquent également pourquoi les femmes sont tenues de "faire leurs œuvres". La comtesse d'Isoard Vauvenargues, dame patronnesse occasionnelle lors de la vente de charité du 4 mai 1897, est la nièce de la marquise Costa de Beauregard[451]. La baronne Maurice Girod de l'Ain, membre permanent du comité, vient de la même famille que la vice-présidente, Mme Fournier-Sarlovèze[452]. La marquise d'Imécourt est sur les traces d'une de ses parentes, la duchesse d'Audiffret-Pasquier[453], conseillère du comité des dames de l'OCOB. L'activité de ces philanthropes relève en partie d'une mobilisation familiale.

Ces dames titrées, bien nées, bien mariées, bien logées, fortunées se tiennent au comité des dames, non par ce qu'elles font, mais par ce qu'elles sont. Leur style de vie influence les activités du comité qui se

---

446 *Dictionnaire de biographie française*, 1933, Letouzey et Ané, Paris.
447 Idem.
448 Michel Pinçon et Monique Pinçon-Charlot, 1982, *Dans les beaux quartiers*, Paris, Seuil : 13. Voir aussi Christophe Charle, 1987, *Les Elites de la République 1880-1900*, Paris, Fayard : 379.
449 *Dictionnaire de la Noblesse Française*, 1975, Paris, La Société Française au XXe siècle.
450 Pascal Junghans, 1995, "Les autres : Entre Charité, Peur et Domination" in *Alternatives Economiques,* hors série, n° 25 : 40-41.
451 *Annuaire, rapports et comptes rendus*, 29 Juin 1900 : 40-41.
452 Connexion établie d'après le *Bottin Mondain*.
453 Idem.

polarisent essentiellement autour de l'organisation d'un bazar de charité tous les deux ans. Aucune ne s'implique dans un véritable travail.

b) Conserver un rôle traditionnel

Bien des éléments montrent que les femmes philanthropes préservent leur rôle traditionnel. Ce faisant, elles se conduisent comme il est attendu d'une femme d'un certain rang social. L'activité d'une dame patronnesse étant induite par le devoir féminin, elle se doit "d'aimer et de se dévouer sans bornes aux autres"[454]. Sa vocation de femme au foyer le lui impose. L'activité des membres du comité des dames ne peut qu'être associée à des conventions leur interdisant de s'investir dans une entreprise subordonnée et rémunérée. Cette convention se traduit ici par la difficulté, voire le refus d'exercer un rôle moteur dans le monde des philanthropes.

En France, le catholicisme, qui s'occupe plus de l'éducation des garçons que des filles[455], ne contribue pas à revenir sur l'exclusion des femmes de l'activité. L'éducation qu'elles reçoivent leur apprend à recevoir, à entretenir une conversation, éventuellement à rédiger des lettres ou tenir des comptes[456] mais pas à s'ouvrir sur le monde extérieur.

La perpétuation de la prédominance masculine dans les Offices centraux de province témoigne de la persistance de l'infériorité conventionnelle des femmes. La création de l'Office central de Reims, par exemple, amène l'installation de quatorze hommes philanthropes contre sept femmes[457]. Or, il ne s'agit pas d'un comité affirmant spécialement une différence de sexe.

La place qui est faite aux femmes philanthropes et les règles qui leur sont appliquées sont conformes à leur position, leur tradition, leur éducation, donc peu susceptibles d'apporter une transformation de leur condition. Éloignés de toute activité pratique, tenus à l'écart de toute insertion sérieuse dans l'association, les membres du comité des

---

454 Marie-Claire Grassi, 1994 : 229.
455 Michelle Perrot, 1993, *Femmes publiques*, Paris, Seuil : 105; voir aussi Geneviève Fraisse et Michelle Perrot, 1991, "La production des femmes imaginaires et réelles" : 121.
456 Antoine Prost, 1968, *Histoire de l'Enseignement en France 1800-1967*, Paris, Armand Colin : 261. Sur l'efficacité de cet enseignement social et non intellectuel, voir aussi Evelyne Lejeune-Resnick, 1991, *Femmes et Associations (1830-1880). Vraies Démocrates ou Dames Patronnesses ?* Paris, Publisud : 10.
457 *Annuaire, rapports et comptes rendus*, 5 juin 1909 : 63.

dames n'ont pour rattachement essentiel à l'OCOB que celui que leur offre le lien conjugal.

c) Se mettre en phase avec l'époux

L'activité des femmes de l'OCOB, qu'elles soient présidente d'honneur, vice-présidentes, secrétaires, conseillères ou simples dames patronnesses, n'a de sens hiérarchique profond que dans la mesure où elles restent subordonnées à l'autorité maritale.

Dame patronnesse de la première heure pendant vingt et un ans, Mme Aubertin a sa place au comité des dames tandis que M. Aubertin est membre du conseil d'administration de l'OCOB et maître des requêtes honoraire auprès du gouvernement[458]. De même, on peut penser que M. Devin, étant vice-président du conseil d'administration de l'OCOB et ancien bâtonnier[459], a une influence sur la pratique philanthropique de sa femme. Chacune de ces deux femmes a une activité dans le monde des philanthropes motivée par la présence de son mari dans l'instance la plus importante de l'association.

Les membres du comité des dames peuvent prolonger d'autant plus facilement une trajectoire masculine que le mari a plus d'une fonction à l'OCOB. Tel est, par exemple, le cas de la comtesse d'Haussonville. Elle est l'épouse du président du conseil d'administration, qui est également membre de la commission de propagande.

La mise en phase avec un époux peut s'affiner de sorte que les membres du couple portent le même titre au sein de l'association. Ainsi, M. et Mme Desjardin sont tous les deux secrétaires mais dans des instances différentes, lui au conseil d'administration et elle au comité des dames. Cette concordance hiérarchique se retrouve chez les Monicault[460].

Il n'en reste pas moins que les femmes de l'OCOB sont passives, soumises aux lois mondaines, attachées à la tradition, en contraste avec les membres féminins de la COS.

---

458 Christophe Charle, 1987 : 438.
459 *Annuaire, rapports et comptes rendus,* 12 juin 1912 : 13.
460 C'est une correspondance qui se vérifie de 1907 à 1914, cf. les *Annuaires, rapports et comptes rendus de ces années.*

3. Regards croisés sur l'activité des femmes philanthropes

L'activité des femmes de la COS et de l'OCOB semble plus diverse que semblable. Avant de traiter des différences, qui sont flagrantes, il est sur la forme quelques ressemblances.

a) Les constantes de l'activité des femmes

Il s'agit de leurs acquis (culturel, financier et éducatif), de leur situation matrimoniale. Nous avons affaire dans les deux associations à des sujets instruits. Bien que nous ne puissions pas savoir avec précision si ces femmes ont reçu une instruction à domicile ou dans une institution, il n'en reste pas moins vrai qu'elles sont généralement issues de familles où l'on favorise l'instruction.

Les bénévoles de la COS et plus encore de l'OCOB sont comparables car ces Britanniques et ces Françaises ont une indépendance de moyens. Qu'elles appartiennent à la bourgeoisie ou à la noblesse, leur fortune les situe au cœur du réseau philanthropique.

Quant au mariage de certaines philanthropes, il est manifeste dans les deux associations où le "couple" philanthropique a sa place.

b) Les différences de l'activité philanthropique

En revanche, ce qui différencie l'activité des femmes de la COS et de l'OCOB est qualitativement important. A la COS, les femmes revendiquent des compétences là où les Parisiennes s'attachent à un style de vie mondain. La pratique de la philanthropie relève pour les unes d'un apprentissage et pour les autres d'un devoir. Elles ont une différence d'engagement. A la COS, l'activité des femmes prend un caractère quasi professionnel alors qu'à l'OCOB il s'agit d'une démarche prolongeant simplement leur rôle de femme d'intérieur. Les unes veulent une philanthropie "scientifique", les autres une charité "dévouée".

Tandis que les femmes de la COS agissent selon une doctrine, la réconciliation des classes sociales et pour le succès de leur association, celles de l'OCOB font le bien. Les premières œuvrent en fonction du mode d'organisation de la société industrielle, les secondes sont ignorantes des discours sur le travail ou sur la République. Les membres du comité des dames de l'OCOB ne tiennent pas à "mordre" sur des tâches qu'elles estiment revenir à l'administration.

A l'issue de la présente tentative qui voulait donner un sens à l'activité des femmes dans le monde de la philanthropie, nous nous sommes souvent attachés à des cas individuels, mais nous ne sommes pas parvenues à des généralisations satisfaisantes, sinon à cette banalité, la persistance de la supériorité masculine jusque dans ces associations. Certes des femmes parviennent à occuper des positions administratives à la COS analogues à celles de certains hommes, mais une très petite minorité seulement, fortement mise en avant, parvient à une position éminente.

CHAPITRE VII

ÉCRIRE ET PARLER

Au-delà de la position et de la présence des femmes à la COS et à l'OCOB, c'est à l'aune d'autres manifestations, surtout de modes d'expression, que la participation et l'autonomie des femmes peuvent être mesurées et que l'on peut juger de leur poids différentiel et plus réel par rapport aux hommes.

1. L'expression des femmes à la COS

On retire de l'examen des positions des femmes de la COS l'impression qu'elles occupent honorablement le terrain par rapport à leurs collègues masculins. En outre, leur présence active suffirait à leur donner une place respectable dans l'association.

En principe, l'expression des femmes à la COS peut emprunter tous les modes prévus à cet égard : d'une part l'expression verbale (les communications payantes *(lectures),* les conférences *(conferences)* et les exposés *(papers)* lus au conseil et parfois publiés dans les minutes de l'association), d'autre part les écrits (les articles dans les deux périodiques et les livres). Ces modes sont classés ci-dessous selon leur importance relative.

a) Les communications payantes (lectures ou explanatory papers)

Les communications payantes, auxquelles contribuent le plus grand nombre de femmes, sont des exposés oraux proposés à diverses institutions, surtout universitaires, de Londres et de province, portant sur différents aspects des activités de la COS. Elles ont pour objet de faire connaître l'association. Or cette activité, d'initiative féminine à la COS, compte autant, sinon plus, de femmes que d'hommes.

Le parcours des premières communicantes, *Miss* Margaret Sewell et *Miss* Miranda Hill, explique en partie cette dominante féminine. En l896, ces deux femmes créent le Comité mixte des communications

(Joint Lectures' Committee[461]) pour "(...) ceux qui sont désireux d'améliorer la gestion de la charité, qu'ils soient membres de l'association ou non."[462] Elles se distinguent pour trois raisons. Premièrement, elles s'emparent d'une toute nouvelle activité publique de la COS ; deuxièmement, elles en sont les initiatrices; troisièmement, ce sont elles qui l'animent.

Miss M. Sewell et *Miss* M. Hill sont très vite rejointes par d'autres communicants, femmes et hommes.

Tableau 14 : nombre de communicant(e)s du comité mixte à Londres

	Hommes	Femmes
1896	0	2
1897	1	3
1898	11	2
1899	4	3
1900	1	1
1901	1	4
1902	0	5

*Après cette date, le *'Joint Lectures' Committee* disparaît et il est remplacé par le Comité spécial sur l'éducation sociale *(Special Committee on Social Education),* dont nous parlerons par la suite.

L'activité de communicant reste une occupation où les femmes dominent, sauf en 1898. Cette année-là, une forte proportion d'hommes est enregistrée. Le fait que cette inflation ne se poursuive pas est plus l'indice d'une crise que d'une tendance.

---

461 Le 'Joint Lectures' Committee se compose, outre de membres de la C.O.S., de représentantes du Women's University Settlement et du National Council of Women Workers.
462 *Twenty-ninth Annual Report of the Council and District Committees,* March 16, 1898 : 10.

Cette crise, en effet, existe dans le monde médical. Le rapport annuel du conseil et des comités de quartier de 1898 indique que

"un problème hospitalier (…) doit être résolu, soit par une meilleure organisation au niveau de la charité, ou éventuellement par une intervention municipale et l'aide de subventions."[463]

C'est cette crise qui explique l'intervention en plus grand nombre d'hommes comme communicants extraordinaires, jugés plus compétents en la matière. Les thématiques développées par les hommes en 1898 couvrent pour plus de la moitié le domaine médical.

Les femmes retrouvent, semble-t-il, la prédominance dans les activités de communication lorsque cette crise s'apaise et que reviennent les conditions d'un discours plus susceptible de vanter les mérites de la COS. Ainsi en est-il en 1899 de la conférence de *Miss* Sewell : "Prévision sur le travail charitable").

Sur le plan géographique, la prédominance féminine de l'activité de communication s'étend à la périphérie de la capitale et en province.

Tableau 15 : nombre de communicant(e)s du Comité mixte pour la périphérie londonienne et la province

	Hommes	Femmes
1897	0	0
1898	1	3
1899	4	7
1900	1	3
1901	0	3
1902	2	3

Tout comme précédemment, les communicantes sont les plus nombreuses, se faisant entendre de Glasgow à Brighton, dans les écoles *(High-school, girls schools, Ladies' colleges)*. Parmi ces femmes, il en est une qui se remarque plus particulièrement que les autres : il s'agit de *Miss* Sharpley.

---

463 *Twenty-ninth Annual Report of the Council and District Committees*, March 16, 1898 : 8.

Secrétaire rémunérée[464], son activité de communication la conduit à travers tout le pays, dans vingt-cinq villes différentes où elle a offert ses services. A Oxford en 1902, elle bénéficie du concours de Charles Loch pour convaincre les universitaires du bien-fondé de la doctrine de la COS. Agissant en professionnelle, *Miss* Sharpley donne des communications portant sur une variété de sujets tels que : "Principes et méthodes du travail charitable", "Principes généraux et buts du travail charitable", "Le besoin de sagesse dans la charité", "Quelques problèmes de pauvreté", "Prévoir en charité", "La Loi Anglaise sur les Pauvres", "Le travail charitable", "L'aide médicale", "Idéaux et réalités du travail charitable", "Comment les Anglais se pourvoient pour l'avenir", "La Science et l'art de la charité".

Miss Sharpley est perçue comme une oratrice qui progresse et dont l'audience pourrait être encore accrue :

> "L'absence de demande de communications du type habituel pendant les mois d'été a toujours laissé à *Miss* Sharpley beaucoup de temps disponible : c'était autant d'occasions perdues qu'elle aurait pu utiliser à parler. En conséquence, le comité se décida à expérimenter une offre gratuite de conférence de sa part pendant les sessions d'été pour des collèges de femmes et des écoles de filles. *Miss* Beale, du *Cheltenham Ladies' College,* réagit à cette offre en demandant que *Miss* Sharpley puisse donner consécutivement ses six cours sur les Lois Anglaises des Pauvres dans la grande classe qui venait juste d'être ouverte pour l'examen local supérieur de Cambridge. Ceci fut réalisé par *Miss* Sharpley en juillet, et des comptes rendus les plus satisfaisants furent ensuite reçus sur l'intérêt suscité par ces cours."[465]

En 1903 le Comité mixte est remplacé par le Comité spécial sur l'éducation sociale *(Special Committee on Social Education)*[466]. La présence des femmes, qui se manifestait jusqu'ici dans l'activité de communication, est désormais mentionnée dans les rapports des sous-comités ou des comités de quartier : la persistance de leur activité ne transparaît plus que dans de brèves notes : "*Miss* Sophia Lonsdale a

---

464 Son salaire annuel est de £150, honoraires qu'elle reçoit de la COS, *Twenty-ninth Annual Report of the Council and District Committees,* March 16, 1898 : 15.
465 *Twenty-third Annual Report of the Council and District Committees,* April 26, 1902 : 51.
466 La présentation des communications d'un comité à l'autre est considérable. On passe de *lists of lectures* à un texte très court sur l'activité de certaines communicantes, ce qui rend impossible un comptage systématique. Cf. le *Thirty-fourth Annual Report of the Council and District Committees,* March 16, 1903.

fait une communication sur la 'charité paroissiale' dans la sacristie de Saint-George, à Bloomsbury "[467].

Les sujets traités par les femmes ne sont pas très différents de ceux qu'elles développaient auparavant. Il s'agit toujours de justifier l'administration de la charité et d'élever ses principes à l'état de système. Quatorze de leurs exposés mettent ainsi l'accent sur le mot de *charity,* sept sur le terme de *children* et trois sur le vocable de *woman.*

Créés en 1906, les récapitulatifs des rapports entre associations *(summaries of intercourse between societies)*[468] révèlent la part des femmes ville par ville. Ainsi à Ayr, "rencontre annuelle ouverte par *Mrs* Malkin et F. Morris, débats entre *Mrs* Malkin, *Miss* Tanner et H. V. Toynbee, etc."[469]

Bien que le sujet de ces débats ne soit pas mentionné, l'objectif de ces réunions est d'affirmer encore la discrimination de principe entre les pauvres méritants et les autres. On recommande comme nécessaire de rappeler que le rôle des philanthropes est d'encourager les "bons" pauvres à épargner et à s'aider par leurs propres moyens. " 'But, plan et organisation', de *Miss* Martindale de Kendale, donne un excellent et court énoncé, accompagné d'exemples, des objectifs et du travail concernant particulièrement l'épargne et l'effort personnel."[470]

L'activité de communication semble devoir revenir aux femmes, sauf en période de crise. Il n'y a pas de limites géographiques à leur circulation et un changement structurel au sein de la COS ne modifie pas sensiblement leur prédominance.

Une autre forme de prise de parole positionne les femmes auprès du public, mais moindrement. Ce sont les conférences.

b) Les conférences (conferences)
Adoptées en 1890 par le Comité mixte, les conférences sont des allocutions non payantes, de "brefs discours pour un public restreint de

---

467 Voir le rapport annuel du comité de Saint James', Soho et Saint Giles' in *Thirty-fourth Annual Report of the Council and District Committees,* March 16, 1903 : 7.
468 Voir le premier *summary* dans le *Thirty-eighth Annual Report of the Council and District Committees,* second edition, July 1, 1907 : 26.
469 *Thirty-seventh Annual Report of the Council and District Committees,* second edition, May, 14, 1906 :47.
470 Idem.

visiteurs du quartier et autres travailleurs"[471]. Les femmes y figurent en bonne position.

**Tableau 16 : nombre de conférenciers(ières)
du comité mixte**

	Hommes	Femmes
1888	3	6
1900	1	10
1901	2	7
1902	1	5

Plus encore que dans les communications, le nombre des conférencières dépasse celui des hommes. Elles dominent largement cette activité.

Sur les seize lieux de réunions mentionnés dans les archives, cinq sont des sites où se rencontrent essentiellement des femmes. Il s'agit du *Saint Hilda College*[472], de la *Girls' Diocesan Association,* de la *Biblewoman's and Nurses Association,* du *Lady Margaret Hall Settlement* et du *East London Ladies' Club.*

c) Les publications
La facilité de produire des publications peu onéreuses et rapidement imprimées fait dire à Charles Mowat que "la COS s'y trouva comme un poisson dans l'eau"[473]. Les publications permettent aussi d'évaluer l'influence des femmes dans la mesure où elles participent à l'édition de périodiques et d'ouvrages. Cette activité se polarise autour de deux vedettes : Octavia Hill et Helen Bosanquet. Elles sont les rédactrices les plus assidues du *Charity Organisation*

---

471 *Thirty-first Annual Report of the Council and District Committees*, second edition, March 12, 1900 : 31.
472 C'est la première école de filles à Londres. *The Encyclopaedia Britannica : a dictionary of arts, science, literature and general information*, Eleventh edition, vol. XXVII, Cambridge, Cambridge University Press, 1882.
473 Charles Mowat, *The Charity Organisation Society 1869-1913 : Its Ideas and Work*, Methuen, London, 1961 : 49.

Reporter[474] et du *Charity Organisation Review*[475]. Cinq des dix articles féminins sont signés par Octavia Hill (selon notre relevé quinquennal du *Charity Organisation Reporter)*. Octavia et Helen sont aussi les auteures du plus grand nombre de livres.

On sait qu'Octavia Hill contribua pour beaucoup à élaborer la doctrine de la COS et tous ses écrits y concourent. Dès le premier de ses ouvrages, *The Handy-Book for Visitors of the Poor in London*[476], Octavia Hill affirme que l'aide, l'assistance doit être sélective. *Our Common Land,*[477] *Homes of the London Poor,*[478] *House Property and its Management*[479] sont des recueils dont les articles, parus en quelques années, mettent en valeur les principes de l'association. En décrivant le rôle d'une secrétaire, Octavia Hill demande que les instructions d'une organisation philanthropique soient conformes aux besoins des femmes sur le terrain pour qu'elles puissent s'adapter et adopter les nouvelles institutions et les nouvelles façons de penser et d'agir. Une secrétaire "(...) a besoin d'abord d'institutions conçues pour elle ou de directives établies par ceux qui, ayant le plus réfléchi à la question, les pensent unanimement comme les meilleures."[480]

Dans sa perspective de location de logements aux besogneux, elle écrit deux ans plus tard :

> "Nous avons essayé, autant que possible de recruter des dames qui ont une idée de la manière dont - par une attention diligente à toutes les affaires qui relèvent du propriétaire, par une sage réglementation des devoirs incombant aux locataires, par des décisions justes et humaines concernant le bien commun - une meilleure gestion pourrait être assurée : réparations rapides et efficacement accomplies, compétences soigneusement définies, nettoyage supervisé avec diligence, fin de l'entassement, renforcement de la bénédiction du paiement comptant, comptes

---

474 Le premier numéro de cet hebdomadaire sort le 17 janvier 1872.
475 *The Charity Organisation Reporter* est remplacé par un mensuel, *The Charity Organisation Review*, dont le premier numéro paraît le 15 janvier 1885. Son contenu diffère peu du périodique précédent. L'objet de ces deux journaux est de faire état des transactions du conseil.
476 Extraits dans le *Sixth Annual Report of the Council and District Committee*, second edition, March 10, 1875 : 20.
477 Octavia Hill,1877, *Our Common Land*, London, Macmillan and Co. (recueil de huit articles).
478 Octavia Hill, 1883, *Homes of the London Poor*, London, Macmillan and Co. (recueil de sept articles).
479 Octavia Hill, 1921, *House Property and its Management : some papers on the Methods of Management*, London, George Allen and Unwin Ltd (réédition de trois articles).
480 Octavia Hill, 1877, "District Visiting" in Octavia Hill 1877 : 9.

rigoureusement tenus, et par dessus tout, des locataires choisis de telle sorte qu'ils s'aident les uns les autres.[481]

L'expression est claire, précise, proche du langage technique que se donnent les hommes de la COS et plus généralement tous ceux à qui on accorde des "mérites intellectuels".

Ces qualités de discernement se retrouvent dans un autre de ses articles :

"J'ai supposé dans cette communication que la plupart des visiteurs de quartier ressentent une certaine insatisfaction à visiter ceux-ci ainsi qu'envers les systèmes d'aide tel qu'ils existent, même lorsqu'ils sont parfaitement organisés"[482].

Cette présentation à la première personne qui pourrait exprimer l'affirmation de son autorité n'est utilisée, néanmoins, que très occasionnellement. Vingt-deux ans après, elle écrit :

"Il y a trente-quatre ans, quand j'ai commencé à gérer des maisons ouvrières, Londres était dans un état très différent de ce qu'il est maintenant et il est utile et intéressant de revoir les changements, leurs effets et leurs conséquences sur le travail particulier que nous envisageons aujourd'hui."[483]

L'utilisation (très épisodique) de la première personne, le nombre de ses interventions, la qualité de ses exposés, la clarté de son langage, son mode de présentation sont autant d'éléments qui devraient faire d'Octavia Hill une femme de "métier" sinon d'autorité.

Helen Bosanquet, née Dendy, n'apparaît pas non plus, en tant qu'auteure, comme une dilettante. Secrétaire du comité de quartier de Shoreditch depuis 1890, elle épouse en 1895 Bernard Bosanquet[484], membre du conseil et du comité exécutif. Sa première intervention au conseil est signalée cette même année dans *The Charity Organisation Review*. Son exposé porte sur la question suivante : "Y a-t-il nécessairement antagonisme entre le socialisme et la COS ?"[485] C'est un thème de discussion qui, à la fois, secoue le conformisme des représentations en matière politique et invite les femmes à "parler homme". L'entrée d'Helen Bosanquet est d'autant plus prestigieuse et atypique qu'elle a brillamment réussi son *tripos*[486] en économie

---

481 Octavia Hill, 1899 "Management of Houses for the Poor", in Octavia Hill, 1921 : 19.
482 Octavia Hill, 1877, "District Visiting", in Octavia Hill, 1877 : 3.
483 Octavia Hill, 1899, "Management of Houses for the Poor", in Octavia Hill, 1921 : 15.
484 *Who Was Who, 1916-1928,* London, Adam and Charles Black Limited, 1929.
485 *The Charity Organisation Review,* vol. 11, n° 124, May 1895 : 211.
486 Tripos : Nom familier de l'examen final du B. A. (Bachelor of Arts) à Cambridge ; Référence au tabouret à trois pieds sur lequel s'assoit le candidat. Voir Jean Dulck, 1968, *L'Enseignement en Grande-Bretagne*, Paris, Armand Colin : 209-210.

politique[487]. Elle traite, dans plusieurs essais, des problèmes sociaux, qui seront recueillis sous forme de livre : *Les enfants du Londres laborieux, La situation des femmes dans l'industrie, Le mariage dans l'est Londonien, Les laissés pour compte de l'industrie, Vieux retraités* et *La signification et les méthodes de la vraie charité* [488]. Elle développe des thématiques qui rejoignent la pensée moralisatrice de philanthropes amenés à distinguer "les mérites ou les démérites du postulant"[489]. Sa capacité à argumenter la qualifie comme une interlocutrice sérieuse.

Helen Bosanquet est la seule femme de la COS ayant produit cinq ouvrages (plus un recueil de poèmes). En propageant les idées de la COS, Helen Bosanquet se donne une audience. Dans *Rich and Poor*[490] et dans *The strength of the people*[491], elle combine l'émotion d'une femme et la rigueur d'une philanthrope de la COS. Elle propose de :

> "(...) regarder d'un peu plus près cette classe la plus difficile qui pèse sur la conscience sociale : ces habitants de nos grandes villes toujours tiraillés entre la Loi des Pauvres et la Charité, toujours en besoin entre de courtes périodes de travail ou de périodes, plus longues encore, de non-travail"[492].

Tout en convenant des difficultés des pauvres, Helen Bosanquet tient des propos sans complaisance. Elle se préoccupe du sort des indigents mais pense en même temps à une distribution plus méthodique des secours. A la lumière de ces discussions, elle ouvre de nouvelles perspectives sur l'organisation de la charité qui seront formulées dans *The Charities Register and Digest*[493]. Dans la revue annuelle de ce périodique, Helen Bosanquet rend compte du caractère technique de la pratique philanthropique. L'auteure cultive les vocabulaires, les valeurs de la COS et rappelle sans concession le danger d'une aide encourageant les faiblesses individuelles et, en

---

487 Madeleine Roof, 1972, *A Hundred Years of Family Welfare - A Study of the Family Welfare Association (Formerly Charity Organisation Society) 1869-1969*, London, Michael Joseph : 296.

488 Titres des essais rédigés par Helen Bosanquet in Helen Bosanquet, *Aspects of the Social Problem*, London, Macmillan, 1895.

489 Voir le *Ninth Annual Report of the Council and District Committees*, second edition, April 3 : 1978, qui rapporte l'exposé de Helen Bosanquet :1914, *Social Work in London 1869 to 1912. A History of the Charity Organisation Society,* London, John Murray : 309.

490 Helen Bosanquet, 1898, *Rich and Poor*, London, Macmillan.

491 Helen Bosanquet, 1903, *The strength of the people : a study in Social economics*, London, second edition, Macmillan.

492 Helen Bosanquet, 1903 : 101.

493 Extraits qui paraissent dans le *Thirty-sixth Annual Report of the Council and District Committees*, second edition, May 4, 1905 : 32.

définitive, "l'immoralité des classes populaires"[494]. Soutenue par l'accueil que rencontre sa fermeté parmi ses homologues masculins, Helen Bosanquet préconise la même ligne de conduite dans *The Standard of Life and other reprinted essays*, publié en 1906. Elle montre dans cet ouvrage que : " Tout homme (au-dessus du plus bas échelon) a une règle de vie à laquelle, sciemment ou non, il se réfère et évalue sa réussite ou son échec".[495]

Cette affirmation proche des thèses de son époux et de Charles Loch renvoie à la notion d'"auto-entretien" ou d'"autosuffisance" : les besogneux ne doivent pas recevoir d'aide extérieure ; ils doivent se prendre en main et essayer par tous les moyens, avec une aide morale surtout, de regagner un mode de vie décent. Aux côtés de Charles Loch à la *Royal Commission on the Poor Law,* elle traite du problème des pauvres et définit les principes suivant lesquels l'administration devrait exercer la bienfaisance[496]. Deux rapports finaux y sont présentés "expos(ant) (des) vues divergentes."[497] Un de ces deux documents émane de la majorité et l'autre de la minorité. Helen Bosanquet partageant les idées de la majorité de la commission, elle se situe dans un cercle réunissant les plus hautes instances du royaume. Elle tirera elle-même les conclusions de ces rencontres dans le *Rapport de la loi des Pauvres* de 1909. Elle rédige un résumé expliquant les défauts du présent système et les principales recommandations de la commission, à ce jour, telles qu'elles se rapportent à l'Angleterre et au Pays de Galles.[498] Elle propose de remédier

> "(...) à la routine mécanique de la Loi des Pauvres d'une part, et au chaos confus de la charité, de l'autre"[499] (...) par "un système organique vital, d'assistance combinée, publique et bénévole".[500]

---

494 Françoise Barret-Ducroq, 1991, *Pauvreté, charité et morale à Londres au XIXe siècle : une sainte violence*, Paris, Presses Universitaires de France : 114.
495 Helen Bosanquet, 1906, *The Standard of Life and other reprinted essays*, second edition, Macmillan, London : 17.
496 Sur les caractéristiques et les classifications du dispositif d'assistance par l'Etat, voir Christian Topalov, 1994, *Naissance du chômeur 1880-1910*, Paris, Albin Michel : 196 - 203.
497 Cette division est expliquée par Thomas Mackay, 1913, *The Danger of Democracy : Studies in the Economic Questions of the Day,* London, John Murray : 296. Voir aussi Sidney et Beatrice Webb, 1912, *Le problème de l'Assistance Publique en Angleterre*, Paris, Marcel Rivière et Cie : 3.
498 Helen Bosanquet, 1912, *The Poor Law Report of 1909 : A Summary Explaining the Defects of the Present System and the Principal Recommendations of the Commission, so far as related to England and Wales,* London, Macmillan : vi.
499 Idem.
500 Idem.

En 1911, le quarante-deuxième rapport annuel signale que :

"La Revue de la *Charity Organisation* a maintenant comme rédactrice en chef *Mrs* Bernard Bosanquet et [que cette revue] présente beaucoup d'intérêt à la fois pour les spécialistes des questions sociales et pour les lecteurs plus généralement attirés par les questions relatives aux difficultés quotidiennes du travail social."[501]

Après quarante et un ans de domination, le secrétaire de la COS, Charles Loch, passe la main à une femme.

Helen Bosanquet recourt encore moins qu'Octavia Hill à l'usage de la première personne du singulier[502]. Elle préfère en définitive adopter une posture mettant en avant la COS et se désignant, elle-même, comme le produit de cette association. Il en est ainsi par exemple dans *Social Work in London 1869 to 1912. A History of the Charity Organisation Society*[503]. Ecrit, d'une part, pour relater l'histoire de la COS, retracer son origine et son développement et, d'autre part, pour témoigner des principes mis en œuvre, Helen Bosanquet se donne comme agente de la machine COS dont elle partage le vécu. Dès les premières lignes, elle utilise le 'nous'.

"Nous découvrons, tandis que nous approfondissons notre sujet, que nous ne sommes pas engagés de prime abord dans le développement d'un tout complet par lui-même qui commence jeune, vieillit et meurt, bien que tout ceci advienne dans n'importe quelle société"[504].

Si Helen Bosanquet se fond dans la collectivité de la COS, elle conserve son individualité sur le plan poético-gastéropodique, sinon philanthropique :

Vie sourde
Ni mains, ni pieds, ni queue,
Juste un corps brun, tantôt long, tantôt rond
Un escargot vulnérable et sans logis
Se traîne sur le sol :

501 *Forty-second Annual Report of the Council and District Committees*, second edition, March 22, 1911 : 36.
502 C'est en 1912 dans l'introduction à Social Conditions in *Provincial Town* : "Un des collaborateurs de cette série de publications m'a demandé pourquoi je parle de villes 'provinciales' puisque c'est un terme rarement entendu sauf de la bouche des Londoniens et souvent ressenti amèrement dans beaucoup de grandes villes." Helen Bosanquet, 1912, *Social Conditions in Provincial Town*, London, Macmillan : I.
503 Helen Bosanquet, 1914, *Social Work in London 1869 to 1912 - A History of the Charity Organisation Society -* , London, John Murray.
504 Idem : préface.

Lent, si lent qu'on le voit à peine avancer
Alors qu'il vogue sur son étincelant chemin d'argent[505].

d) Les exposés (papers)

Les exposés font le point sur une situation. Ils sont présentés devant le conseil exécutif, le plus souvent à l'une de ses réunions extraordinaires. Reproduits en plusieurs exemplaires, ils sont imprimés et vendus pour un shilling. Les exposés féminins, y compris ceux d'Octavia Hill et d'Helen Bosanquet, sont très peu nombreux par rapport à ceux des membres masculins. Leur nombre à partir de 1888 est consigné dans les minutes du Conseil[506].

Tableau 17 : nombre d'exposés* masculins et féminins de 1890 à 1914 enregistrés dans les minutes du conseil

	Masculins	Féminins
1890-1895	5	1
1896-1900	13	4
1901-1905	21	4
1906-1910	7	1
1911-1914	8	0

* Les *explanatory papers* (dont l'intention est de faire la propagande officielle de la COS) sont traités sous la rubrique des communications payantes *(lectures)*.

L'ensemble des exposés semble revenir largement aux hommes. Les exposés féminins ne répondent qu'aux préoccupations du moment. Entre 1901 et 1905, alors que s'élabore la Loi sur

---

505 Extrait in Helen Bosanquet, *Zoar : a book of verse*, Blackwell, Oxford, 1919 : 58.
506 On y trouve les exposés délivrés au conseil, mais aussi ceux présentés dans les réunions exceptionnelles des sous-comités et des comités. La liste de ces exposés est également dressée à la fin de certains rapports annuels. Ils sont numérotés de 1 à 20 jusqu'en 1896, puis publiés en quatre séries (1896 - 1900 - 1905 - 1913) sous le titre d'*occasional papers*.

l'éducation[507], *Miss* Poole intervient sur : "Les élèves des écoles professionnelles et les parents" *(Industrial school children and parents)*, tandis que trois exposés masculins abordent de loin les problèmes d'assistance aux enfants des écoles *(Relief of school children methods of assistance), (Physical education), (Out-patient department and the rearing of children).*

Mais comment expliquer que les femmes soient si peu nombreuses ? Cette situation dépend-elle de leur positionnement à la COS ? Seules les plus influentes seraient-elles des auteures d'exposés ? L'examen de leur statut peut aider à répondre à cette question.

Tableau 18 : statut des locutrices

Statuts (a)	Nombre de locutrices
Membre du conseil	2
Membre du comité exécutif	1
Membre d'un sous-comité	1
Membre d'un comité de quartier	6
Autre (b)	1
(a) Une des locutrices est citée deux fois. (b) Assistante sociale à l'hôpital, *Miss* Mudd.	

Toutes les femmes de la COS peuvent toucher par l'écriture une audience publique. La rédaction d'exposés dans le milieu de la philanthropie n'est pas strictement réservée aux femmes qui occupent un poste hiérarchique. C'est plus souvent une pratique des femmes appartenant aux comités de quartier.

Si l'importance des écrits des femmes n'est pas fonction de leur position, la notoriété des auteures s'expliquerait-elle par les thématiques qu'elles développent ? Quels sont les sujets traités

---

507 Acte qui rend responsables les autorités locales du système éducatif. Pat Thane, 1982, *The Foundation of the Welfare State*, London, Longman : 359. Voir aussi Asa Briggs, 1987, *A Social History of England*, London, Penguin Books, second edition : 290.

respectivement par les hommes et les femmes ? Les cinq premiers exposés masculins produits en 1890 portent sur un thème : l'aide. Le seul exposé féminin est consacré à l'enfance.

En présentant un premier exposé intitulé "L'aide en rapport avec les enfants scolarisés"[508], *Miss* Lucy Fowler, membre d'un comité de quartier, nourrit une réflexion généralement réservée aux femmes. Mais, en développant la notion d'aide, elle rejoint les normes et les règles privilégiées établies par la COS : c'est finalement un exposé qui ne contraste guère avec ceux des hommes discutant de "détresse" ou de "paupérisme" qu'elle propose.

Il en est de même pour *Miss* Pickton et *Miss* Sewell, respectivement secrétaire honoraire et représentante d'un comité de quartier, qui traitent de sujets recommandés par la COS. *Miss* Pickton rend compte des études de cas qui permettent d'éviter que les pauvres vivent d'une assistance non méritée, avec la même fermeté que des hommes tels que Austin Ward, lorsqu'il s'exprime dans "Exemples et résultats de cas mal examinés" ou A. H. Paterson dans "La formation de nouveaux bénévoles pour les études de cas". D'ailleurs, explique *Miss* Pickton,

> "Chaque comité comptant à la fois des hommes et des femmes de tempéraments différents - certains d'entre eux portés à juger sévèrement les fautes, d'autres ayant une vision plus clémente ou sentimentale - il est à peu près sûr que chaque cas sera discuté sous tous ses aspects." [509]

Miss Pickton affirme son appartenance à la COS et rallie le point de vue de *Miss* Sewell qui déclare: "Nous sommes en fait plus concernés par les idées que par les choses"[510]. Il s'agit surtout de célébrer l'association et d'en faire la publicité. L'expression des femmes vaut en ce qu'elles sont militantes.

e) Conclusions

Le nombre de communications payantes, de conférences des femmes et les publications de deux d'entre elles, est relativement impressionnant. Octavia Hill et Helen Bosanquet publient chacune presque autant d'ouvrages. Certes il s'agit surtout de recueils

---

508 Lu dans un *Special meeting of the Council in the Board Room of the London School Board*, cf. les minutes du conseil de 1896.
509 Miss Pickton, "The work of District committees", a paper read at a Special meeting of the Council, in the *Council Minute Book*, March 23, 1896 : 3.
510 Margaret Sewell, "Some aspect of Charity Organisation", a paper read at a Special meeting of the Council, in the *Council Minute Book* , November 29, 1897 : 8.

d'articles, mais peu d'hommes, même parmi les mieux placés dans la hiérarchie de la COS, peuvent se targuer d'un meilleur palmarès. Sur cette seule base, on pourrait conclure à une relative égalité entre les femmes et les hommes de la COS et à l'accès des femmes de l'association à une audience publique. Pourtant les autres performances féminines minimisent cette impression. Malgré leur présence active dans les instances de base, les femmes ne sont reçues dans le public que lorsqu'il s'agit de conforter les thèses officielles et conventionnelles de la COS auprès d'audiences profanes. C'est le cas des conférences et semble-t-il, avec plus de succès encore, des communications payantes. Par contre, les femmes sont moins sollicitées lorsqu'un travail de recherche et d'analyse est exigé comme dans la rédaction des exposés demandés par le conseil, même dans les cas qui restent exceptionnels d'Octavia Hill et d'Helen Bosanquet dont "l'intelligence supérieure - pour une femme - est reconnue". Octavia Hill ne présente qu'un seul exposé devant le Conseil et Helen Bosanquet, malgré ses diplômes (et son mariage), juste autant.

Deux événements semblent frappants dans ce qui précède : premièrement, ce sont des femmes qui prennent l'initiative de créer un comité 'mixte' pour gérer et stimuler la prise de parole publique chez les membres de la COS. Ce comité demeure sous leur influence jusqu'à ce qu'il change de nom dans des circonstances que nous ne connaissons pas. Est-ce une reprise en main de la domination masculine ambiante ?

Le deuxième événement est le retour de la prépondérance masculine parmi les communicants lors de la crise médicale qui sévit à Londres en 1898. Lorsque la situation devient grave, les hommes se doivent de reprendre l'initiative et les femmes de céder la place. Mais peut-être ce jugement est-il l'effet d'un préjugé féministe ?

2. L'expression des femmes à l'OCOB

En 1892, la comtesse de Laubespin prend pour la première fois la parole au conseil d'administration après avoir reçu une médaille du marquis de Vogüé, le président de séance, pour la remercier de sa contribution à l'achat d'un terrain. Elle répond en ces termes :

> "Je suis trop émue, Messieurs, des compliments que vous m'adressez pour y pouvoir répondre comme je le voudrais. C'est d'abord à mon cher mari que je reporte vos louanges; si blanche que soit notre chevelure, pauvres femmes, nous sommes toujours des mineures, et sans l'autorisation de M. de Laubespin, je n'aurais pu, Messieurs, unir mes efforts aux vôtres pour cette Œuvre, qui vous

appartient tout entière. Veuillez donc garder pour vous-mêmes la meilleure partie des remerciements que vous m'adressez, ma part ne m'en sera que plus précieuse"[511].

Les relations hommes-femmes à l'OCOB sont précisément décrites dans ce texte. La comtesse de Laubespin, femme d'âge canonique, se considère publiquement comme mineure vis-à-vis de son époux. Elle en attend l'autorisation pour disposer d'une somme et faire un acte généreux, que l'on reconnaît comme venant d'elle, mais dont elle lui accorde le crédit. Elle assume, et décrit, parfaitement la relation paternaliste qui prévaut dans son milieu. Sa façon de dire très aimable, sa bienséance, son humilité de femme mariée font bonne impression.

Dans le temple de la philanthropie parisienne, les voix féminines s'élèvent modestement. Le silence féminin[512] semble être de règle à l'OCOB. Quelques femmes, qui paraissent ici très audacieuses, occupent pourtant une place dans la vie associative. Elles animent des œuvres en amateurs, ou rédigent des ouvrages, qui reçoivent en retour soit un écho dans la complaisance polie de membres masculins de l'OCOB, soit une "leçon" de leur part. Une seule d'entre elles, que nous traiterons séparément, interviendra professionnellement, Léonie Chaptal.

a) Propositions féminines

L'activité des femmes de l'OCOB est un phénomène vite mesurable en raison du nombre limité de leurs actions. Les dames patronnesses sont, en effet, dans un système économique qui ne favorise leur entrée dans la vie publique que si leurs idées restent maîtrisées et organisées par les hommes. Il est dévalorisant et décevant pour ceux-ci qu'une femme puisse proposer et prendre une décision, même en matière de charité. Elle est tenue de faire un "travail d'amour"[513] pour lequel elle ne doit pas attendre de récompense.

Une des premières œuvres auxquelles est associée l'OCOB à travers le comte et la comtesse de Laubespin qui y sont largement impliqués, et qui fonctionne à partir de 1892, est celle de la maison du

---

511 *Annuaire, rapports et comptes rendus*, 21 mai 1892 : 24.
512 Catherine Duprat, plus que l'idée d'une exclusion des femmes avant le XIXe siècle, pense que celles-ci se réfugient dans un silence qui les dissimule. Catherine Duprat, 1997, "Le silence des femmes - Associations féminines du premier XIXe siècle", in Corbin A. et al., 1997, *Femmes dans la Cité (1815-1871)*, Paris, Creaphis : 79-100.
513 Michelle Perrot, 1991, "Sortir" in Georges Duby et Michelle Perrot, *Histoire des Femmes en Occident : le XIXe siècle,* Paris, Plon.

150

Travail, installée à Auteuil. Gérée par la sœur Saint-Antoine, cette institution cherche à donner du travail aux femmes, puis également à des hommes. L'œuvre du travail à domicile pour les mères de famille agit surtout auprès des mères nécessiteuses.

A côté de cette œuvre majeure, dont la principale protagoniste, la sœur Saint-Antoine, reste dans l'ombre et le silence, différentes propositions féminines de portées inégales sont signalées dans les archives de l'OCOB : un manuel des œuvres charitables, un programme d'écoles ménagères, un projet de pécule, un livre d'exhortations. On les doit à Mme de Sery, à la comtesse de Diesbach, à Mme Moyniez et à la comtesse d'Haussonville. Bien que cette dernière soit la seule inscrite à l'association, leurs propositions retiendront l'attention des membres de l'Office Central.

– Un manuel des Œuvres

Mme de Sery est une des premières femmes à être citée par le conseil d'administration de l'OCOB en 1893. Elle se fait connaître par un *Manuel des Œuvres*[514]. Léon Lefébure, secrétaire général de l'association, s'écrie à ce sujet :

> "(...) rendons (…) la justice qu'il mérite au Manuel des Œuvres publié depuis quelques années, et dont l'auteur est bien au courant des choses de la charité et les comprend d'un cœur si délicat (...) Le nom de Mme de Sery demeurera attaché à cette initiative"[515].

– Un programme d'école ménagère

Le 3 juin 1904, le baron des Rotours, secrétaire général adjoint de l'OCOB, présente le programme de la comtesse de Diesbach sur les Ecoles ménagères[516]. Ce programme de "relèvement moral de la classe ouvrière par l'amélioration matérielle et économique de la famille"[517] s'articule autour de trois sections :

> "- le cours normal, destiné à former des maîtresses d'enseignement ménager, ouvert à Paris le 15 juin 1902,

---

514 Nous n'en avons pas retrouvé trace. Il s'agit d'un annuaire des institutions charitables exerçant sur le territoire français, puis également de celles exerçant dans les pays voisins.

515 *Annuaire, rapport et comptes rendus*, 30 mai 1893 : 11.

516 Précisons que nous sommes dans une période où l'on glorifie "la maîtresse de maison" et que, par conséquent, les écoles ménagères sont importantes. Cf. Anne Martin-Fugier, 1979, *La place des bonnes : la domesticité féminine à Paris en 1900*, Paris, Grasset : 342-343.

517 Objectif de "L'Œuvre de l'Enseignement Ménager" in *Paris Charitable et Prévoyant*, 1904, Paris, Plon, 1904 : 688.

"- les cours ménagers pour la classe ouvrière, fonctionnant seuls ou annexés à des patronages, des écoles professionnelles, des maisons d'accueil,

"- les cours privés pour jeunes filles du monde, qui permettent d'inculquer à l'élite 'la connaissance de la valeur du travail'. Les filles apprennent à gouverner leur intérieur et 'sans déchoir, (à) s'incliner vers les déshérités de ce monde'."[518]

"(...) La création de ces écoles est bien [d'après le baron André des Rotours] le corollaire de tout ce qui a été, en ces dernières années, entrepris pour lutter contre la tuberculose et l'alcoolisme par l'assainissement physique et moral du foyer de l'ouvrier (...)"[519]

Dans son allocution à la tribune de l'OCOB le 8 juin 1907[520], la comtesse de Diesbach ajoute la mortalité infantile parmi ces fléaux éventuellement conjurés par l'Ecole ménagère et s'explique sur les moyens de la propagation de son enseignement dans toute la France ainsi que sur la formation des maîtresses en six semaines[521]. Elle répond à l'appel d'hommes tel Paul Strauss, sénateur et membre du Conseil supérieur de l'Assistance publique[522], éditeur de la *Revue Philanthropique*[523]. Paul Strauss cherchait "comment alléger la souffrance, comment mener la bataille contre le paupérisme, ce mangeur d'hommes, comment combattre le chômage et la maladie"[524]. Il comptait beaucoup sur les femmes "dont la merveilleuse activité n'a été qu'imparfaitement éveillée, du moins en France, pour les œuvres d'éducation morale et de philanthropie matérielle"[525].

– Un projet de pécule

Mme Moyniez soulève au IVe Congrès National d'Assistance, à Reims, le problème de la corruption due au travail des enfants dans les orphelinats[526]. Elle projette d'inciter ces institutions à constituer un pécule à leurs pensionnaires. Cette intention ne semble pas être bien reçue par le comte d'Haussonville, président de l'assemblée générale. Le 29 juin 1911, il réagit en ces termes :

---

518 Anne Martin-Fugier, 1983, *La Bourgeoise*, Paris, Grasset : 31.
519 *Annuaire, rapports et comptes rendus*, 3 juin 1904 : 33-34.
520 *Annuaire, rapports et comptes rendus*, 8 juin 1907 : 60.
521 *Annuaire, rapports et comptes rendus*, 8 juin 1907 : 61.
522 *Dictionnaire de Biographie Française*, 1933, Paris, Letouzey et Ané.
523 Mensuel édité pour la première fois en mai 1897.
524 Paul Strauss, 1897, "Notre Programme" in *Revue Philanthropique*, n° 1, mai : 5.
525 Paul Strauss, 1897 : 6.
526 Maurice Beaufreton, 1911, *Assistance Publique et Charité Privée*, Paris, M. Girard et E. Brière 176-202.

"Nous nous sommes entretenus aussi du projet déposé par Mme Moyniez. D'après ce projet, le pécule ne devrait être prélevé que sur le travail productif. Mais ce projet qui, en théorie, peut paraître plus rationnel serait, dans la pratique, tout à fait inapplicable, surtout pour certaines catégories d'établissement. Comment, en effet, dans un orphelinat agricole, par exemple, préciser la date à laquelle un enfant qui, depuis plusieurs années, est occupé aux travaux de la terre, commence à faire un travail vraiment productif ?"[527].

Il est vrai que ce pécule devrait être constitué et versé par des institutions religieuses qui ne s'y prêtent pas spontanément. Mme Moyniez raconte ainsi sa visite d'un orphelinat :

"La sœur tourière qui vient m'ouvrir me laisse dans le corridor, pendant qu'elle va prévenir la sœur supérieure. Celle-ci apparaît bientôt, (...) la blanche cornette (...) encadre des traits anguleux, masculins, dénués de toute douceur (...), son regard se durcit quand j'expose le but de ma visite (...)

- Etes-vous en état de constituer un pécule ?
- Il appartient à notre congrégation de décider de cette question.
- Pourtant vous connaissez la situation financière de votre œuvre (...)
- Demandez tous ces renseignements à notre congrégation ; elle vous répondra si elle le juge convenable.

A chaque réponse, la supérieure fait un pas en avant, ce qui m'oblige à en faire un autre en arrière, si bien que je finis par me trouver hors de l'inhospitalière maison dont elle continue à garder farouchement l'entrée jusqu'à mon départ."[528]

Trois des femmes ci-dessus reçoivent un accueil enthousiaste, et presque excessif, de la part d'hommes dont elles semblent attendre une approbation. La quatrième, qui se heurte à certaines congrégations hostiles à son projet, reçoit une rebuffade d'un des notables de l'OCOB. Toutes les voies ouvertes par les femmes ne rencontrent pas un même écho.

– Un livre d'exhortations

Dans un registre tout différent et fort conventionnel, la comtesse d'Haussonville[529], membre du comité des dames de 1894 à 1906,

---

527 *Annuaire, rapports et comptes rendus*, 29 juin 1911 : 62.
528 In Maurice Beaufreton, 1911 : 180-181.
529 Née d'Harcourt, épouse du comte d'Haussonville, lui-même vice-président du conseil d'administration de l'OCOB, membre de l'Académie Française, administrateur d'une société d'assurance et de la société des sels gemmes de Russie méridionale, Président de la Société de protection des Alsaciens-Lorrains demeurés français. Christophe Charles, 1987, *Les Elites de la République, 1880-1900,* Paris, Fayard : 156-443.

retient l'attention des membres de l'OCOB par son ouvrage, *La Charité à travers la Vie*[530]. Elle y énonce une multitude de recommandations. Aux jeunes enfants : "Ne dites pas : je suis trop petit ou je n'ai pas d'argent. On n'est jamais trop petit et jamais trop pauvre pour donner."[531] A ceux qui font leur première communion, elle conseille : "Privez-vous de quelque chose pour aider les pauvres petits moins favorisés que vous"[532].

Selon l'archevêché de Paris, la comtesse d'Haussonville produit "un véritable Manuel de la Charité Chrétienne"[533]. Pour le baron des Rotours, il s'agit d'une :

> "gerbe exquise composée des pages les plus hautes, les plus simples, les plus touchantes, toutes très nobles, qui ont été écrites sur la charité et c'est comme un chemin royal qui commence à l'enfance, se continue par la jeunesse, puis l'âge mûr, rencontre la pauvreté, la maladie, la douleur, arrive à la vieillesse, touche à l'héroïsme, chemin vraiment royal, ai-je dit, car il mène au ciel"[534].

- Une initiative pour un orphelinat

La participation à la vie publique ne peut parfois se faire que de façon marginale comme le démontre la marquise de la Tour du Pin de Chambly. La création de l'orphelinat du 'Refuge de l'Hospitalité par le Travail' dans la Loire Inférieure, et plus exactement à Nantes, est l'œuvre par laquelle la marquise de la Tour du Pin de Chambly se fait connaître en province dans une perspective très conforme à ce que l'on propose à l'OCOB. Pourtant, cette initiative n'est pas prise sous le couvert de l'Office Central à Paris bien que la marquise en soit membre de 1893 à 1903.

b) Une intervention professionnelle : Léonie Chaptal

En janvier 1905, Léonie Chaptal présente au conseil d'administration une des rares interventions qui nous ramènent sur terre en démontrant "(...) l'insuffisance du salaire des femmes du peuple et les misères de toute nature qui les accablent"[535]. Puis elle fait connaître l'Œuvre qu'elle a fondée sur "l'assistance maternelle et infantile à Plaisance". Tout ceci est mentionné dans l'annuaire de

---

530 Comtesse d'Haussonville, 1912, *La Charité à travers la Vie*, Paris, J. Gabalba et Cie.
531 Idem : 1.
532 Idem : 31.
533 Idem : XXVI.
534 *Annuaire, rapports et comptes rendus*, 12 juin 1912 : 69.
535 *Annuaire, rapports et comptes rendus*, 5 juin 1905 : 37.

l'Office Central, bien qu'en 1905 Léonie Chaptal ne soit pas encore membre de l'OCOB.[536] Le baron A. des Rotours est chargé d'en faire un compte rendu détaillé qui sera publié cette année-là dans *La Réforme Sociale* de Frédéric Le Play[537]. Le conseil de l'OCOB en recommande vivement la lecture.

En 1908, le baron des Rotours salue à nouveau le concours de Léonie Chaptal, membre de l'OCOB depuis 1907, et déclare : "en janvier, Mlle Chaptal nous a parlé du recrutement des infirmières, et l'a fait avec une compétence vraiment professionnelle, pourrait-on dire."[538]

La même année, Léonie Chaptal s'exprime aussi dans les salons privés du marquis de Vogüé en présentant un exposé sur "l'histoire sociale d'un quartier de faubourg". Elle charme cette fois les dames patronnesses "dans une captivante causerie"[539].

Une autre communication de Léonie Chaptal est présentée devant le conseil d'administration en 1910. Elle porte sur "les hôpitaux privés et les malades de condition moyenne à l'étranger et en France". Léonie Chaptal participe maintenant à la vie de l'association depuis trois ans, et cette communication est publiée dans le Bulletin de l'OCOB, en réponse "à un désir souvent exprimé par plusieurs des amis de l'Office des œuvres de bienfaisance"[540].

"Dans l'état actuel de la question, il y a à distinguer entre les hôpitaux gratuits, à but purement charitable, possédant parfois un petit nombre de chambres payantes, et les hôpitaux payants dans des conditions abordables pour la classe moyenne, c'est-à-dire de 5 à 12 francs par jour environ. On ne parle pas ici de la première catégorie, car il ne s'agit pas des soins aux indigents, mais de la deuxième, beaucoup plus rare. Cette classe serait cependant fort utile car, non seulement le logement d'une famille peu aisée ne se prête pas au soin des contagieux ni aux interventions chirurgicales modernes, mais encore les frais médico-pharmaceutiques sont fort coûteux, sans compter ceux que nécessite une garde-malade à domicile, qui demande un salaire de 10 à 12 francs par jour.

"A l'étranger, ce genre d'hôpitaux existe depuis longtemps avec toute l'échelle des prix. En Angleterre, chaque hôpital est autonome, entretenu par la charité privée et possède sa physionomie à part,

---

536 La nomination de Léonie Chaptal au conseil d'adminitration sera ratifiée par l'Assemblée générale le 8 juin 1907 :16

537 Voir l'encadré chapitre II.

538 *Annuaire, rapports et comptes rendus*, 2 juin 1908 : 62.

539 *Annuaire, rapports et comptes rendus*, 2 juin 1908 : 65.

540 Extrait de la chronique de M. A. des Rotours dans le premier numéro du bulletin : 1.

répondant ainsi aux besoins divers. L'installation est, en général, luxueuse, les infirmières bien élevées et instruites. Le prix de revient de la journée de malade se monte à 8 ou 10 shillings, mais il existe des échelles de prix descendant jusqu'à la gratuité presque complète. En Allemagne, en Suisse, des classes différentes sont établies dans les hôpitaux, de façon à satisfaire les malades de toute condition. En Italie et en Espagne, les fondations de ce genre sont peu nombreuses. Aux Etats-Unis, il y a une profusion d'hôpitaux d'un luxe énorme. Les prix y sont très élevés, car le personnel est rétribué par de forts salaires. Si nous passons à la France, sans étudier en détail la province où il existe un petit nombre de maisons à prix abordables, nous trouvons à Paris quelques chambres à 5 francs par jour dans les hôpitaux congressistes de Saint-Joseph, Saint-Michel, Saint-Jacques, Bon-Secours. L'hôpital Gouin, à Clichy, présente une bonne organisation, mais restreinte à la chirurgie seulement. Une lacune reste à combler et ce sera le but d'une fondation récente, celle de l'hôpital privé médico-chirurgical, qui sera ouvert en novembre 1910 à Paris (rue Antoine-Chantin). Il comprendra 80 lits, tant en chambres qu'en petits dortoirs, suivant une gradation de prix de 5 à 12 francs, pour la chirurgie, la médecine et les maladies infectieuses en pavillon isolé. Cet hôpital, fondé par une société civile, se suffira à lui-même, les prix de revient d'une journée de maladie ne devant pas dépasser sensiblement ceux de l'hôpital Pasteur, admirable modèle d'organisation hospitalière. Le personnel médical se compose de médecins et chirurgiens des hôpitaux ; les infirmières sont celles de la maison-école de la rue Vercingétorix"[541].

En 1914, Léonie Chaptal participe comme seule femme aux côtés de deux orateurs de l'OCOB à une série de conférences sur l'Enfance malheureuse en France[542]. Elle choisit d'y développer un thème sur "La protection du premier âge" peut être encore conformément à la convention selon laquelle "une femme est faite pour la famille et le domestique"[543]. Léonie Chaptal s'affirme à partir d'une compétence et de connaissances dans un domaine particulier qui coïncident avec les préoccupations médicales de la philanthropie. Mais elle reste une exception parmi les femmes.

Aucune de ses interventions ne suscite de la part de l'OCOB de réactions vis-à-vis des pouvoirs publics, dont il soit fait état dans les archives, pour les inciter à intervenir légalement.

---

541 *Bulletin de l'Office Central des Œuvres de Bienfaisance*, n° 6, juin 1910. La Maison-Ecole a été fondée par Léonie Chaptal (voir chapitre VIII).
542 *Annuaire, rapports et comptes rendus*, 12 juin 1914 : 62.
543 Michelle Perrot, 1997, *Femmes publiques*, Paris, Textuel : 9.

Entre Mme de Laubespin et Léonie Chaptal, la différence est grande. La première s'accommode sans aucune retenue des conventions entre hommes et femmes : elle s'estime mineure par rapport à son mari et sollicite sa permission pour jouir de ses propres biens. Les femmes maintenues dans les rêts de la masculinité dominante recherchent l'approbation des hommes pour chacune de leurs entreprises. La seconde n'est visiblement animée que par le souci de parvenir à ses fins et ne se préoccupe de la réaction masculine que si celle-ci sanctionne ses objectifs.

3. Femmes philanthropes, femmes mineures ?

A la COS les femmes parlent. A l'OCOB, elles parlent peu. A la COS., les sujets abordés sont nombreux ; à l'OCOB, ils restent rares. Les lieux où s'expriment les femmes se multiplient à la COS et dans les autres sites accueillant communicant(e)s et conférencier(e)s. En France, il n'y a nul endroit où s'expriment les dames patronnesses. Elles n'ont pas accès aux instances politiques, donc aucune opportunité d'y présenter des communications. Les quelques femmes qui parlent ne sont pas des dames patronnesses mais des philanthropes de terrain. Les premières ont, soit un discours de complaisance, soit d'exhortation. Les secondes, moins nombreuses, ainsi surtout de Léonie Chaptal, rendent compte de réalités plus crues.

A la COS, la plupart de celles qui s'expriment appartiennent aux comités de quartiers et ne sont donc pas des responsables. Leur fonction est semblable à celle des hommes. Elles abordent tous les sujets et excellent en particulier dans la propagande. Celles qui parlent, écrivent aussi des articles, des livres, des traités de formation. L'une d'elles est même éditrice d'une des revues de l'association. Dans la perspective française, les femmes anglaises l'emportent en compétence.

Les productions des femmes font ainsi apparaître le type de relation qu'elles ont avec les hommes de leur association respective. A l'OCOB, tout le monde est amateur, hommes et femmes, et chacun conserve à tout moment la position qu'il possède dans la vie. Les rapports mondains prévalent. Les hommes y restent le sexe dominant. Poliment, ce sont eux qui supervisent les initiatives de leurs compagnes de travail et qui les jugent. Les femmes attendent leur approbation et le paternalisme dominant de l'époque s'infiltre dans l'association. Or les femmes y sont réceptives, car c'est ce même paternalisme qu'elles subissent, qu'elles transposent dans leurs rapports aux pauvres. A la COS, à la différence de l'OCOB, les rapports sont empreints de professionnalisme. Une partie du personnel des deux sexes est payée, ce qui introduit sans doute, même entre les personnes non salariées, des relations de compétence reconnues par les interlocuteurs. Pourtant, dans cette association, le paternalisme est également présent. Les femmes y agissent "une main liée derrière le dos."[544]

544 Jill Liddington and Jill Norris, 1978, *One hand tied behind us : the rise of the women suffrage Movement*, London, Virago.

CHAPITRE VIII

L'ABSENCE DE POUVOIR DES FEMMES

Le pouvoir des hommes sur les femmes dans les associations philanthropiques en cause n'est pas révélateur des rapports entre sexes en général. Le statut de bénévole des membres féminins de la COS et de l'OCOB les protège d'une trop grande sévérité de leurs supérieurs masculins. La politesse conventionnelle régnant habituellement entre hommes et femmes de condition voisine, la galanterie masculine parfois, toute une étiquette, tendent à cacher la réalité d'une relation d'apparence courtoise qui demeure fondamentalement d'essence paternaliste. Dans ce type de relation, les femmes ne se trouvent pas, réciproquement, dans une position qui leur permettrait de porter un jugement sur leurs partenaires masculins, sinon enrobé de bienséance, donc dépourvu de toute valeur critique. En Grande-Bretagne, cette attitude s'étend au personnel salarié dès que les femmes concernées montrent des qualifications qui les placent au-dessus des bénévoles.

1. Seconder les hommes de la COS

Bien des apparences mèneraient à conclure que les femmes de la COS disposent d'une certaine autorité dans leur association. A l'examen, le paternalisme latent qui infiltre cette dernière, du dehors comme du dedans, retire à ces femmes, pourtant compétentes, la possibilité d'atteindre, sauf rares exceptions, les positions les plus élevées.

a) Réputation

Des compliments hyperboliques sur les généreuses femmes anglaises viennent d'un admirateur français, le marquis Costa de Beauregard : "En Angleterre, comme partout, le rôle de la femme est indiqué, du moment où il s'agit de charité"[545]. En leur attribuant un

---

[545] Le marquis Costa de Beauregard, 1896, *La Charité Sociale en Angleterre - Les College Settlements et l'Union Sociale catholique*, Paris, Plon : 20.

goût inné pour la bonté, le marquis Costa de Beauregard juge, d'une part, toutes les femmes anglaises en bloc, et leur inflige, d'autre part, les critères naturalistes qui prévalent à son époque. La croyance d'un don inné des femmes pour la charité, également formulée dans son opuscule[546] de 1896, est pourtant contredite par le fait, qu'il rapporte lui-même, selon lequel les Anglaises se sont empressées de fréquenter la *Women's University Settlement* pour apprendre à devenir visiteuses, institutrices ou gardes-malades. L'acquis prévaudrait-il sur l'inné ?

Pour un autre admirateur français, il semble opportun de juger la femme (aristocrate) anglaise en fonction du pouvoir que lui octroierait son manoir de campagne, refuge de mœurs ancestrales de générosité. "Il n'est pas douteux que les *Ladies* signalent par de bonnes œuvres leur présence dans leurs terres."[547] Selon ce cliché nobiliaire, "le château aurait été partout et toujours bienfaisant."[548]

S'il est des propos mirifiques décrivant la bienfaisance des *Ladies* ou d'autres grandes dames, il en existe aussi de plus humbles se rapportant aux manières de faire de femmes socialement plus modestes. En 1879, lorsque le conseil de la COS rend compte du travail d'une de ses salariées, il en parle avec une aimable condescendance : "Le travail de Mlle Steward, l'assistante sociale au *Royal Free Hospital,* dont le salaire est payé partiellement par cette institution, continue à donner satisfaction à l'hôpital et au conseil."[549] De même, simplement constater que *Miss* Brimmell "accomplit son travail très soigneusement et de façon satisfaisante"[550], c'est révéler l'état de subordination de celle-ci, car ce type de propos un peu cauteleux sur le bon travail des femmes trahit un discours masculin qui n'a pas sa réciproque féminine en ce qui concerne le travail des hommes.

Les femmes bénévoles, telles qu'elles apparaissent dans les minutes de l'association, sont placées dans un rapport de déférence et les salariées dans un rapport de dépendance. La réputation qu'elles ont acquise de se rendre volontiers disponibles leur accorde, certes, l'estime de leurs collègues, à condition qu'elles se configurent aux

---

546 Idem.
547 Emile Chevalier, 1895, *La loi des pauvres et la Société anglaise*, Paris, Arthur Rousseau : 332-333.
548 Idem.
549 *Tenth Annual Report of the Council and District Committees*, second edition, April 5, 1879 : 20.
550 *Thirty-first Annual Report of the Council and District Committees*, second edition, March 12, 1900 : 25.

attitudes morales que leur prêtent les hommes ou les institutions. Un portrait de femme se dessine d'après les goûts, les mœurs et les manières qu'on leur attribue. Le chapitre IV ci-dessus, sur les "qualités spéciales" des femmes, en est l'illustration à l'échelle de la société dans son ensemble. Ses conclusions demeurent valables au niveau de la COS.

b) Participation au conseil

Il faut bien des efforts et des protections pour qu'une femme parvienne à se distinguer. La plus connue d'entre elles est Octavia Hill qui est considérée comme une fondatrice de la COS. En 1872, elle déclare, au cours de sa seule intervention de l'année, que "la sacristie de Marylebone avait exprimé la volonté d'aider le comité de quartier dans tous les projets qu'il pourrait concevoir, mais qu'il avait décliné d'en prendre l'initiative"[551].

Trois ans après cette information mineure, elle intervient brièvement en janvier 1875 dans une discussion sur le mode d'affichage des listes de gens sans travail méritant un secours[552]. Cet échange, qui paraît assez oiseux, engagé avec des membres du conseil, est retranscrit et paraît dans *The Charity Organisation Reporter*.[553]

Le 3 février suivant, Octavia Hill témoigne de la coordination avec les autres associations philanthropiques. Elle assure que "quelque soit la connaissance des cas régis par les agences d'assistance locales, [cette connaissance] ne peut que s'accroître par l'ajout de ce que la COS a appris"[554].

Le 24 février de la même année, Octavia Hill signale des "(...) cas chroniques que les comités ne peuvent entreprendre de pensionner sur leurs propres fonds, mais qu'ils aimeraient pouvoir porter à la connaissance d'individus bienveillants."[555]

C'est ensuite trois mois plus tard que la voix d'Octavia Hill s'élève une nouvelle fois au conseil pour proposer un amendement sur les secours temporaires et les allocations permanentes[556]. Cet amendement est massivement rejeté.

---

551 *The Charity Organisation Reporter*, 1872, vol. 1, n° 2, January 24 : 5.
552 Sur le vocabulaire servant à décrire les "gens sans travail", voir Christian Topalov, 1994, *Naissance du chômeur : 1880-1910*, Paris, Albin Michel : 146.
553 *The Charity Organisation Reporter*, vol. 4, n° 124, January 27, 1875 : 13.
554 Idem.
555 *The Charity Organisation Reporter*, vol. 4, n° 128, February 24, 1875 : 129.
556 *The Charity Organisation Reporter*, vol. 4, n° 137, May 5, 1875 : 70.

Les interventions d'Octavia Hill au conseil sont d'abord rares et sans beaucoup de portée. Sur un an et demi environ, cinq d'entre elles seulement sont inscrites sur les registres et l'une de ses propositions n'est pas retenue. Jusqu'en 1875, elle était pratiquement la seule femme au conseil. Son passé déjà et ses activités la classaient dans un entourage masculin.

c) Les facultés masculines d'Octavia Hill et d'Helen Bosanquet

Dans un monde dominé par les hommes, être honorées de qualités réputées masculines est censé être flatteur pour les femmes. C'est acquérir une supériorité sur les autres femmes. Mais exagérer cette comparaison jusqu'au point de masculiniser une femme serait au contraire grossier. Il faut, malgré tout, qu'une femme reste pareille à elle-même et que son accession à des normes masculines ne risque pas de la défigurer ni ne mette en cause la hiérarchie intangible des sexes.

Deux femmes, qui seront vantées pour leur intelligence, sont placées dans cette relation ambiguë vis-à-vis de la masculinité.

– Le cas d'Octavia Hill

"Rénovatrice de l'esprit charitable des dames anglaises"[557], Octavia Hill défraie la chronique philanthropique et remet en cause la part d'intelligence accordée aux femmes en étant gratifiée de qualités intellectuelles plus encore que de cœur, par des hommes. Un des premiers hommes à lui accorder ce crédit est Charles Loch, le secrétaire de la COS. Selon lui, Octavia Hill cultive l'entendement. Le comportement et l'engagement de celle-ci lui font dire dans un discours sur l'organisation de la charité :

> "Parmi ceux qui, à notre époque, ont donné une nouvelle orientation pour penser en ce sens, Mlle Hill eut, je crois, la plus forte influence. On lui doit, au moins autant qu'à d'autres, l'acceptation générale de la doctrine de la responsabilité de la charité comme obligation individuelle"[558].

A une autre occasion, le comité de Saint-George, en 1878, octroie à Octavia Hill la 'sagesse', une qualité de préférence attribuée aux vieillards :

> "La voie la plus sage est sans doute celle de Mlle Hill et de ses collectrices de loyers, qui font de la perception, et non du don

---

557 Emile Chevalier, 1895 : 333.
558 Charles Loch, 1892, *Charity Organisation*, London, Swan Sonnerschein and Co. : 79

d'argent, l'occasion d'établir des rapports amicaux avec leurs voisins pauvres."[559]

Cette intelligence pondérée, qui n'est pas reconnue à l'ensemble des femmes, rend singulières celles d'entre elles qui la possèdent. Michelle Perrot, une féministe pourtant, loue l'initiative fondatrice de "cette femme d'affaires avisée (...) concev[ant] la philanthropie comme une science destinée à promouvoir la responsabilité individuelle."[560]

Pourtant le masculin imprègne la vie d'Octavia Hill. En témoigne sa biographie (chapitre VI). On sait déjà que des hommes influents semblent toujours l'avoir patronnée, à commencer par son père et son grand-père dont elle est très tôt l'assistante bénévole. On la trouve entourée de personnalités comme le Révérend Fremantle, Frederic Maurice, John Ruskin qu'elle admirait et dont elle se voulait l'émule (Octavia prenait des cours de peinture avec lui).

Son éloge funèbre sera prononcé devant le conseil en 1913 :[561]

"L'année dernière a été marquée par la mort de Mlle Octavia Hill. Elle fut l'une des pionnières de l'association et elle demeura l'une de ses meilleures amies et son avocate résolue jusqu'à la fin. A Saint Marylebone elle avait mis au point des méthodes de coopération entre les administrateurs [de la Loi des Pauvres], la paroisse où elle travaillait et le comité de la *Charity Organisation* ; les visiteurs qui l'avaient assistée, furent amenés à accomplir de nouvelles tâches et se sont découvert impliqués dans des travaux d'une autre portée que la visite des pauvres telle qu'on l'entend généralement. Elle leur enseignait, en vérité, à gérer la charité. Tôt dans la vie, elle connut l'influence de Frederick Denison Maurice, puis de Ruskin; et elle apporta dans son travail ses précieux dons talentueux qui la caractérisaient, ses qualités d'imagination et de compassion, et une conviction chaleureuse et éclatante du devoir. Elle pensait constamment à aider les pauvres. Elle ressentait avec une profondeur de sentiment, qui touche peu d'entre nous, que réformer advient seulement par l'accomplissement du devoir. 'Qui balaie selon Tes lois en fait une bonne action'. L'accomplissement d'un devoir est le motif d'un autre. On ne peut construire autrement. Mais cette conviction, [fermement] tenue et mise en œuvre, rend beaucoup de choses

---

559 *Ninth Annual Report of the Council and District Committees*, second edition, April 3, 1878 : 6.
560 Michelle Perrot, 1991, "Sortir", in Georges Duby et Michelle Perrot, 1991, *Histoire des Femmes en Occident - Le XIXe siècle*, Paris, Plon : 469.
561 *Forty-fourth Annual Report of the Council and District Committees*, second edition, June 2, 1913 : 36-38.

possibles et, ce qui était possible, elle semblait le prévoir grâce à son imagination et à sa compassion. A mesure que les occasions se présentaient, elle en vint à gérer de larges biens, composés de maisons ouvrières et, grâce à la collecte des loyers, elle exerçait le contrôle nécessaire pour que les maisons de pauvres soient maintenues convenables et en bon état. Elle comprit la nature des joies que souhaitent les âmes simples et elle s'efforça de leur apporter celles-ci par ses propres efforts et par le travail de la *Kyrle Society* et d'autres associations : décoration, espaces ouverts, lieux paisibles et beaux à la campagne, nobles et vieilles constructions qui auraient pu autrement êtres enlaidis et rendus méconnaissables ou tomber en ruine. Dans cette perspective, elle était attirée par la vision de ceux qui s'engageaient dans la pratique de la charité pour l'amélioration de la société par l'accomplissement chaleureux du devoir individuel et par des mesures publiques en accord avec ce principe. Elle ne croyait pas aux systèmes, mais en une croissance s'ajustant d'elle-même aux nouvelles demandes et guidée par de sains principes (...)."[562]

Bien que le texte impose grammaticalement la forme féminine, insidieusement et malgré les locuteurs eux-mêmes, il tend à souligner les qualités masculines qu'Octavia aurait retirées de sa fréquentation d'hommes éminents. Surtout on n'oublie pas de mentionner qu'elle gérait des biens immobiliers, une occupation plutôt masculine, en "femme d'affaires avisée". Le conseil note que se généralise l'initiative d'Octavia Hill qui confie la collecte des loyers des pauvres à des subordonnées féminines. Le comité de *Fulham - Hammersmith* envisage par exemple "de louer des maisons dans ce mauvais quartier, afin de les placer sous la responsabilité d'une femme (...) en espérant que des progrès puissent être accomplis grâce à une soigneuse gestion"[563]. Pourtant cette nécrologie n'est pas celle d'une personne occupant une position d'autorité dans l'association: il est fait à peine mention de son appartenance et moins encore de son rang à la COS. Seule son activité extérieure et ses amis étrangers à la COS (sauf Charles Loch) sont mentionnés.

Octavia Hill se situe à la croisée des chemins du fait qu'elle se comporte maternellement envers les (bons) pauvres comme les hommes se conduisent paternellement envers elle, comme ils le font envers les autres femmes de leur milieu.

---

562 *Forty-fourth Annual Report of the Council and District Committees,* second edition, June 2, 1913 : 36-37.
563 *Forty-third Annuel Report of the Council and District Committees*, June 17, 1912 : 39.

Une femme comme Octavia Hill, probablement très vive et pleine d'idées, fait en définitive figure de protégée du paternalisme masculin. Ses initiatives appliquent avec intelligence un point de vue social inavouable : dissimuler la différence de classe derrière un semblant d'amitié et de douceur féminine. Ces sentiments sont sans doute sincères individuellement mais hypocrites socialement. Cette prétention d'aimer les pauvres avait été préconisée à Glasgow dès 1819 par Thomas Chalmers, chef de l'Eglise Libre d'Ecosse[564], puis, en 1850, par des chrétiens-sociaux, tels "F. D. Maurice et Charles Kingley [qui] avaient insisté sur l'importance des services personnels aux pauvres comme un devoir chrétien (…)"[565]. La politique de coopération d'Octavia Hill avec les instances de la Loi des Pauvres, dont elle fut une active protagoniste, était un des moyens de constituer une classe ouvrière élaguée et consentante, dont les éléments dits 'criminels', mais aussi subversifs, étaient livrés à un régime semi-carcéral. L'admiration qu'elle suscite de la part des hommes est celle d'une bienveillance masculine pour la mise en œuvre d'une idéologie bien-pensante. L'aide qu'elle apporte aux 'pauvres' est celle du paternalisme social ; l'éducation qu'elle préconise est celle que dispense la bonne ménagère : un intérieur bien tenu, l'épargne, l'abstinence, mais rien qui puisse donner aux pauvres une possibilité de liberté comme des secours en espèces (qu'ils boiraient) ou, surtout, de meilleurs salaires et une retraite assurée.

– Le cas d'Helen Bosanquet

Octavia est une autodidacte. Ce qu'elle apprend, elle le tient de ses mentors successifs. Helen Bosanquet est une universitaire diplômée. Lorsqu'en 1895 elle prend la parole sur le problème des rapports entre la COS et les socialistes[566], comme évoqués au chapitre précédent, l'auditoire masculin ne célèbre pas, en raison de son sexe, son "élégance morale" ou ses qualités féminines, mais il approuve le contenu de son exposé car celui-ci réfute la réponse socialiste aux problèmes sociaux. L'intelligence d'Helen Bosanquet est appréciée dans la mesure où ses propos reprennent une discussion qui se situe dans la continuité d'un pouvoir politique, donc masculin, et qu'elle y apporte une conclusion conforme aux convictions de son auditoire. Elle ne surprend pas, comme Octavia Hill, par des initiatives

---

564 Charles Mowat, 1961 : 10.
565 Charles Mowat, 1961 : 8.
566 *The Charity Organisation Review*, n° 124, May 1895 : 211-212.

extraordinaires. A la différence de cette dernière, Helen est mariée, de plus avec un membre du comité exécutif de la COS, garant sûr et permanent de son comportement et de ses opinions. Charles Loch lui transmet la responsabilité de la revue qu'il dirige depuis sa fondation. Les affaires concernant la formation du personnel bénévole l'intéressent plus qu'Octavia Hill, qui ne connut que l'enseignement de ses proches et qui favorisa la formation sur le tas des nombreuses volontaires dont elle s'entoura.

> "Sur proposition de Mme Bosanquet, un petit comité a été formé, dont elle est la secrétaire honoraire, afin de promouvoir une meilleure formation professionnelle des femmes, sans déborder sur le travail d'autres associations, mais qui servirait plutôt de coordinateur permettant à la COS, de coopérer au mieux avec ces associations, et en même temps d'aider les comités de quartier dans les cas où un remède peut être trouvé en permettant à une femme d'avoir un emploi plus qualifié et mieux payé." [567]

Helen Bosanquet œuvrait sans doute davantage à l'émancipation féminine de ses collègues que ne le faisait Octavia.

Il reste que les structures hiérarchiques de la COS, façonnées autour de la prédominance masculine, ne favorisaient pas cette tendance qui ne pouvait guère aller plus loin que les tentatives limitées d'Helen Bosanquet. C'est hors de ces structures que quelques Anglaises feront, poliment encore, reconnaître leur autorité par leurs interlocuteurs des deux sexes.

d) Essais vers la politique

Dans les faits, les femmes font leurs débuts dans la politique non sans heurts. A beaucoup d'égards, elles restent sévèrement entravées : elles n'ont pas encore, à l'époque envisagée, le droit de vote[568]. De surcroît, leur faible présence dans les instances politiques nationales ne favorise pas leur intervention sur le plan international. Ainsi,

---

567 *Thirty-first Annual Report of the Council and District Committees*, second edition, March 12, 1900 : 30.
568 Sur ce point, voir Martin Pugh, 1994, *Votes for Women in Britain 1867-1928*, London, The Historical Association. Robert Pearce and Roger Stearn, 1994, *Government and Reform 1815-1918*, London, Holder and Stoughton. Luce Bonnerot, 1977, "Les femmes en 1918" in Monica Charlot (ed) ,1917, *Les femmes dans la Société,* Paris, Armand Colin. Consulter aussi Jean de la Jaline,1909, *Le Suffrage Féminin en Angleterre et les Suffragettes*, Paris, Librairie des Publications Officielles du Bulletin des Lois. Se reporter particulièrement à la loi de 1918 réservant le droit de vote aux femmes âgées de plus de 30 ans et inscrites sur les listes électorales pour les élections municipales. Cf. également la loi de 1928 attribuant aux femmes âgées de 21 ans un droit de vote égal à celui des hommes.

aucune femme de la COS ne participe aux cinq Congrès d'Assistance Publique et de Bienfaisance Privée[569] qui ont lieu entre 1889 et 1910, ni à celui des Œuvres et Institutions Féminines[570] en 1900, ni à celui des Droits de la Femme[571] la même année.

La COS ne représente pas un lieu d'apprentissage politique pour la majorité des femmes qui la fréquente. Seules quelques-unes d'entre elles limitent leur participation à d'autres associations ou à des administrations. Entre 1893 et 1896, quatre femmes de la COS souscrivent à la *Women's Local Government Society (W.L.G.S.)* dont l'objectif est de "promouvoir une législation permettant aux femmes, en égalité avec les hommes, d'être élues et de servir dans tous les corps administratifs locaux, et d'y promouvoir leur élection."[572] Il s'agit, lors de la création de cette association en 1893, de *Lady* Frederick Cavendish, de *Miss* Emma Cons, de *Miss* Donkin et, en 1895, de *Miss* Bruce[573]. *Lady* Cavendish est alors à la fois membre d'un sous-comité à la COS et vice-présidente de la *W.L.G.S.* ; *Miss* Cons appartient à un comité de quartier de la COS et au comité exécutif de la *W.L.G.S.* ; *Miss* Donkin est également membre d'un comité de quartier de la COS et du conseil des membres promoteurs *(Council of Supporters)* de la *W.L.G.S.*

La *W.L.G.S.* signale, dans son troisième rapport annuel, qu'en 1889 *Miss* Cons a siégé parmi les membres d'un comité ad hoc nommé par le ministère de l'Intérieur *(Home Office)* pour enquêter sur les écoles de redressement et d'apprentissage professionnel[574]. L'appartenance de *Miss* Cons à la COS est néanmoins relative :

> "Formée par Octavia Hill comme perceptrice de loyers, *Miss* Cons s'était fait remarquer pour s'être rebellée contre la dureté assumée de la doctrine de la COS des années 1880 et devient gestionnaire indépendante de logements ouvriers du côté du Surrey."[575]

---

569 Ces congrès se tiennent respectivement à Paris, Genève, Paris à nouveau, Milan et Copenhague.
570 Il s'agit d'un congrès qui a lieu dans le cadre de l'Exposition Universelle de Paris les 18 et 23 juin 1900.
571 *Congrès International de la Condition et des Droits de la Femme*, 1900, Paris.
572 Cf. *Women's Local Government Society for Promoting the Eligibility of Women to Serve on all Local Governing Bodies*, Agenda, January 14th, 1893.
573 *Women's Local Government Society for Promoting the Eligibility of Women to Elect to and to Serve on all Local Governing Bodies*, Report presented at the Third Annual Meeting on Friday , 21st 1896, at St Martin's Town Hall, London, Women's Printing Society Limited : 2.
574 Idem : 7.
575 Beatrice Webb, 1950, *My Apprenticeship* : 228-229.

En ce qui concerne *Lady* Cavendish, elle est sollicitée par une institution administrative, la *Royal Commission on Secondary Education (R.C.S.E.)*. Nommée commissaire pour informer sur l'état du système éducatif, *Lady* Cavendish est, parmi les 15 membres que compte la *R.C.S.E.*, l'une des deux seules femmes[576] choisies en 1894 pour remplir cette fonction.

Lady Frederick Cavendish, née Lucy Caroline Lyttelton, est une aristocrate cultivée que sa sœur, *Mrs* Edward Talbot, décrit comme

"(...) pleine de vie, choyant quantité d'idées élaborées, [mais] si bonne causeuse, qu'elle n'avait pas une égale perception ou le même discernement pour 'absorber' ou comprendre la nature réelle, les aspirations individuelles et les façons des autres."[577]

Ardente libérale, *Lady* Cavendish aurait contribué au renversement du Premier ministre, *Lord* John Russell, conservateur *(Whig)*, aristocrate, membre d'une famille bien établie de Bedford[578]. Elle participe aussi au mouvement de la Réforme électorale pour l'élargissement du droit de vote à d'autres catégories sociales, dont les femmes.[579]

---

576 *Royal Commission on Secondary Education, Minutes of Evidences*, First Day, 24th April 1894 : 14. L'autre membre féminin de la R.C.S.E. est Mrs Henry Sidgwick, femme d'un professeur de philosophie morale à l'université de Cambridge. Cf. *Who Was Who, 1897-1915,* Adam and Charles Black Limited, London, 1920.
577 John Bailey (ed.) 1927, *The Diary of Lady Frederick Cavendish*, London, John Murray : 851.
578 Asa Briggs, 1987 : 236.
579 Les lois éléctorales, connues sous le nom de Reform Acts, se succèdent jusqu'en 1918, date à laquelle les femmes de plus 30 ans acquièrent le droit de vote. Robert Pearce and Roger Stearn, 1994 : 53-80.

Le suffragisme anglais

Le féminisme anglais se confond entièrement, à ses débuts, avec le mouvement des suffragettes. Dans un essai de 1869, *Subjection of Women,* John Stuart Mill avait argumenté en faveur "(...) de ceux qui étaient suffisamment éduqués pour exercer le droit de vote avec prudence"[580]. Ce droit fut d'abord la revendication de l'Union Nationale des Associations pour le Suffrage Féminin *(National Union of Women's Suffrage Societies)* créée en 1897 par Millicent Fawcett, puis celle, obstinée, d'Emmeline Pankhurst, fondatrice en 1903 de l'Union Politique et Sociale des Femmes *(Women's Social and Political Union).* Emmeline Pankhurst eut recours à des actions humoristiques mais aussi à d'autres interventions, jugées trop violentes, contre les parlementaires. On accorda successivement aux femmes le droit de voter dans les comités de l'Assistance Publique (1834), dans les municipalités (1869), les conseils de comté (1888) et d'être éligibles aux conseils de quartier et de paroisse (1894). Le rejet répété du suffrage universel par les chambres et les réactions violentes de *Mrs* Pankhurst, dont plusieurs grèves de la faim, valurent à celle-ci des séjours successifs en prison. En outre, l'action des suffragettes fut retardée par l'opposition de femmes notoires, telles *Mrs* Humphrey Ward, fondatrice de la ligue anti-suffragiste et surtout Beatrice Webb de la *Fabian Society*, qui crut, un temps, cette revendication nocive avant de revenir sur cette opinion. Le mouvement suffragiste, portant sur des revendications d'égalité politique mais ignorant celles des ouvrières - comme l'égalité des salaires entre hommes et femmes -, resta confiné dans les classes supérieures et moyennes. Il n'aboutit qu'en 1928.

Le portrait de *Lady* Cavendish qu'en font ses proches, ou d'après son journal intime, ne transparaît pas à travers ses rares interventions à la Commission Royale sur l'éducation secondaire. En assemblée, elle écoute des responsables convoqués pour inspection et examine leurs arguments avec les autres membres. En cinq jours, elle intervient moins d'une dizaine de fois sur près de deux mille interventions. Les siennes sont assez banales, parfois mal informées[581] et ne semblent pas

---

580 Commentaire de Robert Pearce and Roger Stearn, 1944 : 60.
581 *Royal Commission on Secondary Education, Minutes of Evidences*, Second Day, 25th April 1894 : 195.

trouver beaucoup d'échos chez ses collègues. Elle s'inquiète par exemple du recrutement des personnes étrangères dans les instances locales du système éducatif, question qui, apparemment, ne se pose pas et à laquelle le responsable répond : "Je ne voudrais, en aucune façon, les exclure."[582]

Si l'on fait le court bilan de l'action des femmes de la COS sur le plan politique, on constate que leur participation est généralement discrète et qu'elle est marquée par trois personnes, dont surtout *Lady* Cavendish. Il n'est pas évident à ce stade de l'histoire des femmes que la philanthropie mène à la politique.

2. L'impotence des femmes à l'OCOB

D'une façon générale, dans la philanthropie comme dans l'assistance publique, les femmes françaises conservent leur spécificité féminine. Un auteur comme Louis Lucipia (1889)[583], par exemple, note qu'à l'assistance publique la situation des malades est examinée non seulement par un enquêteur mais aussi par une enquêtrice et que les maisons de secours fonctionnent grâce à l'aide d'une surveillante et d'une femme de service. Dans cette structure, les femmes prêtent leurs concours au dispensaire pour enfants "(...) après avis favorable donné par le Conseil de surveillance de l'Assistance publique, sous certaines conditions, d'ailleurs rigoureusement observées"[584]. Ces femmes, d'origine modeste, sont engagées pour leur rôle de mère et parce que leurs tâches sont assimilées à des obligations de famille. Dans la même veine, Henri Bonnet (1908) constate que les dames visiteuses rédigent des rapports d'enquêtes qui "font valoir des considérations auxquelles un homme ne songerait pas"[585]. Cette spécificité propre accordée aux femmes par l'assistance publique écarterait l'interchangeabilité des tâches entre hommes et femmes à laquelle, d'ailleurs, les hommes répugnent généralement. Quant à Georges Rondel (1912), partisan, avec Mme Lucie Félix-Faure Goyau, d'une "charité éclairée", il attribue aux femmes "(...) beaucoup de cœur et un

---

582 Idem : 24
583 Louis Lucipia, 1899, "Les Services de Fraternité Sociale dans le IIIe arrondissement de Paris" in *Revue Philanthropique*, n° 5, mai 1899 : 9.
584 Idem : 11.
585 Henri Bonnet, 1908, Paris qui souffre. La misère à Paris. Les Agents de l'Assistance à domicile, *Etudes économiques et sociales*, Collège libre de sciences sociales, n° 4, Paris, V. Giard et E. Brière : 216-217.

savoir-faire personnel heureusement dirigés par les commissions administratives qui font appel à leur concours désintéressé."[586]

L'assistance que les femmes apportent notamment aux enfants les situe dans l'espace familial, quand bien même elles enquêtent et fassent fonctionner les maisons de secours pour le compte de l'assistance publique. Leur participation à la distribution légale des secours demande à la fois des qualités maternelles et de la rigueur. Une "dame visiteuse", à qui l'on demande le "secret de ses réussites", explique que

> "notre apprentissage ayant été fait par l'élevage de nos propres enfants (acquisition supérieure à toutes données scientifiques), il faut ensuite quelques qualités (...) : délicatesse, simplicité, discrétion, vigilance, intégrité et une douce fermeté (...) la bonté et le dévouement ne s'énonçant même pas."[587]

Les femmes sont maintenues dans un rôle complémentaire, annexe, associée toujours à leur féminité, surtout à leur maternité et toujours dans une position subordonnée.

a) Le vain prestige des dames patronnesses

Cette spécificité féminine et cette subordination persistent jusque dans les rangs distingués des femmes de l'OCOB. Ces qualités tendent à les fixer dans un univers mondain mais ne contribuent guère à les insérer dans le courant de la vie associative. Certains philanthropes décrivent les femmes, surtout les femmes du monde, comme des sujets futiles, impressionnables et émotifs. Ils pensent que cette faiblesse affecte leur capacité à agir en philanthrope : "Le faux-pauvre est tout-puissant devant une femme sensible. Il feint de pleurer et obtient ce qu'il veut"[588].

D'autres témoins croient qu'elles cachent leur jeu :

> "Il y a des femmes du monde, jeunes et jolies, pense un académicien, faites pour tous les plaisirs, habituées à tous les luxes, sollicitées par tous les environnements, qui visitent les pauvres, soignent les malades, bercent les enfants sans mères et ne se vantent pas. On dirait qu'elles sont fortifiées par le mystère même de leur dévouement; au milieu des tentations qui les assaillent, elles traversent la vie sans faillir, soutenues par l'énergie intérieure qui les

---

586 Georges Rondel, 1912, "La Protection des Faibles, Assistance et Bienfaisance", *Encyclopédie scientifique*, Bibliothèque de sociologie appliquée, Paris, O. Doin et fils : 117.
587 M.-L. Bérot-Berger, *La Dame Visiteuse dans la bienfaisance publique ou privée et dans le contrôle de la Loi Strauss, protectrice de la maternité*, Paris, M. Giard et E. Brière : 19.
588 Maurice Beaufreton, 1911 : 8.

a faites charitables et discrètes. Au temps de ma jeunesse, il en est que j'ai surprises cheminant dans la voie douloureuse où chacune de leurs stations était marquée par un bienfait. De loin, me dissimulant, je les ai suivies, j'ai pénétré après elles dans les bouges où elles étaient entrées comme un rayonnement et j'y retrouvais quelque chose de la lumière qui les environnait. Plus d'une fois, il m'est arrivé de les rencontrer le soir, dans un salon, sous la clarté des lustres, enjouées, spirituelles, plaisantes, aimant à plaire, conservant dans le regard, dans le sourire, cette sérénité qui est le parfum de l'âme satisfaite d'elle-même. Elles gardaient si bien leur secret que, pour plus d'une, nul ne l'a jamais soupçonné."[589]

En se comportant comme un espion bien intentionné, l'auteur surprend la conduite des femmes du monde. Il découvre leur bienfaisance discrète et comprend qu'elles n'ont pas qu'un "rôle décoratif" dans les salons[590]. Cette description reflète-t-elle une réalité courante ou est-elle plus littéraire que réelle ?

Pour ces femmes, se manifester publiquement ne peut s'abstraire du vêtement dont on souligne généralement l'élégance. Cette grâce féminine, si elle est appréciée, est aussi l'objet de critiques insidieuses mais tolérantes. M. Etienne Vedie, vice-trésorier du conseil d'administration de l'OCOB, tout en prétendant approuver, avec une lourde ironie masculine, le changement de maintien des femmes de l'association, les renvoie à leurs futilités :

> "Vous, Mesdames, qui avez résolu de réagir contre les exagérations de la mode féminine : robes trop étroites, corsages trop courts, chapeaux trop hauts ou trop bas, ne pourriez-vous pas nous aider à réagir contre la mode du déficit budgétaire en matière de bienfaisance ? Je pose la question, laissant à votre charité et à votre ingéniosité le soin de répondre"[591].

Le conseil d'administration de l'OCOB, se voulant plus austère, voudrait pouvoir exploiter les dames du comité comme de "saintes recruteuses de la charité"[592]. De même, dans l'avant-propos d'un de ses articles, Maurice Beaufreton, directeur de l'Assistance éducative, regrette que les femmes philanthropes se tiennent en "robes de soie" aux côtés des "robes de bure" (sic) qui habillent les hommes

---

589 Maxime Du Camp, 1885, *La Charité Privée à Paris*, Librairie Hachette et Cie, Paris : 3-4.

590 Sur le rôle décoratif des femmes dans les salons, voir Rémy Ponton, "Naissance du roman psychologique. Capital culturel, capital social et stratégie littéraire à la fin du XIXe siècle" in *Actes de la Recherche en Sciences Sociales*, 4, juillet 1975 : 78.

591 *Annuaire, rapports et comptes rendus*, 12 juin 1914, : 70.

592 *Annuaire, rapports et comptes rendus*, 22 juin 1910 : 56.

d'église[593]. La question qui se pose à ce point est de savoir à quoi doivent ressembler les femmes pour bien faire la philanthropie.

Une solution qui permettra au charme féminin de s'extérioriser au profit de l'œuvre est découverte dans ce qui, tout en faisant cas de leur attraction, fait également usage de leur capacité 'naturelle' à la gestion domestique : la vente de charité.

b) Le charisme des femmes du bazar

L'OCOB, dont on a vu que les instances de direction sont largement et, parfois même, exclusivement masculines, en appelle fréquemment aux femmes, en termes courtois et même flatteurs, pour les engager à donner, collecter, visiter. Parmi les œuvres auxquelles elles sont conviées à force de galants compliments, les dames patronnesses sont invitées à organiser tous les deux ans un bazar de charité dont les recettes sont remises à l'association. On estime que c'est le domaine des femmes par excellence, car la gestion de cette manifestation dépasse à peine celle d'une maisonnée.

Le 4 mai 1897 un incendie se déclare au cours de ce rassemblement. Les victimes sont toutes des femmes. Deux d'entre elles, la vicomtesse d'Avenel et la comtesse d'Izoard Vauvenargues, "tombent victimes de leur dévouement charitable (…), six autres ont été cruellement brûlées; blessées au combat de la charité, elles porteront d'honorables cicatrices (…)"[594] Aucune précaution de sécurité, ni par les hommes, ni par les femmes, ne semble avoir été prise. Il faudra attendre 1909 pour que cette manifestation soit à nouveau à l'ordre du jour, la recette atteignant le double des prévisions[595].

A consulter les rapports de l'OCOB, on constate que trois raisons, toujours "naturelles", continuent malgré tout à inciter les hommes à accorder une place aux femmes : leur 'devoir' de féminité, leur ardeur pour la cause philanthropique et leur capacité à étendre l'audience d'une vente de charité par leurs relations mondaines. Le vice-trésorier, M. Etienne Vedie, constate par exemple en 1912 que les femmes ont

> "(...) voulu, avec un dévouement au-dessus de tout éloge, mettre
> au service de la charité (leurs) relations mondaines, la grâce de (leur)

---

593 Maurice Beaufreton, 1911, *Assistance Publique et Charité Privée*, avant-propos de Ferdinand-Dreyfus, *Encyclopédie internationale d'assistance, prévoyance, hygiène sociale et démographie*, Paris, M. Girard et E. Brière : XI.
594 Allocution de M. le marquis de Vogüé, *Annuaires, rapports et comptes rendus*, 11 juin 1897 : 26.
595 *Annuaires, rapports et comptes rendus*, 5 juin 1909 : 71-72.

accueil, le charme irrésistible de (leur) appel ! Ce fut fête d'élégance et de beauté, le jour où, dans les salons de l'admirable hôtel de la Légation Argentine, que M. et Mme Larreta avaient voulu inaugurer par un acte de bienfaisance, [ils ont] convoqué la société parisienne et la colonie étrangère à la vente de charité organisée au profit de l'Office central"[596].

Les membres de l'Office Central assurent qu'une vente de charité "permet (...) de subsister durant deux ans au moins"[597]. Si les femmes ont ici une action économique, c'est parce que les hommes perçoivent celle-ci comme la continuation de leurs qualités d'intendantes au foyer[598]. Ce sont les sollicitations qu'elles adressent autour d'elles, leur rôle proche de celui d'une maîtresse de maison "sachant créer du bonheur", qui engendrent le succès de cet événement.

Les femmes étant amputées d'une partie de leur personnalité par leur prétendue spécificité, il est évidemment concevable que les hommes ne puissent les doter d'un pouvoir qu'elles ne pourraient exercer intégralement ou sur la totalité de toutes les personnes qui en relèveraient, donc de leur accorder de hautes responsabilités dans l'association.

3. Force émancipatrice ou force aliénante ?

De part et d'autre de la Manche, on sait que le rôle des femmes des associations philanthropiques, dans leur intention déclarée de se faire 'l'amie' de 'pauvres' eux-mêmes exploités par les hommes du même milieu qu'elles, est d'exaucer le souhait de ces derniers : présenter de leur classe une image féminine et maternelle de douceur et de consolation pour atténuer l'âpreté de la situation dont ces malheureux sont victimes. Mais ce masque de fausse conciliation dont les femmes sont porteuses, peut-être à leur insu, altère leur personnalité profonde, donc la possibilité d'assumer franchement leur responsabilité. En accord avec ce rôle débilitant, les femmes sont enfermées dans une spécificité féminine plus ou moins factice qui les prive de certaines de leurs qualités réelles ou potentielles.

La COS reconnaît aux femmes des qualités qui leur accordent des capacités de gestion et d'intervention dans les questions matérielles. Elle admet que l'initiative n'en revient pas seulement aux hommes.

---

596 *Annuaires, rapports et comptes rendus*, 12 juin 1912 : 71-72.
597 *Annuaires, rapports et comptes rendus*, 28 mai 1913 : 68.
598 Sur la "rationalité économique" de la femme dans un espace privé, voir Anne Martin-Fugier, 1987, "Les rites de la vie privée bourgeoise" in Philippe Ariès et Georges Duby, 1987, *Histoire de la vie privée : De la Révolution à la Grande Guerre*, Paris, Seuil : 200.

Mais la reconnaissance de ces qualités passe par leur coïncidence avec des qualités masculines qui ne cessent de servir de modèle.

Au contraire, l'OCOB enferme les femmes dans leur féminité conventionnelle, ce qui est une autre manière de les invalider. On prête aux femmes d'être impressionnables et émotives. On persiste à confondre action publique et univers domestique, qualité maternelle et bienfaisance, tâches philanthropiques et obligations de famille. En France, on entretient les femmes dans la futilité vestimentaire d'une façon à la fois admirative et critique pour qu'elles ne soient pas tentées de briguer un pouvoir qui demande un sérieux incompatible avec un chapeau "trop haut ou trop bas". En les maintenant dans leur irréductible spécificité, les philanthropes de l'OCOB demeurent eux-mêmes dans les clichés régissant les rapports de sexes.

Le vocabulaire, en Grande-Bretagne, change et déplace les frontières symboliques des sexes. Le parler masculin s'étend à certaines femmes, mais la masculinisation des femmes est équivoque. Le pouvoir sur l'image des femmes en Grande-Bretagne reste aliénant et celles-ci tendent à se configurer aux mœurs et aux manières qu'on leur attribue. Elles sont appréciées dans la mesure où elles se soumettent à une contrainte régulière et pour autant qu'elles adoptent des comportements dans lesquels les hommes se reconnaissent. Les femmes se doivent d'être créditées et approuvées par les hommes. Aucune des façons de s'exprimer sur les femmes ne mène à un discours qui leur octroierait une part du pouvoir qui ne serait pas soumis au contrôle masculin.

En France, quelques membres de l'OCOB essaient encore d'entraîner les femmes vers la notion imaginaire de "sainte". Les jugements qu'on porte sur elles restent très généraux et de peu de portée. On parle de zèle féminin mais il s'arrête aux ventes de charité. On est surpris de voir des femmes du monde quitter leurs salons pour faire la charité.

Les hommes des deux associations, à des degrés différents, certes, entretiennent leurs collègues féminines dans un rapport paternaliste plus ou moins subtil. La COS et l'OCOB ne se présentent que très relativement comme des lieux efficaces de promotion féminine.

Pénétrer dans la vie publique exige toujours d'une femme, d'une manière ou d'une autre, de se conformer à ce que sont les hommes ou à ce qu'ils pensent. Elle doit se mouler selon un modèle dans lequel sa personnalité n'est prise en considération qu'à travers des clichés masculins. Il s'agit d'une invalidation : le pouvoir et l'autorité qu'elle pourrait retirer de sa position sont toujours abolis quelque part. Ces femmes, promues partiellement, ne sont jamais reconnues pleinement responsables.

Une voie vers une affirmation féminine pourrait-elle être dans les parcours qui les mèneront vers la maîtrise d'initiatives enfin dépoussiérées du paternalisme ambiant ?

CHAPITRE IX

SÉPARATION

Que ce soit à la COS ou à l'OCOB, peu d'éléments, même la formation, militent en faveur d'un épanouissement des femmes. Dans ces conditions, celles qui sont susceptibles de participer à l'émancipation de leur sexe à partir de ces associations sont peu nombreuses.

En Grande-Bretagne, en 1900, il était encore possible de déclarer : "(...) D'après la Constitution anglaise, depuis l'origine du Droit Commun jusqu'à nos jours, aucune femme ne peut être appelée à remplir une fonction publique."[599]

Mais la pratique de cet interdit rappelle à quel point les limites de la sphère publique sont incertaines et se redessinent en permanence. La reine, qui sort du privé en gouvernant, est une première exception. Derrière elle, les corps constitués s'ouvrent de plus en plus aux femmes : celles-ci sont éligibles en 1872 aux Conseils de l'Enseignement Primaire *(School Boards)*, en 1875 aux Conseils de la Loi des Pauvres *(Poor Law Boards)*, en 1894 aux Conseils des districts urbains *(Urban District Councils)* et aux Conseils des districts ruraux *(Rural District Councils)*, en 1907 aux Conseils locaux *(Local Councils)*, aux Conseils de comtés *(Country Councils)* et au *Borough* de Londres. Près de trois mille femmes obtiennent un de ces mandats locaux entre 1865 et 1914[600].

En dehors de ces positions administratives, la présence de femmes est parfois difficilement perceptible, ce qui fausse les évaluations. La plupart du temps, avant 1870, elles n'apparaissent pas, en Grande-Bretagne, dans les registres officiels des successions (elles en étaient généralement écartées), des taxations (elles ne possédaient rien en propre), dans les registres criminels (elles étaient considérées comme mineures sous la tutelle d'un père ou d'un mari). Elles n'apparaissent

---

599 *Congrès International de la condition et des droits des femmes*, Paris, 1900 : 414.
600 Patricia Hollis,1987, *Ladies Elected : Women in English Local Government, 1865-1914*, Oxford, Clarendon Press, Oxford.

pas non plus dans les documents relatifs à l'éducation et au travail, ni même dans ceux relatifs à la mortalité : elles mouraient chez elles. Elles sont plus visibles dans les documents mentionnant une notable croyance religieuse, lorsqu'elles font un testament et des donations (pour les associations charitables ou philanthropiques), quand elles collectent de l'argent, lorsqu'elles font un travail social, lorsqu'elles présentent des conférences ou lorsqu'elles demandent à voter[601].

Certains historiens sont prêts à concéder aux femmes philanthropes britanniques une place dans la société qui n'est pas entièrement déméritée mais qui paraît excessive. Pour eux, le destin de certaines femmes philanthropes et salariées est dans le travail social. Déjà impliquées dans des tâches pratiques, elles ouvrent la voie aux travailleurs sociaux. Leur rôle en faveur de la profession d'assistante sociale est dans le service de protection qu'elles offrent à ceux qui sont dans le besoin. L'attention qu'elles portent à la sociologie, les perspectives scientifiques qu'elles essaient de développer sont aujourd'hui au programme du métier de travailleur social. La connaissance du droit s'y ajoute et devient une priorité de l'organisme gouvernemental, le *Central Council for Education and Training in Social Work (C.C.E.T.S.W.)*, chargé de décerner les diplômes en travail social.

La transformation de la philanthropie féminine en travail social pour les Britanniques procède de leur formation, qui uniformise les participantes, et de l'organisation administrative de la COS. Le changement se fait à partir d'un mouvement interne. Cette transition s'accompagne du souci de payer, et parfois d'appointer à titre permanent le travail des volontaires.

On sait que beaucoup de femmes du service public des administrations municipales qui avaient commencé comme travailleuses charitables ont été attirées par l'enseignement et le travail de santé[602].

Ronald Watson (1975)[603] note également leur présence dans l'administration de la loi sur les pauvres *(Poor Law)* où des femmes sont administratrices *(guardians)*, commissaires *(relieving officers)*, inspectrices *(inspectors)*, personnel administratif *(institutional staff)*,

---

601 Mary Prior, "Making Women visible in the past", conference on 'Women in History', Oxford University Department for Continuing Education, March 28th, 1992.
602 Patricia Hollis, 1979, *Women in Public : The Women's Movement 1850 - 1900*, London, George Allen and Unwin Ltd : 228.
603 Ronald Watson, 1975, *Women in Social Work* , London, Routledge and Paul Kegan Ltd.

assistantes sociales *(almoners)* ou visiteuses *(visitors)*. Elles sont identifiables par leur statut. L'historien Franck Prochaska[604] est amené à conclure que les femmes, sur le plan social, ne doivent être considérées ni comme des initiatrices ni comme des marginales mais comme des sujets à même de participer aux activités du monde dans lequel elles vivent et où elles peuvent intervenir en tant que protagonistes.

"Des femmes assistèrent nombreuses aux Congrès des sciences sociales (…), écrit-il, mais pour les Victoriens du milieu du siècle, les sciences sociales étaient largement pratiques et fragmentées. Celles-ci cherchaient à identifier et subdiviser les problèmes sociaux et à rassembler les informations susceptibles d'y porter remède. Il n'est donc pas surprenant que même les femmes charitables instruites n'avaient qu'une vague notion de l'organisation économique de la société et peu de connaissance en théorie sociale".[605]

Comme nous l'avons vu, l'action des femmes se mêle en partie aux campagnes pour le vote féminin qui ne reçoit pas toujours un accueil unanime. Ces campagnes s'accompagnent enfin d'une action moralisatrice persistante qui n'est pas étrangère aux antécédents religieux des protagonistes et qui semble avoir mené certaines d'entre elles, et non des moindres comme Beatrice Webb, à une véritable régression sociale. Cette dernière est l'exemple le plus frappant d'un esprit critique empêtré dans ses contradictions.

En France, les femmes ont accès en principe à l'espace public depuis la Révolution française. Elles sont acceptées dans l'administration par un article du décret du 28 juin 1793, reconnaissant leur admission à l'exercice de fonctions publiques, en l'occurrence les secours à domicile. En pratique, elles sont restées longtemps hors des instances législatives[606]. Cela ne signifie pas qu'elles restent passives. L'opinion est partagée sur la place réelle que prennent les femmes au XIXe siècle. Evelyne Lejeune-Resnick[607] pense qu'elles sont maintenues hors des initiatives. Catherine Duprat prétend qu'elles passent inaperçues parce qu'on ne les entend pas[608]. Le fait est

---

604 Frank Prochaska, 1980, *Women and Philanthropy in 19th century England*, Oxford, Clarendon Press Oxford.
605 Idem, 1980 : 133
606 Nicole Arnaud-Duc montre le statut de ce 'citoyen inexistant' dans "Les contradictions du droit" in Georges Duby et Michelle Perrot, *Histoire des Femmes en Occident : le XIXe siècle*, Paris, Plon, 1991.
607 Evelyne Lejeune-Resnick, 1991, *Femmes et associations (1830-1880)*, Paris, Publisud.
608 Catherine Duprat, 1997, "Le silence des femmes - Associations féminines du premier XIXe siècle", in Alain Corbin et al., 1997, *Femmes dans la Cité (1815-1871)*, Paris, Creaphis.

qu'aucune étude exhaustive ne permet d'avoir une vue d'ensemble de la participation publique des Françaises selon leurs classes sociales. Cependant, un comptage, dans *La France Charitable et Prévoyante*[609], des œuvres féminines fondées entre 1870 et 1914 montre que 53 de ces œuvres sur un total de 69 ont été créées par des femmes. Certaines de ces initiatrices exploitent l'obtention d'un titre universitaire pour mettre en place leur association. La fondation de la crèche Madeleine Brès, par exemple, est rendue possible par la notoriété de cette première pédiatre diplômée[610]. Les œuvres féminines entérinent une séparation d'avec les associations mixtes et quasi institutionnelles, telle l'OCOB, dans lesquelles les femmes peuvent être l'objet d'une tutelle masculine. Dans le cadre de l'OCOB, la personnalité féminine qui se détache du paternalisme masculin est Léonie Chaptal, créant dans une inattention relative des philanthropes une Maison-Ecole d'Infirmières Privées.

1. Beatrice Webb divorcée de la COS

Femme de réputation internationale, auteure prolixe, Beatrice Webb concentre sur elle les contradictions qui affectent le mouvement social et féminin en Grande-Bretagne. Coopératiste, fabianiste[611] et pro-syndicaliste, Beatrice Webb est née d'un père magnat des chemins de fer. Réputée femme émancipée, elle se découvre anti-sufragette, du moins pour un temps. Opposée au mariage, elle épouse en 1892 un fabien, Sydney Webb. Adhérente à la COS en 1883, elle s'en déclare quatre ans après 'l'ennemie, mais amicale'. Philanthrope, elle récuse l'amitié portée aux pauvres. Critique de l'exclusion des 'résidus' *(residuum)* ou travailleurs intermittents *(casual workers),* elle participe cependant en 1909 aux débats qui envisagent leur mise à l'écart et veut l'appliquer aux dockers.

---

609 *La France Charitable et Prévoyante*, Paris, Plon, 1899. Précisons que l'édition suivante est celle de 1927 et porte le titre de *Manuel Pratique pour le placement des enfants, malades et vieillards*. Pour une présentation de *La France Charitable et Prévoyante,* voir anonyme : "Un effort centenaire de recension des établissements" in *Vie Sociale* (Etudes : "Les structures d'hébergement pour personnes âgées", n° 5, septembre-octobre 1994 : 3 - 4.
610 Cette femme obtient son diplôme de docteur en médecine en 1875, cf. *Dictionnaire des femmes célèbres*, 1992, Paris, Robert Laffont.
611 Voir l'encadré sur le fabianisme, chapitre II.

Beatrice Webb, née Potter (1858-1943)

Socialiste britannique, née à *Standish House* près de Gloucester, fille d'un industriel, elle est élevée dans des cercles intellectuels et politiques libéraux. Elle reçoit une éducation privée, développant ses idées par des lectures étendues, des voyages et des contacts avec des amis de la famille dont le philosophe Herbert Spencer[612]. A 24 ans, elle devient l'associée en affaires de son père. Entre 28 et 29 ans, elle travaille avec son cousin Charles Booth à l'enquête "Vie et travail de la population londonienne". Elle publie ses propres recherches sur la vie dans les docks de l'*East End* (1887) et témoigne devant le comité de la Chambre des Lords sur l'exploitation dans les ateliers *(the sweating system)*. Alors qu'elle étudie le mouvement coopératiste en Grande-Bretagne (1891), elle rencontre son futur époux le théoricien fabien Sidney Webb. Ils publient ensemble plus d'une centaine d'ouvrages, dont *L'histoire du Trade Unionisme (History of Trade Unionism)* (1894), *Démocratie Industrielle (Industrial Democracy)* (1897) et les neuf volumes intitulés *Le Gouvernement Régional Anglais (English Local Government)* (1906-1929). En 1905, Beatrice Webb est nommée à la Commission Royale sur la Loi des Pauvres et rédige le rapport minoritaire (1909) qui ouvre une campagne nationale pour un système d'assurance sociale. Elle s'engage avec son mari dans la politique militante en faveur du Parti Travailliste *(Labour Party)* et fonde en 1913 le *New Statesman*. Elle rédige pendant la Grande Guerre, *Les salaires des hommes et des femmes devraient-ils être égaux ? (Wages of Men and Women should they be Equal ?)*. Son mari devient en 1922 parlementaire et ministre dans deux gouvernements travaillistes. En 1932, ils visitent ensemble l'URSS, voyage dont ils tirent un ouvrage commun : *Le communisme Soviétique : une nouvelle civilisation (Soviet Communism : a new civilisation)* (1935).[613]

---

612 Herbert Spencer (1820-1903), un des fondateurs de l'évolutionnisme culturel et social.
613 Portrait réalisé d'après Olive Banks, 1990, *Faces of Feminism - A Study of Feminism as a Social Movement*, Oxford, Basil Blackwell, François Bédarida, 1990, *La Société anglaise du milieu du XIXe siècle à nos jours*, Paris, Seuil ; Christopher Harvie, Martin Graham and Aaron Scharf, 1970, *Industrialisation and Culture 1830-1914*, London, Macmillan for The Open University Press, Gareth Stedman Jones, 1971, *Outcast London - A study in their relationship between classes in Victorian Society*, Harmondsworth, Penguin Books; Jane Lewis, 1991, "The Place of Social Investigation, Social Theory and Social Work in the Approach to Late Victorian and Edwardian Social Problems : The Case of Beatrice Webb and Helen Bosanquet" in *The social survey in historical perspective, 1880-1940*, Cambridge, Cambridge University Press ; Standish Meacham, 1987, *Toynbee Hall and Social Reform 1880-1914 - The search for Community*, New Haven, Yale University Press. Michelle Perrot,

Beatrice Webb éprouve des difficultés dès qu'elle établit un rapport entre les faits qu'elle tire de ses enquêtes et la théorie. Elle critique l'organisation et les règles du travail philanthropique défini par la COS. Elle trouve difficile l'application des principes de cette association et rejette d'abord la distinction faite entre les pauvres qui méritent une aide et ceux qui ne la méritent pas[614]. Malgré ces réserves à l'égard de la COS, qu'elle exprimera plus tard, Beatrice Webb continue, en 1888, le travail social parce qu'elle-même et ceux qui l'entourent constatent que ce travail s'appuie surtout sur l'activité de femmes. Elle étudie les syndicats et essaye de mettre au point une véritable science capable de construire une image du problème social intégrant le point de vue des principaux acteurs. Elle attache une grande importance aux méthodes de l'interview, qu'elle a apprise au contact de son cousin Charles Booth, et à l'observation du milieu des pauvres. Elle en découvre cependant les limites :

"Avec le temps, écrit Beatrice Webb dans son autobiographie, la COS fut amenée à abandonner le critère du mérite. 'Le test n'est pas le mérite du demandeur mais sa capacité à être aidé' nous dit-on. Aucune aide ne doit être accordée qui ne soit 'adéquate', c'est-à-dire telle que l'on puisse espérer, en temps voulu, qu'elle rende la personne ou la famille autosuffisante. Aucune aide ne devrait être donnée lorsque la personne est si caractériellement mal en point ou si chroniquement besogneuse, qu'elle ne puisse subvenir à ses propres besoins. Tous les cas 'désespérés', c'est-à-dire les personnes dont on juge qu'elles n'ont aucune perspective de se rendre autosuffisantes de façon permanente (peut-être parce qu'aucune forme de charité appropriée n'existe), devaient être, même lorsque leurs vies avaient été irréprochables et moralement méritoires, remis aux autorités semi-pénales de la Loi des pauvres. On peut considérer que ces principes comme tels ont été systématiquement gravés dans l'esprit de tout philanthrope privé. Mais il est difficile de voir comment ils peuvent être rendus consistants avec le devoir, inculqué en permanence, d'amitié personnelle avec les pauvres (...) L'intrus menant un rigoureux interrogatoire dans le taudis du pauvre sur le comportement et le revenu de quelques membres de la famille, mêlé à d'amicales démonstrations de sympathie, était finalement supposé décider, dans

1991, "Sortir" in Georges Duby et Michelle Perrot, *Histoire des femmes : le XIXᵉ siècle*, Paris, Plon; Franck Prochaska, 1980, *Women and Philanthropy in the 19th century England*, Oxford, Clarendon Press Oxford; Michael Rose, 1971, *The English Poor Law : 1780 - 1930*, Devon, David and Charles Ldt; Jennifer Uglow, 1989, *The Macmillan Dictionary of Women's biography*, London, The Macmillan Press Ltd.
614 In Jane Lewis, 1991.

un nombre incalculable de cas, même parfaitement méritoires, l'intéressé si désespérément nécessiteux, qu'il était hors d'état de recevoir une aide adéquate, ou si éloigné d'un redressement qu'aucun secours ne pouvait lui être apporté. La seule porte ouverte par 'ces amis des pauvres' à tous ceux qu'ils ne pouvaient aider privativement, méritants ou non, était celle de la maison de travail *(workhouse)* et sa discipline pénale selon les principes de 1834. Ainsi les hommes et les femmes de bon aloi et de bonne volonté qui s'étaient personnellement offerts pour rendre service et accorder leur amitié aux occupants des taudis, se trouvaient transformés en un corps de détectives amateurs, initiant dans certains cas des poursuites contre des gens qu'ils jugeaient être des imposteurs, et soulevaient plus de méfiance et de haine que les représentants autorisés de la loi."[615]

Ce texte est une des plus fortes critiques du comportement philanthropique tel qu'il sévissait à la COS. Il met d'abord en cause la pratique, qui semble si scientifique, de l'étude de cas. Celle-ci, fondement de cette science philanthropique, dans le contexte où elle prend place, peut se révéler être une enquête quasi-policière menant éventuellement à une sanction carcérale, à l'exclusion sociale et à une misère irrémédiable. Confié en l'occurrence à des individus sans mandat policier, ce type d'enquête pouvait être empreint d'arbitraire, malgré les contrôles dont on nous dit que la Loi des pauvres est assortie. L'autre pratique qui fait le fond de la philanthropie, l'amitié envers les pauvres, est entièrement corrompue par la menace qu'elle recèle, c'est-à-dire l'envoi éventuel en maison de travail.

Or, l'exclusion pour une fraction des nécessiteux s'avère nécessaire pour certains au fonctionnement de la philanthropie. Beatrice Webb en fera elle-même l'expérience lorsqu'elle tentera d'organiser l'emploi sur les docks. Elle constate qu'une partie de la population travailleuse doit être écartée si elle ne se conforme pas à certaines normes, et c'est ce qu'elle préconisera finalement lorsqu'elle aura une décision à prendre. En visite dans le Lancashire, elle notait déjà dans une lettre à son père :

"On voit ici l'autre face du processus par lequel les mauvais travailleurs et les mauvais esprits sont attirés par les grandes villes. Dans la vie de l'East End, on remarque cette attirance et l'on peut observer cette force d'exclusion [en œuvre]. En premier lieu il n'y a pas de travail à la tâche dans une petite collectivité qui dépend d'industries de masse. A moins qu'un homme ait un emploi régulier, il n'a pas d'emploi du tout. De telle sorte qu'un mauvais esprit est

---

615 Beatrice Webb, 1979, *My apprenticeship*, Cambridge, University Press : 174-175.

quelqu'un de socialement exclu, toute la vie sociale reposant sur la chapelle et la coopérative."[616]

Beatrice et Sidney Webb, dans le rapport minoritaire de la commission de la Loi des pauvres, se situent dans le droit fil de cette tradition d'exclusion[617]. Ils distinguent quatre catégories : ceux qui ont des emplois permanents, ceux dont l'emploi est discontinu, les 'sous-employés' et, enfin, les inaptes à l'emploi. "Le résidu constitué des inaptes à l'emploi [est fait de ceux] qui sont devenus, à cause d'un chômage prolongé, incapables d'un travail régulier."[618] Beatrice et son mari pensent donc que le 'résidu' n'est pas coupable, mais victime[619].

Mais ce jugement ne résiste pas à la tendance moralisatrice qui imprègne les penseurs et qui domine dans les milieux d'origine philanthropique. Ainsi en est-il de la ferme croyance d'Henrietta Barnett, du Toynbee Hall, décrite comme "une idéaliste chrétienne sans dogme"[620], qui fut l'amie intime de Beatrice Webb, et selon laquelle : "une réforme authentique était impossible sans une réforme de l'esprit"[621]. Beatrice Webb croyait elle-même appartenir à une classe sociale en état de péché. Elle écrivait dans son autobiographie que la "croissante conscience de classe en état de péché" *(growing class consciousness of sin)* dans laquelle elle se trouvait était ressentie chez elle ainsi que chez tous ceux "qui partageaient l'obligation d'améliorer le sort des pauvres", comme la principale motivation qui inspirait tant de réformateurs[622].

"C'est cette même morale que Beatrice Webb, originaire de la grande bourgeoisie manufacturière du Lancashire, avait entendu professer autour d'elle dans sa jeunesse avec, dit-elle, autant de sincérité que de ferveur : 'Le devoir impérieux de chaque citoyen était d'améliorer son statut social en ignorant ceux qui étaient placés au-dessous de lui et en visant résolument le barreau du haut dans l'échelle sociale. Seule cette recherche persévérante par chacun de son intérêt et de celui de sa famille pouvait conduire au niveau le plus élevé de civilisation pour tous'."[623]

---

616 Beatrice Webb, 1926, *My Apprenticeship* : 166 in Gareth Stedman Jones, 1984 : 12.
617 Deuxième partie du *Minority Report of the Poor Law Commission*, rédigé en 1909 par Beatrice et Sidney Webb à Londres, chapitre IV : 164.
618 Sidney and Beatrice Webb, 1909, The Public Organisation of the Labour Market : Being Part II of the *Minority Report of the Poor Law Commission*, London, Longman.
619 Idem : 250.
620 Beatrice et Sidney Webb, 1909 : 31.
621 Idem.
622 Idem : 16.
623 Francois Bédarida, 1990 : 86.

Cet effort devait s'étendre à tous y compris aux plus démunis. Or, si la philanthropie s'avère ne pouvoir fonctionner que sur une population présélectionnée, seule reconnue comme réceptive au type d'aide qu'on lui destine, le choix des bons et des mauvais pauvres s'avère indispensable, présélection à laquelle se livrait également Octavia Hill, qui n'hésitait pas à déloger des immeubles qu'elle achetait les locataires qui ne répondaient pas aux règles qu'elle avait fixées. Beatrice et Sidney Webb proposent un système analogue. Afin d'éliminer ce 'résidu' *(residuum)* et de créer un véritable marché du travail, les Webb en appellent à leur tour, comme les partisans de la Loi des pauvres, à,

> "(...) une institution où les individus doivent être relégués pénalement et maintenus sous-contrainte (...) absolument essentielle à tout programme efficace de traitement du chômage."[624]

Christian Topalov (1994) en fait la remarque :

> "Les Webb témoignent le plus nettement de la façon dont la mise en forme moderne de la question du chômage peut s'approprier les méthodes répressives définies avant elle. (...) Ils proposent une politique globale de rééducation conduite par des administrations locales réformées et scientifiquement gérées par des experts (...), les inadaptés pourraient se voir proposer une rééducation dans des institutions appropriées. Ils seraient libres de refuser, mais ils perdraient leur droit à l'entretien par les pouvoirs publics."[625]

Les Webb précisent que "une expérience de cette sorte en matière de réforme pénitentiaire est absolument essentielle à tout programme efficace de traitement du chômage."[626]

> "Sur de telles propositions les promoteurs de nouvelles politiques de lutte contre le chômage peuvent éventuellement s'entendre avec la vieille école de la charité scientifique et de la lutte contre le vagabondage et la mendicité."[627]

> "(...) les Webb (...) avaient [ils] besoin de montrer que les solutions qu'ils préconisaient - le démantèlement de la *Poor law* - répondaient enfin à de très anciennes questions non résolues. Mais leur équation reste surprenante chez des auteurs qui se sont acharnés (...) à trier parmi les anciens 'valides' ceux qui pouvaient accéder à la dignité d'authentique travailleur privé d'emploi."[628]

624 Sidney et Beatrice Webb, 1911, *The prevention of destitution*, London, Longman.
625 Christian Topalov, 1994, *Naissance du chômeur,* Paris, Albin Michel : 409.
626 Sidney and Beatrice Webb, 1909 : 150-151, cité in Christian Topalov, 1994 : 409.
627 Christian Topalov, 1994 : 410.
628 Idem.

Une autre réponse à ce revirement est donnée par Gareth S. Jones (1971) qui y voit plus l'effet de la peur des bien-pensants que celui de leur mauvaise conscience. Il rappelle qu'en février 1886, à la suite d'un rigoureux hiver, il y eut à Londres une série de révoltes particulièrement violentes qui convertirent les bonnes âmes à un nouveau libéralisme.

On en était venu à croire que "les travailleurs irréguliers étaient largement composés d'une strate dégénérée de la vie citadine, auquel cas la cause dernière de leur pauvreté et de leur détresse ne serait ni économique ni morale mais biologique et écologique."[629] Décrivant ce groupe, Charles Booth écrivait : "les chômeurs sont, en tant que classe, une sélection des inaptes et, en gros, les plus besogneux sont les plus inaptes."[630]

A la suite des émeutes de 1886, il y eut une réorientation des attitudes qui se traduisit par une tentative d'évacuer la COS du centre du débat sur la pauvreté, par la recherche d'une nouvelle forme de libéralisme divergeant de la philanthropie de la COS et par un rapprochement avec la position sociale impérialiste[631].

On accusa la COS d'avoir répandu ses dons en amateur et sans discrimination. Cette incapacité de la COS suscita ainsi la reformulation d'un nouveau libéralisme qui prit forme dans les années 1880.

Jusqu'à cette date, la COS et le Toynbee Hall s'accommodaient de l'ancien libéralisme et de la philosophie chrétienne de Thomas Hill Green[632]. L'éminent économiste Alfred Marshall "endossait fortement le travail d'Octavia Hill"[633]. Il craignait cependant que le système social ne soit renversé "à moins qu'une distinction plus claire ne soit faite entre la vraie classe ouvrière et le résidu intermittent"[634]. Il écrivait :

> "Le problème de 1893 est le problème de la pauvreté (…) l'extrême pauvreté doit être considérée, non en vérité comme un crime, mais comme quelque chose de si préjudiciable à l'Etat qu'elle ne peut pas être tolérée, quiconque, de par sa faute ou non, est en effet incapable d'entretenir un foyer contribuant au bien-être de l'Etat (…)

---

629 Gareth Stedman Jones, 1971 : 287.
630 Gareth Stedman Jones, 1971 : 288.
631 Idem : 297.
632 Philosophe chrétien, rejetant les vérités de l'Eglise au profit d'un dieu personnel dictant à l'individu sa morale, Standish Meacham, 1987 : 11-13.
633 Gareth Stedman Jones, 1971 : 301.
634 Idem.

devrait, sous l'autorité de l'Etat, s'engager dans une nouvelle forme de vie." [635]

Cette distinction théorique entre *residuum* et ouvriers respectables était mise en pratique, on le sait, entre les individus livrés à la Loi des pauvres et ceux dont s'occupait la COS. Il fallait aller au-delà et liquider le *residuum* qui continuait à croître et à dégénérer. On pensait pouvoir pratiquer une politique coercitive et interventionniste contre ce *residuum* en flattant la classe ouvrière que certains pensaient pouvoir solliciter pour se joindre à leurs efforts afin de réaliser cette séparation. Mais la classe ouvrière estimait que le rétablissement de l'aide à domicile *(outdoor relief)* était nécessaire pour permettre l'élimination du résidu. Toynbee Hall était contre cette aide à domicile, parce qu'elle faisait baisser les salaires, dégradait les récipiendaires et diminuait la confiance qu'on pouvait avoir en eux[636]. Dans les années 1880, Samuel Barnett et Alfred Marshall promurent, quant à eux, des colonies de travail agricole où serait installé le *residuum* hors de Londres[637]. En 1892, sur l'instigation de Samuel Barnett et avec l'accord de Charles Booth, une commission fut créée, à laquelle Beatrice et Sidney Webb participèrent, afin de définir plus clairement et plus largement cette terrible distinction entre la classe ouvrière respectable et le résidu chronique. On peut considérer que les Webb ont été impliqués dans cette tentative presque ininterrompue visant à contenir, sinon à supprimer, le fameux résidu.

Les grèves de 1889 vont rassurer les libéraux. La syndicalisation des travailleurs non qualifiés en vint à être considérée comme une forme de socialisation capable de discipliner les pauvres[638]. Elle avait aussi pour effet d'éloigner la classe ouvrière du *residuum*. Mais la solution des problèmes ne vint pas des moralisateurs, ni des fabiens qui les avaient relayés. Beatrice et Sydney Webb, en 1891, s'étaient convaincus, sur la base d'un néodarwinisme discutable, que la concurrence entre communautés, plus que la concurrence entre individus, était désormais à l'ordre du jour. Il était vital, selon cette nouvelle théorie, que l'on fortifie le plus fort plutôt que de secourir le faible[639]. Un plan de mise à l'écart des inaptes occasionnels *(casual unfits)* formait une part importante de ce programme, ces derniers se

---

635 Alfred Marshall in Standish Meacham, 1987 : 90.
636 Idem : 302.
637 Idem : 393-394.
638 Idem : 316.
639 Idem : 332.

reproduisant plus vite que les bons ouvriers. Des écrivains socialisants comme George H. Wells et Bernard Shaw allèrent loin dans cet argument eugénique en promouvant "la stérilisation des ratés" *(sterilization of the failures)*[640]. Un tract fabien de 1905 suggérait que la société devait reconnaître que "vivre sans travailler était criminel" et il promouvait le programme suivant :

> "On doit traiter les faibles d'esprit et les incapables dans des colonies agricoles ou de toute autre manière adaptée à tirer le meilleur d'eux (...) les oisifs intentionnels doivent être mis au travail forcé afin qu'ils suent leur vice social, s'il en est, hors d'eux-mêmes."[641]

L'homme politique réformateur William Beveridge (1908) concrétisa la nouvelle attitude 'libérale' en essayant de réorganiser le marché du travail par des Bourses d'échanges. Mais il reconnaissait que tous ne pouvaient être traités de cette manière et que les 'inemployables' devaient être retirés de l'industrie libre et maintenus adéquatement dans des institutions publiques "avec perte complète et permanente de tous leurs droits de citoyen, y compris la liberté civile et le droit de paternité"[642].

En définitive, c'est avec la Première Guerre mondiale que les maisons de travail *(workhouses)* se vidèrent et que les *casual wards*[643] fermèrent.

Comme Beatrice et Sidney Webb l'admirent plus tard,

> "Il fut montré que les intermittents avaient été une création sociale et non biologique. Leur façon de vivre était la conséquence de pauvres logements, de salaires inadéquats et d'un travail irrégulier. Une fois qu'un emploi décent et régulier leur fut accessible, les 'inemployables' se révélèrent introuvables."[644]

Beatrice et Sidney Webb n'en avaient pas moins largement participé à cette idéologie. C'est à défaut d'avoir examiné le comportement de leur propre classe en tant qu'employeur qu'ils n'en avaient pas fondamentalement mis en cause la responsabilité. Il est vrai que Beatrice Webb est choquée par le luxe qu'étale un des millionnaires chez qui elle est invitée, mais son indignation ne semble

---

640 Idem : 333-334.
641 Gareth Stedman Jones, 1971 : 334.
642 Gareth Stedman Jones, 1971 : 335.
643 Les *casual wards* servaient à incarcérer temporairement les pauvres qui se livraient à la mendicité pour les mettre au travail. Ils étaient le produit de la Casual Poor Law, loi des pauvres intermittents, votée en 1882 à l'initiative de la COS Idem : 273- 336.
644 Gareth Stedman Jones, 1971 : 336.

pas aller au-delà. Malgré sa mauvaise conscience de classe, elle reste attachée à celle-ci.

Une autre initiative de Beatrice Webb s'avère aussi contradictoire et versatile que sa relation avec le *residuum* : celle qui intéresse les droits civiques des femmes. Elle s'articule avec les opinions qu'elle professa pendant un temps sur les relations sexuelles entre hommes et femmes.

Avant la Première Guerre mondiale, Beatrice Webb protestait contre la tendance de la littérature moderne à ressasser le thème de l'attirance sexuelle et condamnait l'idée de l'émotion sexuelle pour elle-même lorsqu'elle n'était pas liée à l'intention d'enfanter. C'était une attitude proche de celle de Christabelle Pankhurst, une des filles d'Emmeline Pankhurst, qui prétendait limiter le sexe à la procréation[645].

Beatrice Webb soutenait qu'il était utile que des femmes possédant une forte nature restent célibataires, afin que la force particulière de la féminité - le sentiment maternel - puisse être puissamment introduite dans les activités publiques[646] .

Certaines femmes, dont Beatrice Webb, semblaient croire que leurs pareilles pouvaient jouir de beaucoup d'influence sur la société sans disposer du droit de vote.[647] De surcroît, Beatrice Webb était critique des femmes qui voulaient 'singer' les hommes.

Mais une des raisons de cette attitude fut aussi l'absence de soutien parmi les femmes elles-mêmes. Elle se manifesta par une démarche qui contribua à freiner la campagne pour le vote des femmes. Il s'agit de la protestation contre l'obtention de ce vote, parue dans le journal *Nineteenth Century* en 1889 et signée par un groupe de femmes éminentes dont *Mrs* Humphrey Ward, écrivaine conservatrice, et Beatrice Webb elle-même. Ce n'est que lorsque la Ligue des Femmes Ecrivaines pour le Droit de Vote *(Women Writer's Suffrage League)* prit position que Beatrice Webb changea d'avis et s'y rallia.[648]

Enfin, ce qui fait encore de Beatrice Webb une femme contradictoire, c'est son opposition au programme d'assurance nationale obligatoire sous prétexte qu'il exigeait peu d'obligations de

---

645 Olive Banks, 1990 : 184.
646 Idem : 101.
647 Idem : 131.
648 Idem : 121-123.

ses bénéficiaires et que l'Etat recevait trop peu pour son argent en matière de conduite *(behaviour)* !

Sur le plan critique, les jugements de Beatrice Webb sont parfois justes. Nous avons vu qu'il en était ainsi en ce qui concerne les méthodes inquisitoires de la COS. Pourtant, dans la pratique, Beatrice Webb semble rejoindre presque à tous les coups les positions les plus conservatrices. Ainsi, lorsqu'elle est amenée à promouvoir un mode empirique de traitement du chômage des dockers, elle recommande aux instances de la Loi des Pauvres, mais dans un rapport minoritaire, les méthodes d'exclusion de ses prédécesseurs.

Beatrice Webb s'ouvre par ailleurs à des formes plus modernes et plus militantes de l'action, comme les coopératives ou surtout le syndicalisme, mais ses positions restent théoriques.

En ce qui concerne les femmes, on comprend qu'elle les met en garde contre la sublimation littéraire de l'amour physique, et surtout qu'elle présente la maternité comme une force alors qu'elle est continuellement traitée depuis toujours par les hommes comme une faiblesse. Mais elle ne respecte pas le célibat qu'elle préconise en conséquence et elle semble au contraire se soumettre en l'occurrence à un paternalisme conjugal. En matière de droit civique, il est vrai que le droit de vote, qui lui semble peut-être n'être qu'un moyen de 'singer' les hommes, n'est pas la panacée définitive. Mais son refus apparaît comme une façon de respecter, ici aussi, le paternalisme masculin ambiant en lui laissant l'initiative.

Que ce soit sur ces points ou en rapport avec les assurances sociales, Beatrice Webb se range en définitive du côté de sa classe. Elle en cultive la mauvaise conscience et collabore à ses œuvres. Sa séparation d'avec la COS n'a pas entraîné de ruptures avec son milieu et ses façons de penser.

2. Léonie Chaptal à côté de l'OCOB

Contemporaine de Beatrice Webb (elle a quinze ans de moins et meurt dix ans avant), Léonie Chaptal se détache par son quant-à-soi du paternalisme de l'OCOB. Les initiatives qu'elle prend se situent à l'écart de cette association. Elle se concentre sur la création et l'organisation de services sociaux (voir encadré chapitre V). Elle contribue largement à la professionnalisation de nombreuses femmes dans le domaine médico-social.

L'entreprise principale sur laquelle se fonde la réputation de Léonie Chaptal est la formation des infirmières et des assistantes sociales. Certes, ce choix reste conventionnel, mais elle s'applique tant à le rendre patent qu'il deviendra un tremplin social sans exclusive. Sa carrière commence en 1899 par l'obtention d'un diplôme de secours aux blessés militaires[649] qui lui accorde une place dans le milieu médical. Les cours du soir qu'elle suit à la Pitié en 1903[650] complètent son apprentissage.

En 1905, Léonie Chaptal fonde, avec Mme Hippolyte Taine, une "Maison-Ecole" d'Infirmières privées[651] préparant des élèves de première classe (c'est-à-dire des infirmières) et des élèves de seconde classe (c'est-à-dire des gardes-gouvernantes[652]). Dans cette école, vingt-quatre élèves sont formées pendant deux ans par une éducation professionnelle et des stages de quatre mois dans différents services de médecine. A la mort de Mme Taine (1907), Léonie Chaptal en prend la direction.

Sa présence dans le monde médical est d'autant plus assidue qu'elle se rend au Congrès International des Nurses[653], tenu au Musée Social à Paris en juin 1907. De plus, en 1910, elle s'inscrit au cinquième Congrès International d'Assistance Publique et de Bienfaisance Privée à Copenhague[654] et y rejoint les experts et les notables de la politique d'assistance.

La création de diverses œuvres laïques, au nombre de quatre, selon l'édition de 1912 du *Paris Charitable et Prévoyant*, ou de trois selon le périodique *La Vie Sociale*[655], installe Léonie Chaptal dans le

---

649 Anonyme, 1993, "Léonie Chaptal 1873-1934" in *Vie Sociale* (Aux Origines du Service Social Professionnel : quelques figures féminines - notices biographiques), n°s 3-4 Spécial : 33.
650 Idem.
651 Yvonne Kniebiehler, 1980, *Nous les Assistantes Sociales - Naissance d'une Profession*, Paris, Aubier - Montaigne : 21. Voir aussi Evelyne Diebolt, sans date, "Les œuvres de Léonie Chaptal dans le XIVe arrondissement de Paris (1900-1938), in Evelyne Dieblot & Sylvie Fayet-Scribe, *Créativité des Œuvres Privées et Prémisses de leur insertion dans le secteur public en France (1889-1938)*, Paris, ministère des Affaires Sociales et de l'Emploi / Société Française des Chercheurs sur les Associations, document dactylographié : 21.
652 Anonyme, 1993, "Léonie Chaptal 1873-1934" : 33.
653 Evelyne Diebolt, sans date : 56.
654 *Cinquième Congrès International d'Assistance Publique et de Bienfaisance Privée*, Copenhague, du 9 au 13 août 1910 : 207.
655 Il s'agit de l'Assistance Maternelle et Infantile de Plaisance, de la Société Anonyme des logements de Plaisance et de l'Œuvre des Tuberculeux Adultes, cf. anonyme, 1993, "Léonie Chaptal 1873-1934" : 31- 32.

domaine public. Ses activités sont très vite considérées comme le "prolongement" de son expérience médicale[656].

Elle se situe par ailleurs dans le courant des premières écoles de service social dont les recrues procèdent en majorité des milieux catholiques et chrétiens[657] désireux de participer à la résolution de la "question sociale".

En 1927 Léonie Chaptal fonde l'Ecole d'Application de Service Social. Cette Ecole, annexe de sa Maison-Ecole[658], forme des infirmières-visiteuses, appelées par la suite 'assistantes sociales'.

Si la formation et le recrutement des travailleurs sociaux semblent se faire longtemps à travers des institutions religieuses, c'est que les Catholiques veulent dépasser l'acte charitable, entreprendre un rapprochement avec la population ouvrière et enrayer la misère engendrée par les nouvelles conditions urbaines[659]. Cette influence religieuse agit plus particulièrement sur les femmes. La devise proclamée par l'encyclique *Rerum Novarum*, enjoignant à celles-ci en 1891 d'aller vers le peuple, est suivie par un bon nombre des catholiques sociales. Cette attitude persiste malgré la promulgation en 1905 de la loi sur la Séparation de l'Eglise et de l'Etat obligeant, entre autres, les ecclésiastiques à partager les rôles avec les laïques dans le champ social.

La formation au métier de travailleur social trouve, par ailleurs, son expression dans des écoles laïques, dans lesquelles se développent les sciences humaines. Des femmes "(...) possédant une solide expérience des problèmes du travail, de l'assistance et de l'hygiène (...)"[660] en sont les promotrices. Elles diffusent autour d'elles l'esprit social, travaillant au bien commun et soutiennent l'action des syndicats. Les ouvrières, quant à elles, voient dans la formation de travailleuse sociale un moyen de promotion améliorant en même temps l'existence morale et matériel de toute leur classe. Une plate-

---

656 Brigitte Bouquet, Christine Garcette, 1995, "Les premières écoles de service social (1908-1938) : un atout majeur pour la professionnalisation des assistantes sociales" in *Vie Sociale* (Histoire des Premières Ecoles de Service Social en France 1908-1938), n°s 1-2 : 12.
657 Brigitte Bouquet et Christine Garcette, 1995 : 5. Les auteures notent entre autre l'Ecole d'Action Familiale fondée par l'Abbé Viollet en 1908 ou encore l'Ecole Pratique de Service Social fondée en 1913 par le pasteur Doumergue.
658 Evelyne Dieblot, sans date : 25.
659 Sur le contexte dans lequel évolue le milieu catholique, voir Christine Rater-Garcette, 1995, "L'école normale sociale" in *Vie Sociale*, n°s 1-2 double : 37-43.
660 Citons par exemple, Brigitte Bouquet et Danièle Treuil, 1995, "Ecole des Surintendantes" in *Vie Sociale*, n°s 1-2 double : 59-71.

forme sociale d'un féminisme en gestation s'ouvre avec la professionnalisation des unes et la prolétarisation des autres.

Deux ans avant la mort de Léonie Chaptal, la préparation aux carrières sociales salariées mixtes est finalement consacrée par l'Etat qui institue en 1932 un "brevet de capacité professionnelle permettant de porter le titre d'assistant ou d'assistante de service social diplômé de l'Etat français"[661]. Ce n'est qu'après la guerre qu'est officialisée la profession d'assistant(e) sociale par la loi du 8 avril 1946[662].

Loin de cette évolution professionnelle, la fonction des dames patronnesses de l'OCOB s'effrite lorsque la philanthropie cède la place à l'assistance publique. La véritable activité de celles-ci : montrer combien leur classe s'intéresse aux pauvres n'ayant de sens que si elles sont bénévoles, elles ne peuvent pas se professionnaliser. Le milieu de l'assistance n'est plus celui, mondain, de la philanthropie. Il est tenu par des femmes d'une position sociale plus modeste, moins marquées par le sexe et fréquentant, entre autres, les cours de l'Ecole d'application du Service Social. Léonie Chaptal a amorcé la pré-professionnalisation de l'assistance publique, une question dont :

> "(...) toutes les familles politiques prennent conscience entre 1880 et 1900, chacune développ(ant) à sa manière une idéologie favorable à l'émergence du service social"[663].

C'est encore Léonie Chaptal qui a mis en place de solides infrastructures éducatives proposant des métiers honorables pour les femmes. Ses initiatives sont de portée durable.

Léonie Chaptal a agi en dehors de l'OCOB. Elle rejoint ce faisant la seule de toutes les dames patronnesses, la Marquise de la Tour du Pin de Chambly, qui avait montré cette indépendance. Mais, entre cette dernière et Léonie Chaptal, on constate une différence de comportement. Il ne s'agit pas pour Léonie de se mettre en valeur auprès d'une coterie prompte à applaudir amèrement aux beaux gestes d'une rivale, mais de mettre les métiers de santé à la portée de toutes les personnes compétentes, femmes ou hommes.

Les cas de Beatrice Webb et de Léonie Chaptal, tout éloignés qu'ils semblent être, témoignent du recul que subissent les associations "philanthropiques", qu'elles se targuent de science ou de

---

661 Cf. le décret signé par Paul Doumer in le *J.O.* du 3 février 1932 : 1287-1288.
662 Roger-Henri Guerrand et Marie-Antoinette Rupp, 1978, *Brève histoire du Service Social en France 1896-1976*, Toulouse Privat : 121.
663 Yvonne Kniebiehler, 1980 : 17.

bonté. L'aide sociale se confronte à des problèmes de société auxquels les préjugés de classe des associations charitables et philanthropiques ne peuvent plus faire face. Les Britanniques s'engluent dans les normes féroces mais cohérentes de leur Loi des Pauvres, qui reste comme le filet de protection apparemment indispensable contre un "résidu" dont ils ne parviennent pas à saisir la nature réelle. Ils semblent prêts à aller, pour des raisons économiques, jusqu'à l'extrême de la ségrégation sociale. En France, où le sort des classes dangereuses avait été apparemment réglé par les massacres des Communards en 1871[664], le problème social se posait de plus en plus en termes d'assistance publique.

En ce qui concerne le sort des femmes, on constate que leurs options sociales et politiques très opposées ne permettent pas de les situer toutes dans une même catégorie. A l'instar de tout être humain, elles sont capables de lucidité comme d'aveuglement. C'est en se posant les problèmes qu'ignorent les hommes des classes supérieures, en raison de la myopie sociale et politique que leur inflige leur domination, que des femmes, sans les qualités que ceux-ci ont voulu leur attribuer, ont forcé dans la société quelques-uns des problèmes sociaux qu'ils ne voulaient pas voir.

---

[664] Armand Lanoux, 1972, *Une histoire de la Commune de Paris*, Paris, Librairie Jules Tallandier, 2 vol.

CHAPITRE X

LA FEMME SANS QUALITÉ

Si l'entrée des femmes dans la vie publique s'est largement faite au XIXe siècle sous l'égide des hommes, ce mouvement est généralement renvoyé à une sorte d'histoire officielle sanctionnant leur subordination. Pourtant, certaines femmes ont assumé modestement des tâches sans se prévaloir d'autres qualités que celles de l'être humain. En dehors des associations, dans lesquelles elles se sont laissées embrigader sous couvert du double mythe de la portée scientifique de la philanthropie et des qualités spécialement féminines, des femmes accèdent de façon autonome à la vie publique. Elles ressemblent ainsi au personnage du romancier autrichien Robert Musil (1880-1942), le jeune Ulrich dans *L'Homme sans qualités*. Elles sont comme lui "(...) dépourvues de centre, de sens et d'emploi, [femmes] sans racines donc, disponible(s), ouvert(es), fait(es) pour se risquer hors du monde clos des définitions sans nuances, des '[femmes] à qualités', dans l'infini du possible"[665]. Elles "(...) refusent les identifications hâtives (...) "[666] "Au fond, [elles] n'[ont] qu'un souci : trouver [leur] 'voie', mais sans renier ni la science, ni même la technique."[667] Elles ne défendent pas la morale toute faite.

Cet engagement est assez mal vu par certains hommes qui ne jugent le sexe féminin qu'à travers deux 'spécimens' : leurs épouses, soumises, n'ayant connaissance du monde qu'à travers eux, et les prostituées qu'ils fréquentent et qu'ils prennent pour des femmes 'libérées'.

1. En Grande-Bretagne

Pour beaucoup de femmes anglaises, leur intervention dans la société n'est pas subordonnée à leurs qualités spéciales de philanthropes, ni à ce qu'implique la pratique de sélection et

---

665 Philippe Jaccottet, 1998, "Robert Musil" in *Enc. Univ.*
666 Elisabeth Badinter, 1992, *XY : De l'identité masculine*, Paris, Odile Jacob : 32.
667 Philippe Jaccottet, 1998.

d'exclusion des pauvres. Plusieurs ont préféré choisir elles-mêmes les champs de leurs interventions plutôt que se soumettre à l'impérialisme charitable de la COS.

Nous avons vu la juste critique qu'en fait, mais sans lendemain, Beatrice Webb : cette association contribue à discipliner les "pauvres", en rejetant les uns dans les maisons de travail et en corrigeant les autres sous la menace d'y être envoyés. D'autres femmes vont plus loin en mettant en cause, non le caractère et le comportement des pauvres, mais celui des classes dominantes. Dans un tract fabien de 1911 signé *Mrs* Townshend, dénonçant les associations de charité chrétienne et leurs philanthropes, on lit :

> "Ils adhéraient à la théorie de la liberté individuelle et à celle du danger de l'interférence de l'Etat dans un monde où des lois faites par les hommes permettent aux riches d'écraser ouvertement les pauvres (...) L'efficacité de la charité comme moyen de corriger les injustices sociales était à son terme et le temps était venu pour la communauté d'endosser ses responsabilités (...) Une autre supposition arbitraire des organisateurs de la charité est qu'un homme ne peut tirer aucun bénéfice de ce qu'il obtient indépendamment du gain de son travail sans que ce soit au détriment de son caractère (...) On en vient à se demander comment ceux d'entre nous, dont les revenus proviennent de dividendes, ont gardé la moindre indépendance de caractère (...) Est-il vrai ou non que le caractère personnel d'un homme déterminerait son confort et son bien-être ainsi que celui de son épouse et de sa famille ? S'il en est ainsi, l'ouvrier agricole à douze shillings la semaine, dont la famille ne peut avoir une peau propre, des vêtements propres, ni assez à manger, devrait être un homme moralement pire que son maître, le seigneur-chasseur de renard. Est-ce vrai ou non ? Si ça n'est pas vrai, alors ce n'est pas le caractère mais le hasard de la naissance qui est à l'origine de sa condition, ainsi que les lois ou coutumes de l'époque et du pays où cet homme est né ?"[668]

Les actions de plusieurs femmes s'inscrivent donc à l'écart des associations philanthropiques analogues à la COS et sont guidées par une volonté d'atténuer ou d'éradiquer certaines situations qui leur paraissent insoutenables. Elles sont l'"inverse" de leurs homologues philanthropes munies de leurs 'qualités spéciales'. L'une des premières parmi ces femmes est Florence Nightingale (1820-1910), devenue très populaire dans les années 1850. Chargée des missions

---

668 *Mrs* Townshend, 1911, "The case against the Charity Organisation Society," Fabian Tract, n° 158, in Patricia Hollis, 1979, *Women in Public : The Women's Movement 1850-1900*, London, George Allen and Unwin Ltd : 256-257.

sanitaires en Crimée[669], fondatrice des écoles d'infirmières en Crimée, fondatrice des écoles d'infirmières professionnelles[670], on lui doit d'avoir su opposer l'hôpital aux maisons de travail *(workhouses)* et d'avoir défini le traitement auquel ont droit tous les malades y compris les pauvres[671].

On cite aussi, parmi ces "francs-tireuses", Adelaide Anderson qui relève les innombrables et néfastes conditions de travail des femmes dans les usines[672] et rejoint les luttes syndicales d'Emma Paterson[673] et Arabella Shore[674]. On pourrait parler également des recherches et questionnements d'Annie Besant sur la contraception, une opération risquée à cette époque (1877)[675].

Mais l'une des luttes sociales les plus intenses pourrait avoir été celle de Josephine Butler, une militante féministe de carrure internationale qui s'attaqua à une tâche mettant en cause des hommes de sa classe sur un terrain qui n'a cessé d'être "réservé". Parmi les fléaux sociaux qui affectent les femmes de façon radicale, la prostitution est celui qui s'avère le plus ardu à supprimer.[676] Il est cependant un de ceux qui maintiennent les femmes des classes défavorisées sous la menace d'un esclavage des plus cruels (capture, éloignement, dépersonnalisation, vente et achat au plus offrant, soumission à des proxénètes, punitions brutales, exploitation, exposition aux maladies et élimination physique lorsqu'elles deviennent inexploitables). L'image par contre qu'en donnent les hommes des classes supérieures qui en font usage est, pour se donner bonne conscience, celle de femmes naturellement perverses s'offrant par plaisir, ou présentées comme un instrument complaisant d'initiation sexuelle du jeune homme "jetant sa gourme".

---

669 La guerre de Crimée est menée par la France et l'Angleterre alliées contre la Russie de 1853 à 1855.
670 *Dictionnaire des femmes célèbres de tous les temps et de tous les pays*, 1992, Paris, Robert Laffont.
671 Patricia Hollis, 1979 : 249-251.
672 Adelaide Anderson, 1922, *Women in the factory, 1893-1921,* in Patricia Hollis, 1979 : 83 et Annie Besant, "White Slavery *Link*", 23 June 1888, in Patricia Hollis, 1979 : 115-116.
673 Emma Paterson, 1874*, The Position of Working Women and How To Improve It,* in Patricia Hollis, 1979 : 109-111.
674 Arabella Shore,1879, "What Women have a right to" in Patricia Hollis, 1979 : 111.
675 Annie Besant, 1877*, The law of Population* in Patricia Hollis, 1979 : 159.
676 La London City Mission s'y attaque en 1834 en voulant 'moraliser' les prostituées.

La prostitution, déjà signalée par Henry Mayhew dans un article de journal en 1849[677], existait parmi les petites-mains dont les salaires trop bas les entraînaient à chercher d'autres ressources. Un document antérieur de 1835 est republié en 1861 dans son livre *London Labour and The London Poor*[678]. Il s'agit d'une enquête sur la prostitution entreprise par un journaliste, Bracebridge Hemyng, avec l'aide d'associations religieuses *(The Society for the Suppression of Vice, The London Society for the Protection of Young Females and Prevention of Juvenile Prostitution)*. Bracebridge Hemyng parcourt un quartier mal famé, accompagné d'un sergent de police qui lui révèle les nombreux endroits tolérés par la police où s'exerce la prostitution, pour autant qu'elle ne crée pas trop de désordre public. On estime à cette date le nombre de prostituées londoniennes à 80.000 (on en avait compté assez précisément 50.000 en 1793 pour un million d'habitants et cette population avait au moins doublé depuis lors).

L'auteur ne peut manquer d'être frappé par

"(...) la condition de terrible dépravation d'une certaine catégorie de jeunes des deux sexes (...) On a prouvé que 400 individus vivaient de la capture de fillettes de onze à quinze ans à fin de prostitution (...) affublée des atours alléchants de sa honte, elle est forcée d'arpenter les rues (...) surveillée avec la plus grande vigilance (...) essaierait-elle d'échapper aux griffes de son séducteur, elle serait instantanément punie, et souvent traitée de façon barbare. Il advient rarement que quelqu'un de si jeune échappe à la contamination. Elles (ou ils) sont alors envoyé(e)s à l'hôpital sous un nom fictif ou renvoyé(e)s sans pitié dans la rue pour y mourir."[679]

En 1885 encore, un article fameux du *Pall Mall Gazette*, que l'on dit avoir été suscité par Josephine Butler, montrait que rien n'avait changé. L'article rapportait les propos de proxénètes-femmes expliquant comment des fillettes pauvres de 13 ans étaient guettées et capturées pour être offertes à de riches amateurs ou mises en maison, à moins qu'elles ne soient jetées à la rue et livrées à elles-mêmes si elles essaieraient de résister.[680] Ce type de misère, qui touche et aggrave la situation des éléments les plus faibles de la classe des pauvres, ne

---

677 Henry Mayhew, 1849, 'Prostitution among needlewomen', *Morning Chronicle*, n° 13 November in Patricia Hollis, 1979 : 202-203.
678 'Prostitution in London' (1835), by Bracebridge Hemyng, in Henry Mayhew, 1985 (1861) *London Labour and London Poor*, London, Penguin : 473-491.
679 Idem : 475.
680 W.T. Stead, 1885, "The maiden tribute to modern Babylon", *Pall Mall Gazette*, n° 6 July, in Patricia Hollis, 1979 : 217-219.

faisait pas l'objet, que l'on sache, de campagnes continues de la COS Surtout, aucune action n'est généralement menée contre les clients de ces proxénètes ni aucune sanction proposée contre eux, ni aucune campagne contre la tolérance de la police, sinon sa corruption. Comme par ailleurs ces proxénètes sont généralement utilisés comme auxiliaires de la police officielle pour assurer l'ordre dans les quartiers où ils exercent, et pour éventuellement dénoncer quelques concurrents, cette double complicité entretient sans changement une situation qui est peut-être pourtant à la base de l'aliénation de toutes les femmes, toujours condamnées, pour se déplacer sur la voie publique, à l'incontournable escorte d'un 'cavalier'.

En Grande-Bretagne, Josephine Butler est une de celles qui s'engagèrent, indépendamment des associations philanthropiques, dans cette lutte difficile et toujours sujette à la grivoiserie anti-féminine, lutte non sans risques susceptibles de mettre en cause les mœurs d'individus des classes supérieures. Contre les avis biaisés selon lesquels les femmes ne se prostituaient que par perversité, Josephine Butler entreprit une campagne contre une législation qu'elle accusait d'enfermer les femmes prostituées dans leur condition. En 1871, elle se présentait à sa demande devant une commission royale pour témoigner des effets des nouvelles lois sur les maladies contagieuses *(Contagious Diseases Acts 1866, 1867, 1869)* qui visaient à faire subir des contrôles médicaux aux femmes, et non aux hommes, ayant eu des rapports vénaux. Josephine Butler fut soutenue dans cette campagne, qui eut un écho national et international, par Florence Nightingale, Harriet Martineau (1802-1876)[681], Mary Carpenter[682]. Elle s'attaqua aussi au trafic des enfants prostitués. En 1875, Josephine Butler fondait avec l'aide des Suisses la *British Continental and General Federation for the Abolition of the State Regulation of Vice*, qui existe encore aujourd'hui et qui devait jouer

---

681 Harriet Martineau, féministe, refusant le mariage, auteure d'essais politiques et sociologiques. Ses écrits stimulent le mouvement pour l'amélioration de l'éducation des femmes, pour l'abolition de la prostitution réglementée et pour le suffrage des femmes. Anne-Marie Käppeli, 1991, "Scènes féministes" in Georges Duby et Michelle Perrot, 1991, *Histoire des Femmes en Occident : le XIXe siècle*, Paris, Plon : 521.

682 Mary Carpenter est connue pour s'être occupée des écoles d'enfants pauvres (*ragged schools*) et pour avoir, en 1850, précédé Octavia Hill dans la mise en place de logements bon marché pour les familles ouvrières. Standish Meacham, 1987, *Toynbee Hall and Social Reform 1880-1914: The search for community*, Yale, Yale University Press : 6-7; Franck Prochaska, 1980, *Women and Philanthropy in 19th century England*, Oxford, Clarendon Press : 147-148.

aussi un rôle important dans la propagation du mouvement féministe[683].

2. En France

En dehors des associations philanthropiques où elle s'affadit dans les rapports aristocratiques, la présence féminine ne se manifeste pas, comme en Grande-Bretagne, dans des campagnes que l'on pourrait qualifier d'humanitaires. Les femmes ont un parcours très différent.

L'une des premières formes d'insertion de femmes 'sans qualités' dans la société rurale en France d'autrefois est liée à la santé. La tradition montre le rapport humain des femmes au corps biologique, dont résulte un lien social à la souffrance[684] : elles entretiennent une relation à l'enfance, qui inclut nécessairement des activités de soins. Dans la vie rurale, en marge des savoirs médicaux, une culture populaire et féminine, faite de nombreuses recettes relatives au corps, s'est longtemps perpétuée et subsiste encore. Cette médecine domestique, qui procède des conditions de vie de la femme et non de 'qualités spéciales', a retenu l'attention d'Odile Arnold (1981)[685] et de Françoise Ducrocq (1981)[686]. Ces soins domestiques débouchent depuis le XVIᵉ siècle sur la mobilisation d'un grand nombre de nonnes dans les hôpitaux, telles les sœurs hospitalières[687]. A Lyon, l'essentiel des soins aux malades est confié à ces sœurs qui ne dépendent d'aucune congrégation car elles sont attachées au seul hôpital. Les 'hospitalières', ainsi qu'on les nomme, sont dépourvues de statut. Elles sont révocables du jour au lendemain, corvéables à merci, payées 'à la grâce de Dieu', c'est-à-dire sans autre salaire que la vie éternelle. Mais mal formées, elles ne peuvent assimiler les techniques nouvelles et les médecins s'en plaignent. "L'anticléricalisme d'après la révolution de 1830 révèle leurs défauts : zèle religieux, brutalité, abus de pouvoir, incompétence, inattention dans l'administration des médecines, incapacité pharmaceutique, attachement aux vieilles

---

683 Anne-Marie Käppeli, 1991 : 505-506.
684 Françoise Loux, 1981, "La Femme Soignante dans les Traditions Rurales du XIXᵉ Siècle", in *Pénélope*, n° 5 : 37-38.
685 Odile Arnold, 1981, "Charité et maladie dans la première moitié du XIXᵉ siècle", in *Pénélope*, n° 5 : 41-44.
686 Françoise Ducrocq, 1981, "Des Thérapeutes du Corps Médical", in *Pénélope*, n° 5 : 45-59.
687 Olivier Faure, 1981 "A l'hôpital, avant les infirmières : les soeurs hospitalières de Lyon au début du XIXᵉ siècle", in *Pénélope*, n° 5 : 52-55.

croyances."[688] Elles disparaissent en grand nombre avec l'arrivée vers 1821 des élèves internes. De ce côté, les femmes devront attendre Léonie Chaptal (voir chapitre IX) pour s'insérer de façon relativement compétente dans le milieu médical, mais sous l'autorité incontestée d'hommes.

Dans le domaine de l'éducation, ce n'est pas avant la IIIème République que des femmes sont sollicitées régulièrement. L'Inspection générale des "salles d'asile"[689], que Jean-Noël Luc (1997) considère comme une première voie d'accès des femmes à la haute fonction publique, compte 35 femmes en 1877[690]. Ici l'"autorité maternelle" des femmes, qualité que l'on veut leur attribuer selon la tradition masculine du temps pour justifier leur recrutement, est revendiquée par celles-ci et adroitement retournée comme moyen d'écarter les hommes des ces activités. Mme Chevreau-Lemercier, grande avocate de l'inspection féminine, écrit : " (…) il y a des soins d'une certaine nature, il est des choses (…) pour lesquelles il convient de laisser les femmes s'entendre entre elles."[691]. Ces recrues apparaissent au 'Comité des Dames inspectrices des écoles de filles d'enseignement mutuel', à celui de la 'Société pour l'instruction élémentaire', au 'Comité des dames des salles d'asile de Paris' (pour l'instruction des enfants). On les rencontre également dans la 'Société pour l'instruction élémentaire', la 'Société nantaise pour l'enseignement professionnel des jeunes filles', la 'Société de la morale chrétienne'[692].

Plusieurs de ces femmes publient ou font des conférences en "sortant de leur humble sphère d'action"[693]. Elles écrivent leurs rapports sur un ton neutre, éloigné de la modestie excessive comme du discours conquérant. Mais la fonction d'inspectrice salariée enfreint la règle de l'oisiveté féminine, chère aux milieux aisés, et prive pendant longtemps cette 'bourgeoise laborieuse' de toute considération, comme le note Jean-Nöel Luc.

---

688 Idem : 55.
689 "Salle d'asile" : lieu d'éducation collective des enfants de deux à six ans.
690 Par arrêté du Ministre de l'Instruction publique du 22.12.1837.
691 E. Chevreau-Lemercier, 1848, *Essai sur l'inspection générale des salles d'asile*, Paris, Hachette, cité par Jean-Noël Luc, in Alain Corbin et al., 1997, *Femmes dans la Cité (1815-1871)*, Paris, Créaphis : 167.
692 Evelyne Lejeune-Resnick, 1991, *Femmes et associations (1830-1880) Vraies Démocrates ou Dames Patronnesses*, Paris, Publisud.
693]ean-Noël Luc, 1997, "L'inspection générale des salles d'asile, première voie d'accès des femmes à la haute fonction publique", in Alain Corbin et al., 1997 : 171.

Parmi ces femmes 'sans qualité', l'une d'elles, émancipée par ses propres moyens, sans presque aucune notoriété, n'ayant milité dans aucune association philanthropique, présente une biographie exemplaire, Julie-Victoire Daubié (1824-1874).

Julie-Victoire Daubié parvient à faire une carrière indépendante. Elle réussit, la première, à conquérir des diplômes supérieurs qui sont refusés à ses pareilles. Elle obtient de se faire éditer ; elle parvient à écrire dans la presse, à pratiquer ce que l'on peut appeler une 'philanthropie avancée' et un féminisme avant la lettre, comme on en jugera[694].

Cette femme, sur laquelle il n'existe que peu d'éléments biographiques, semble avoir connu le saint-simonisme. Elle se révèle, par ses ouvrages, être une femme instruite en matière de théorie économique et sociologique. En 1858, elle écrit : *La femme pauvre par une femme pauvre*[695], qui suscite des articles élogieux dans *Le Temps*. La même année, elle rédige un mémoire sur le salaire des femmes qui reçoit un premier prix de l'Académie impériale de Lyon. Ce travail est en partie traduit en anglais par Josephine Butler[696].

En 1861, elle est la première à passer le baccalauréat réservé aux garçons, malgré la réticence du ministre de l'Instruction Publique à signer le diplôme. L'année suivante (1862), elle est collaboratrice du *Journal des économistes* et *du Progrès dans l'Instruction primaire*. En 1870, elle collabore au *Droit des Femmes* et en 1871 elle est Licenciée en lettres.

Elle fréquente le salon parisien d'une femme de lettres, essayiste et historienne, Marie d'Agoult (1805-1876)[697] dont elle rencontre la fille qui collabore au *Temps*. Ses campagnes sont surtout féministes (égalité des salaires, suppression du salaire d'appoint, retraites égales à celles des hommes, emploi selon les compétences) et moralisatrices (contre la débauche et la prostitution). Son action pour le vote des femmes est freinée par celles d'entre elles qui sont encore trop soumises à l'emprise du clergé.

Son dernier livre, *L'émancipation de la femme*, paraît à partir de 1871, en 10 livraisons. Elle meurt en 1874, à 50 ans, après avoir

---

694 Raymonde Bulger, 1997, "Julie-Victoire Daubié (1824-1874). Ses modes particuliers d'occupation de l'espace public et d'action sur celui-ci : une controverse ?", in Corbin et al., 1997 : 287-292.
695 Ce livre est publié en 1866 par l'éditeur Guillaumin.
696 Moraliste et féministe anglaise qui, nous l'avons vu ci-dessus, se livre à une campagne contre la prostitution.
697 *Dictionnaire des Femmes Célèbres de tous les temps et de tous les pays*, 1992.

entretenu une correspondance avec Josephine Butler. Après sa mort, paraît la deuxième édition de *La femme pauvre par une femme pauvre*, en trois volumes sous le titre : *La femme pauvre au XIXᵉ siècle ; condition économique, morale et professionnelle.*

Raymonde Bulger (1997), sa biographe, attire l'attention sur les modes particuliers selon lesquels Julie-Victoire Daubié occupe l'espace public, grâce à "sa verve, l'humour grinçant de sa critique sociale, le réalisme et l'ingéniosité de ses réflexions économiques sur le travail des femmes."[698]

Tous ces exemples, anglais et français, relativisent l'action des associations philanthropiques qui ont retenu notre attention dans les pages précédentes. Ils relativisent aussi fortement l'idéologie qui les ont gouvernés. Ils montrent que la condition des femmes ne leur doit pas l'essor que nous avions anticipé et que celles-ci ont mieux su s'affirmer lorsqu'elles agissaient de leur propre chef que lorsqu'elles se rangeaient sous une bannière d'inspiration masculine.

---

698 Raymonde Bulger, 1997 : 288.

CHAPITRE XI

ÊTRE PATRIOTE OU DEVENIR FEMME

Les progrès relatifs auxquels "les femmes sans qualités" semblaient ouvrir la voie à la fin du XIXe siècle sont compromis en 1914 par l'éclatement des hostilités entre l'Allemagne et les Alliés, dont la France et la Grande-Bretagne. Bien que des velléités pacifistes apparaissent moins en France que chez les Britanniques, notamment dans le Commonwealth, la guerre se révèle être un piège redoutable pour engager les femmes, parées de nouvelles qualités, à déporter le féminisme vers le bellicisme patriotique.

1. Les femmes et l'*Union Jack*

En Grande-Bretagne, bellicisme et pacifisme s'opposent avec en arrière-plan les conquêtes des suffragettes. Ils divisent des familles parmi les plus impliquées dans la vie politique britannique tels les Potter et les Pankhurst.

a) Du féminisme au patriotisme

Lors de la déclaration de guerre de 1914, il est convenu dans les milieux britanniques que le foyer domestique reste l'espace des femmes et le domaine public celui des hommes[699]. Dès le début des hostilités contre l'Allemagne, on constate cependant la volonté d'une grande majorité des femmes britanniques de s'impliquer. Ne pouvant pas voter et n'étant pas mobilisables, elles considèrent que si "leur rôle n'était pas de faire la guerre, il était de faire des guerriers"[700]. Certaines d'entre elles vont jusqu'à regretter "de n'avoir qu'un seul fils à offrir à l'Empire"[701].

Dans la famille Potter, Mary et Maggie, deux des sœurs de Beatrice Webb, affichent leurs convictions patriotiques. Ainsi, "Mary

---

699 Bruce Scates and Raelence Frances, 1997, *Women and the Great War*, Cambridge, Cambridge University Press : 69.
700 Bruce Scates and Raelence Frances, 1997 : 82.
701 Bruce Scates and Raelence Frances, 1997 : 80.

transforma Longford en un centre d'approvision-nement et de 'réconfort' pour les soldats anglais."[702] Maggie, qui à regret "(...) ne partageait pas les convictions pacifistes de son fils (...)"[703], se place du côté des militaires. Quant à Beatrice Webb, ses convictions restent marquées par son irrésolution coutumière, mais elle tend à prendre parti pour la guerre. Elle se rallie à l'opinion qui soutient la mobilisation générale, c'est-à-dire la conscription masculine. Dans ce climat, des féministes parmi les plus engagées en viennent à reléguer leurs convictions derrière un patriotisme sans concession. Ainsi en est-il de Dame[704] Millicent Garrett Fawcett (1847-1929) pourtant témoin de la carrière difficile, parce que femme, de sa soeur aînée, Elisabeth Garrett Anderson (1836-1917), première titulaire du titre de docteur en médecine et fondatrice d'un hôpital ayant un personnel féminin[705]. En 1897 Millicent, alors fervente avocate du vote des femmes, avait pris la présidence de l'Union Nationale des Associations pour le Suffrage Féminin patriotique (N.U.W.S.S.)[706]. En 1914, elle dissout ce mouvement pour permettre à ses adhérentes de participer pleinement à l'effort de guerre. Millicent déclare à cette occasion : "Femmes, votre pays a besoin de vous… Montrons-nous dignes de la citoyenneté, que notre revendication soit reconnue ou non"[707]. Millicent Garrett Fawcett s'aligne ainsi sur les positions patriotiques d'Emmeline Pankhurst, la fondatrice de l'Union Politique et Sociale des Femmes (W.S.P.U.)[708] dont elle estime, dans *The Times,* que les performances, depuis 1903, sont supérieures à son organisation[709].

Emmeline Pankhurst, féministe énergique ayant souffert de sévices de la part de la justice britannique[710], avait surpris en se rangeant résolument du côté patriotique. "Nous désirons ardemment que notre pays soit victorieux…" lance-t-elle de la tribune du

---

702 Barbara Caine, 1986, *Destined to be Wives : The Sisters of Beatrice Webb*, Oxford, Clarendon Press : 167.
703 Barbara Caine, 1986 : 187.
704 Dame : titre de l'épouse d'un membre de la Chambre des Lords.
705 Roger Ellis, 1997, *Who's Who in Victorian Britain : being the eighth volume in the Who's who in British History series*, Shepheard-Walwyn : 349.
706 N.U.W.S.S. : National Union of Women's Suffrage Societies, in Robert Pearce and Roger Strean, *Government and Reform 1815-1918*, London, Holder and Stoughton, 1994 : 73.
707 David Mitchell, 1977, *Queen Christabel : A biography of Christabel Pankhurst*, London, MacDonald and Jane's : 247.
708 W.S.P.U. : Women's Social and Political Union.
709 Roger Ellis, 1997 : 413.
710 David Mitchell, 1971, *Les Pankhurst : L'ascension du Féminisme*, Genève, Cercle du Bibliophile : 153.

W.S.P.U.[711] Dans son autobiographie, Emmeline, se référant à cette époque, écrit :

> "Nos batailles sont pratiquement terminées (...), nos armes sont rangées (...), nous avons déclaré une trêve totale du militantisme."[712]

Elle espère, étant donné son crédit moral parmi les féministes[713], que sa position sera adoptée par les plus influentes d'entre elles. L'aînée des filles d'Emmeline, Christabel Pankhurst, impliquée elle aussi dans le combat en faveur de l'émancipation des femmes, réagit d'abord contre "le massacre mécanique et sans âme provoqué par les hommes"[714]. Puis elle se rétracte, craignant de faire accuser l'Union Politique et Sociale des Femmes (W.S.P.U.) de trahison contre le roi et la patrie. Christabel décide d'interrompre la campagne du W.S.P.U. pour épargner "beaucoup d'énergie et d'argent"[715] bien que des militantes estiment que le mouvement soit sur le point de remporter la bataille pour le suffrage féminin. Christabel considère que la victoire du féminisme passe par celle de la guerre[716]. Elle proclame alors ce qu'elle appelle l'"Armistice des Femmes"[717]. Au *Daily Telegraph* qui l'interroge, Christabel déclare que

> "(...) tout ce pourquoi, nous les femmes, nous nous sommes battues et que nous chérissons disparaîtrait dans le cas d'une victoire allemande (…) "[718].

Les convictions de Christabel, comme celles d'Emmeline, sont assorties d'une vive répulsion pour tout ce qui peut être assimilé au socialisme, tels le fabianisme, le travaillisme, a fortiori le communisme. Emmeline pensait que si les femmes

> "(...) sont moins réceptives que les hommes à la propagande de paix des Allemands, elles devraient s'intéresser de plus près aux réunions des syndicats qui sont souvent dominées par des agitateurs bolcheviques."[719]

Selon David Mitchell (1971), on estimait dans les milieux conservateurs britanniques qu'en effet :

> "(...) les femmes étaient plus conscientes que les hommes des dangers du bolchevisme, ce poison germanique qui avait paralysé la

---

711 David Mitchell, 1977: 248.
712 Emmeline Pankhurst, 1914, *My own story*, London, Eveleigh Nash : 363.
713 Emmeline Pankhurst a été seize fois en prison, cf. David Mitchell, 1971 : 154.
714 David Mitchell, 1977 : 246.
715 David Mitchell, 1977 : 248.
716 David Mitchell, 1971 : 155.
717 David Mitchell, 1977 : 248.
718 David Mitchell, 1977 : 248.
719 David Mitchell, 1977 : 266.

Russie et avec l'aide duquel les Huns espéraient gagner sur le plan intérieur ce qu'ils avaient perdu sur les champs de bataille d'Europe."[720]

Emmeline avait participé en Grande-Bretagne à une campagne gouvernementale et patronale contre l'extension du communisme[721]. Elle croyait pouvoir écarter les femmes des griffes du travailliste Ramsay MacDonald[722] grâce à un programme social qui aurait montré comment une "(...) forte production pouvait s'accompagner d'une bonne paye, de courtes heures et, d'une part, de ce qui est bon dans la vie."[723] Son aversion envers le "bolchevisme" s'exaspère encore en 1917 dès les premières négociations de paix du gouvernement révolutionnaire russe avec l'Allemagne.

Pendant toute la durée de la guerre, Emmeline par ses voyages et Christabel par ses lettres, toutes deux par leurs démarches et leurs rencontres cherchent à influer sur le cours des événements. Si les responsables politiques et militaires qu'elles cherchent à convaincre sont des hommes, c'est avec des femmes surtout qu'elles entretiennent des relations directes telles Annie (1879-1953)[724] et Jessie Kenney[725]. L'implication des Pankhurst dans les aspects politiques et diplomatiques de la guerre[726] apparaît dans la correspondance qu'échange Christabel, qui réside une partie de son temps en France, avec la baronne de Brimont au 40, rue de Monceau à Paris. Christabel met en garde ses amies contre une conduite susceptible de rendre trop

---

720 David Mitchell, 1971 : 157.
721 David Mitchell, 1971 : 154.
722 Ramsay MacDonald (1866-1937) : L'un des premiers députés travaillistes, il s'opposera à la guerre des Boers. Pacifiste, il refuse de voter les crédits de guerre en 1914 et se voit taxer de défaitisme. Cf. *Enc. Univ.*, 1988. Pour Christabel Pankhurst, James Ramsey MacDonald est un "outil du Kaiser", cf. sa lettre à la baronne de Brimont, le 16 mars 1917, Bibliothèque Marguerite Durand, Paris.
723 David Mitchell, 1977 : 267.
724 Annie Kenney est une ancienne ouvrière cardeuse dans l'industrie textile qui a commencé à travailler dès l'âge de 13 ans. Devenue la première organisatrice syndicale dans cette industrie, elle rejoint en 1905 l'Union Politique et Sociale des Femmes (W.S.P.U.) d'Emmeline Pankhurst. Elle est arrêtée en 1905, 1906 et 1912. Annie fait à plusieurs reprises la grève de la faim. Elle est nommée organisatrice du W.S.P.U à Londres en 1906 et devient responsable du mouvement en 1912 lors de l'arrestation de Mrs Pankhurst. Elle se joignit à celle-ci en 1914 dans sa campagne en faveur du recrutement. D'après Annie Kenney, 1924, *Memories of a militant* et *The Macmillan Dictionary of Women's Biography*.
725 Jessie Kenney, sœur cadette d'Annie Kenney, est la porte-parole du W.S.P.U. Elle résida à Paris avec Christabel en 1912, puis accompagna Emmeline dans plusieurs de ses voyages aux Etats-Unis, au Canada et en Russie entre 1914 et 1918. D'après les lettres de Christabel Pankhurst, Annie Kenney, 1924 et *The Macmillan Dictionary of Women's Biography*.
726 Lettres manuscrites en anglais ou en français de Christabel Pankhurst à la baronne de Brimont entre le 28 juin 1916 et le 6 août 1919. Bibliothèque Marguerite Durand, Paris.

évidente l'intransigeance de leur patriotisme : "Il ne faut pas que cela vienne de nous *directement*, si on pourra [sic] faire marcher *les autres* d'abord."[727] Pour Emmeline et Christabel, les positions politiques et stratégiques relatives à la guerre s'organisent sous l'effet contrarié de trois idéologies : le féminisme, le patriotisme et le socialisme.

La ferveur nationaliste de Christabel va jusqu'à se féliciter de ce que le "sentiment anti-allemand en Angleterre soit bien plus grand qu'au début des hostilités". Elle écrit :

> "Le soldat britannique, voyant plus du Boche que jamais auparavant, exprime son opinion à ses amis de l'arrière et aux journaux sur cette horrible créature."[728]

Elle ajoute dans ce même courrier que le soldat britannique "(...) ne supporte plus sa façon traîtresse de combattre."[729] Le Boche, explique-t-elle ailleurs, "(...) est réellement fait d'une autre façon que nous (...) ennemi de l'humanité, sous-humain, ou d'une espèce différente."[730]

Emmeline et Christabel Pankhurst se montrent très critiques envers les gouvernants qui ne partagent pas leur nationalisme exacerbé, tels Herbert Henry Asquith (1852-1928)[731], Premier ministre jusqu'en 1916, Sir Edward Grey (1862-1933)[732], Secrétaire d'Etat aux Affaires Etrangères ou William Robertson (1860-1933)[733], chef de l'Etat Major Général Impérial Britannique, ou encore Lord Richard Haldane (1856-1928)[734], Secrétaire à la Défense. Tous sont considérés comme des "traîtres"[735] et "ennemis du peuple"[736]. Des membres de l'Union Politique et Sociale des Femmes (W.S.P.U.) manifestent au Parlement pour inciter les parlementaires à renvoyer Robertson. Elles

---

727 Extrait d'une lettre rédigée en français de Christabel Pankhurst à la baronne de Brimont, le 12 décembre 1917.
728 Extrait d'une lettre de Christabel Pankhurst à la baronne de Brimont, le 25 août 1916.
729 Idem.
730 David Mitchell, 1977 : 256.
731 Herbert Henry Asquith : Prime Minister du Royaume-Uni de 1908 à 1916. En 1914, il se proclame favorable à l'entrée en guerre, mais il est accusé de conduire l'effort anglais avec trop de prudence et se heurte à l'impatience de Lloyd George, cf. *Enc. Univ.*, 1988.
732 Edward Grey : Secretary of Foreign Affairs de 1905 à décembre 1916. Membre du parti libéral, il est critiqué pour mener une diplomatie secrète, cf. *Enc. Univ.*, 1988.
733 William Robertson : Chief of British Imperial General Staff.
734 Lord Haldane conduit en 1912 une mission de conciliation avec l'Allemagne qui échoue. *Who's Who in the Twentieth Century*, Oxford University Press, 1999.
735 David Mitchell, 1977 : 247.
736 David Mitchell, 1977 : 255.

font tant et si bien qu'Emmeline Pankhurst est arrêtée à Trafalgar Square en 1915 pendant qu'elle harangue la foule[737].

Une des bévues des gouvernants, selon Christabel, est d'avoir laissé repartir dans son pays le Premier ministre australien, William Hugues (1862-1952), représentant du dominion au Cabinet de Guerre britannique. Celui-ci, partisan de la "guerre totale", prétend pouvoir relancer le recrutement obligatoire en Australie. Il est reçu avec enthousiasme à Londres où Christabel et sa mère organisent en juillet 1916 des manifestations en sa faveur[738].

> "Ces hommes égarés ont laissé partir Hugues et il vogue maintenant vers l'Australie. Tous les hommes convenables se demandent : Qui maintenant va porter la politique de M. Hugues que nous pensons être si admirable et nécessaire ?"[739]

Christabel Pankhurst cherche à influencer les plus hautes personnalités britanniques et mondiales, parmi lesquelles Lord Northcliffe, propriétaire de deux quotidiens *The Times* et *The Daily Mail*[740]. Celui-ci est cependant adversaire du Premier ministre en fonction, Lloyd George[741], dont Christabel pense le plus grand bien. Elle écrit :

> "Quant à nos hommes d'Etat vous n'avez pas de meilleur ami que Lloyd George. Ce qui, chez lui, nous semblerait inexplicable, s'explique par les deux noms A. et R.[742]".

En 1916, Christabel écrit à Théodore Roosevelt (1856-1919), précédemment Président des Etats-Unis, pour qu'il fasse en sorte qu'un "Lafayette américain" vienne au secours de la France[743].

Christabel est partisane d'un commandement unique des forces alliées. Elle revient sur le sujet dans plusieurs de ses lettres :

> "Je crois savoir que l'opposition politique d'Asq[uith] et l'opposition militaire de Rob[ert]son (…) empêchent Ll. G. [Lloyd George] de se mettre d'accord avec vous autres [c'est-à-dire, les Français (C.B.)] sur la question du com[man]d[e[men]t unique (…) Si

---

737 David Mitchell, 1977 : 258
738 Idem : 256-260. Voir aussi Prime Ministers of Autralia - Hughes in http://www.nma.gov.au
739 Extrait d'une lettre de Christabel Pankhurst à la baronne de Brimont, le 28 juin 1916.
740 Voir la lettre en français de Christabel Pankhurst à la baronne de Brimont, le 16 juin 1917.
741 David Lloyd George (1863-1945) est ministre des Munitions en 1915, puis ministre de la Guerre en 1916 et enfin Premier ministre de 1916 à 1922.
742 Extrait d'une lettre en français de Christabel Pankhurst à la baronne de Brimont, le 12 décembre 1917. Les majuscules A et R désignent probablement Asquith et Robertson.
743 Voir la lettre en anglais de Christabel Pankhurst à la baronne de Brimont, le 23 juin 1916.

les Américains insistent pour le c[ommandemen]t unique cela sera *précieux*, car avec leur force naissante ils ont beaucoup d'influence."[744]

Les rapports des Alliés avec la Grèce[745] inquiètent Christabel. Elle prétend que Sir Edward Grey abandonne en secret les négociations avec ce pays encore neutre. Elle préconise une approche en sous-main pour dévoiler les intentions de celui-ci d'interrompre les pourparlers. Elle soutient par ailleurs que "(…) la politique de Grey vise à mener la Russie dans les bras de l'Allemagne."[746]

En 1917, elle tente de faire intervenir ses relations auprès du président Thomas Woodrow Wilson (1856-1924)[747] vis-à-vis duquel elle est d'abord très hostile. Elle le soupçonne de cacher que sa mère est allemande[748]. Elle met en garde ses alliées contre leurs démonstrations de sympathie envers lui :

"(…) nous devons être prudentes et ne pas être trop polies ni cordiales en nous référant aux gestes pacifiques de Wilson *au point de décourager nos amis des Etats-Unis*. (…) Wilson n'est *pas* notre ami… Il a la mentalité et la moralité particulière du *Pacifiste* (…) et comme *pédant*, il a beaucoup d'attirance envers l'Allemagne, 'terre d'exécrables professeurs' (…) Wilson est opposé au programme italien concernant le contrôle de l'Adriatique… La finance germano-américaine a tissé un parfait réseau d'accès autour de Wilson, usant de la réforme philanthropique et sociale comme l'un de ses camouflages."[749]

Mais son jugement change en juin 1917 :

"Je suis heureuse quant aux affaires américaines - c'est-à-dire que je crois à une évolution excellente dans les idées américaines sur la guerre. La dernière déclaration du président Wilson contient de très bonnes choses[750]."

---

744 Extrait d'une lettre en français de Christabel Pankhurst à la baronne de Brimont, le 12 décembre 1917.
745 Voir la lettre en anglais de Christabel Pankhurst à la baronne de Brimont, le 30 juin 1916. Consulter aussi les lettres rédigées en anglais le 25 août et le 28 septembre 1916.
746 Extrait d'une lettre de Christabel Pankhurst à la baronne de Brimont, le 16 décembre 1916.
747 Successeur de Théodore Roosevelt à la présidence des Etats-Unis de 1913 à 1921.
748 Voir la lettre en anglais de Christabel Pankhurst à la baronne de Brimont, le 31 janvier 1917.
749 Idem.
750 Extrait d'une lettre de Christabel Pankhurst à la baronne de Brimont, le 16 juin 1917.

En décembre 1917, elle constate qu'il "a fallu l'instance [ou l'insistance ?] du président Wilson et des autres alliés pour vaincre Asquith sur le front politique à Londres."[751]

On apprend par la correspondance de Christabel que sa mère fait plusieurs tournées de propagande aux Etats-Unis pour collecter des fonds[752]. Elle essaie en même temps de susciter une intervention militaire américaine et japonaise contre le soviétisme russe[753].

L'influence d'Emmeline et de Christabel sur le cours des événements internationaux ne les rend pas moins critiques à propos des affaires nationales. Christabel dénonce notamment "la ruse diabolique d'Asquith" qui refuse aux conscrits d'outre-mer de voter sous prétexte que les femmes n'ont pas ce droit[754]. Le nationalisme de Christabel l'incite à récuser cette proposition. Elle écrit :

> "Nous protestons contre cette méthode d'exploitation de notre cause parce que si nous ne pouvons voter nous-mêmes, nous voulons que les soldats et les marins le puissent."[755]

Par ce qui précède, on observe un changement dans la démarche militante d'Emmeline et de Christabel Pankhurst. Leur volonté de convaincre s'écarte de leur base féministe pour s'orienter vers les hauts responsables politiques. En entraînant leurs militantes vers le patriotisme généré par la guerre, elles se situent dans une idéologie forte et unanime qui transcende les genres. Elles se positionnent comme interlocutrices d' "hommes" de pouvoir en charge de la politique militaire. Elles acquièrent ainsi, à titre personnel, une position influente que leur refusait le militantisme féministe.

On conçoit dans ces conditions que le patriotisme puisse se substituer au féminisme par l'action corrosive que l'un peut exercer sur l'autre, autant que dure la guerre.

b) Anglais et Australiennes pour un pacifisme militant

Face au patriotisme des féministes britanniques, le pacifisme est mal reçu dans l'opinion publique et sans cesse réprimé. Animé par des organisations minoritaires, il s'oriente le plus souvent vers des options

---

751 Extrait d'une lettre de Christabel Pankhurst à la baronne de Brimont, le 12 décembre 1917.
752 Voir la lettre rédigée en français de Christabel Pankhurst à la baronne de Brimont, le 18 août 1918.
753 Idem.
754 Lettre rédigée en anglais de Christabel Pankhurst à la baronne de Brimont, le 16 août 1916.
755 Extrait d'une lettre de Christabel Pankhurst à la baronne de Brimont, le 16 août 1916.

progressistes. Mais ce sera surtout outre-mer, en Australie, que le pacifisme féminin s'affirmera fortement dans des mouvements radicaux aux convictions profondément humanistes.

En Grande-Bretagne, dès la première loi de conscription en décembre 1914, des socialistes et des libéraux fondent l'Union du Contrôle Démocratique (U.D.C.) dont le but est d'entamer aussitôt que possible des négociations de paix avec l'Allemagne[756]. Presque simultanément, la Fraternité Anti-Conscription (N.C.F.)[757] est créée à l'intention des jeunes gens en âge d'être mobilisés. Celle-ci est fondée par un ami de Ramsay MacDonald, Clifford Allen (1889-1938), premier directeur de l'organe travailliste[758], le *Daily Citizen*, associé à Fenner Brockway (1888-1988), journaliste socialiste chrétien, et à Bertrand Russel[759] (1872-1970), mathématicien et philosophe. Bien que s'étant inspirés du mouvement légal des suffragettes, des membres de la Fraternité Anti-Conscription (N.C.F.) sont emprisonnés pour "objection de conscience". Par trois fois Clifford Allen, atteint de tuberculose, faillit mourir de ses détentions[760]. En 1916, malgré une seconde loi de conscription qui prévoit clairement des cas d'exemption pour les objecteurs de conscience, l'armée britannique s'autorise à juger ces derniers et à les remettre aux autorités civiles pour être incarcérés. Un comité national est alors constitué pour trouver un travail de substitution aux objecteurs[761].

Si le pacifisme trouve un écho chez les intellectuels, il est mal considéré dans les milieux populaires. *The Times* du 3 décembre 1915 rapporte que :

> "Une réunion publique contre la conscription devait avoir lieu la nuit dernière à l'Institut de Mécanique à Bradford, sous les auspices du Parti National des Citoyens. En raison du fait qu'une réunion semblable avait été interrompue le mercredi soir à Halifax, le Comité de l'Institut décida qu'il préférait que la réunion n'ait pas lieu (...) Les opposants de l'anti-conscription étaient présents en force

---

756 U.D.C. : Union of Democratic Control, cf. Arthur Marwick, 1991, *The Deluge : British Society and the First World War*, London, MacMillan : 120.
757 N.C.F. : No-Conscription Fellowship. Cf. Arthur Marwick, 1981 : 120.
758 Voir Clifford Allen in http://www.spartacusEducational.
759 Le pacifisme et l'anti-militarisme de Bertrand Russel lui valurent, en 1918, d'être renvoyé de Cambridge, où il enseignait, et d'être condamné à six mois de prison. Auteur d'ouvrages scientifiques et littéraires, il reçut le prix Nobel de Littérature en 1950. Cf. *Le Petit Robert 2: Dictionnaire Universel des Noms Propres*, 1981, Paris, Le Robert.
760 Arthur Marwick, 1981 : 122.
761 Arthur Marwick, 1981 : 121.

considérable, et ont tenu ensuite une réunion en face de la Mairie, les débats étant ouverts par le chant de l'hymne national."[762]

Le même journal du 4 février 1916 fait part d'une descente de police dans les bureaux de la Ligue Féminine Anti-Conscription (W.A.C.L.)[763] où elle saisit des documents et des brochures de propagande. En février et en avril 1918, bien que les idées pacifistes semblent gagner dans l'opinion, des lois annulant les exemptions sont promulguées sans rencontrer d'objections. Cette même année, *The Times* nous informe que l'un des responsables de la Fraternité Anti-Conscription est condamné à deux ans de travail forcé pour avoir publié de la propagande contre la conscription, et relâché après une dizaine de mois de détention[764].

En raison de la virulence du patriotisme des associations féministes, la mobilisation contre la guerre ne trouve qu'un appui limité dans ce milieu. La sourdine, sinon l'éteignoir appliqué aux revendications féministes en témoignent. Néanmoins plusieurs militantes féministes s'engagent dans cette voie. Certaines sont de conditions modestes telles Selina Cooper[765] (1864-1946) ou Charlotte Despard[766] (1844-1939). Selina est la première femme du peuple à être élue administratrice de la loi des pauvres *(Poor Law Guardian)* en 1894. Elle est recrutée en 1910 par Millicent Fawcett, son admiratrice, comme organisatrice de l'Union Nationale des Associations pour le Suffrage Féminin (N.U.W.S.S.). Quant à Charlotte Despard, elle est aussi administratrice élue de la loi des pauvres et militante du N.U.W.S.S. Elle quitte cette association en 1906 pour rejoindre l'Union Politique et Sociale des Femmes (W.S.P.U.) où ses activités la conduisent plusieurs fois en prison. Opposée à Christabel Pankhurst, Charlotte Despard abandonnera également ce mouvement en 1909 pour fonder la Ligue Féministe de la Liberté[767]. Enfin en 1914, elle s'associera à Sylvia Pankhurst, la deuxième fille d'Emmeline, pour créer un mouvement plus radical, l'Armée de Paix des Femmes (W.P.A.)[768].

---

762 *The Times,* Friday, December 3, 1915, p. 5, colonne 1.
763 W.A.C.L. : Women's Anti-Conscription League. *The Times,* Friday, February 4, 1916, p. 3, colonne 6.
764 *The Times,* Tuesday, April 2, 1918, p. 3, colonne 2.
765 http://www. spartacus.schoolnet.co.uk/Wcooper.htm
766 http://www. spartacus.schoolnet.co.uk/b18.htm
767 Women's Freedom League in http:// www. spartacus.schoolnet.co.uk/b18.htm
768 Women's Peace Army in http://www.spartacus.schoolnet.co.uk/WpankhustS.htm

Sylvia Pankhurst (1882-1960) avait adhéré en 1903 à l'Union Politique et Sociale des Femmes (W.S.P.U.) fondée par sa mère. En 1906, elle quitte ses études pour s'y consacrer à plein temps. Arrêtée et emprisonnée à plusieurs reprises, elle participe aux grèves de la faim entreprises par le mouvement. Fidèle aux convictions socialistes de son père, elle adhère également au Parti Travailliste. Au cours de l'année 1912, en désaccord avec Emmeline et Christabel sur l'abandon des options socialistes et le choix d'un droit de vote limité, elle rompt avec le W.S.P.U. Elle lance un journal destiné aux femmes de la classe ouvrière, *The Women's Dreadnought* qui soutient la Fraternité Anti-Conscription (N.C.F.). En même temps que son pacifisme s'affirme, ses opinions politiques se radicalisent. Elle est nommée au bureau d'une organisation révolutionnaire et anti-impérialiste, la Ligue Internationale des Femmes[769] jugée pro-allemande par Emmeline et Christabel. Sylvia milite aussi contre le Parlement britannique et pour son remplacement par un "soviet prolétarien". En 1917, elle soutiendra la révolution russe et rencontrera Lénine. Ses articles en faveur du communisme lui vaudront cinq mois d'emprisonnement pour "sédition"[770]. Les engagements radicaux de Sylvia sont partagés par sa sœur cadette, Adela Pankhurst (1885-1961), qui est elle aussi féministe et pacifiste, et qui milite en Australie.

Assez mal reçu sur le sol britannique, le pacifisme féminin anglo-saxon s'affirme en terre australe. C'est dans ce dominion du *Commonwealth* que le mouvement pacifiste, animé par des femmes, avance dans la conquête de droits équivalents à ceux des hommes et, mieux encore, de portée universelle.

Le gouvernement australien, dirigé par William Hugues, qu'admirait Christabel Pankhurst, tente d'imposer par deux référendums successifs la conscription obligatoire. Ils sont rejetés l'un et l'autre en 1916 et en 1917[771]. Une fraction des socialistes condamne la guerre comme étant une fabrique de chair à canons et comme le moyen de militariser la vie. Ils mettent aussi en garde contre le fait que la conscription autoriserait l'immigration d'une main-d'œuvre bon marché, susceptible d'être utilisée pour briser les grèves[772]. Les églises

---

769 *Women's International league for Peace and Freedom* est créée lors de la conférence de la paix et de la liberté à La Haye en 1915, cf. *The International Congress of Women* mentionné par David Mitchell, 1977: 255.
770 http://www.spartacus.schoolnet.co.uk/WpankhustS.htm
771 Bruce Scates et Raelence Frances, 1997:70.
772 Idem : 72.

protestantes et des mouvements religieux du pays s'ajoutent aux opposants à la guerre[773]. La perspective d'une mobilisation forcée des hommes suscite de très vives campagnes et même la scission du parti travailliste local.

Il semble que ce soient surtout les femmes, électrices depuis 1902[774], qui s'affirment et alimentent la controverse. Pour certaines Australiennes, le droit de vote impliquait un engagement patriotique : n'étant pas soumises à la conscription, leur rôle de citoyennes était selon elles "de produire des soldats pas d'être soldates."[775] Bruce Scates et Raelence Frances (1997) notent que :

> "Pour les femmes conservatrices, cependant, la crainte de transgresser le territoire masculin et d'apparaître comme non féminines demandait une grande force pour les extraire de leur gracieuse passivité domestique."[776]

Des associations patriotiques et des ménagères offraient de la nourriture aux recrues le long des routes. Des séances spontanées de recrutement sur la voie publique montrèrent "(...) une fois de plus le rôle des femmes dans l'effort d'engagement."[777]

Pour d'autres femmes, voter entraîne le devoir d'agir au profit de la paix[778]. L'initiative de la résistance à la guerre en Australie vient d'une suffragette britannique expatriée en 1879, Emma Miller (1839-1917). Syndicaliste active dans le *Queensland*, elle s'était fait remarquer en 1912, lors de conflits ouvriers à Brisbane[779]. A ses côtés se trouve Adela Pankhurst. L'engagement féministe sans concession de celle-ci, de même que ses convictions politiques radicales, la distingue, comme sa soeur Sylvia, d'Emmeline et de Christabel. Adela est recrutée dès son arrivée dans le dominion par Vida Goldstein (1869-1949)[780], coprésidente localement de l'Armée de Paix des Femmes (W.P.A.) fondée en 1915 sur les bases du mouvement féministe d'Emma Miller sis à Melbourne. La politique socialiste du W.P.A. l'éloigne de la Ligue Nationale des Femmes (L.N.F.), organe conservateur, dont le but était "de lutter contre le socialisme d'Etat et

---

773 Idem : 72.

774 Voir The extraordinary Suffragette Emma Miller in *http://thecourrier* mail.com.au/federation/CMFedMiller.hum

775 Bruce Scates et Raelence Frances, 1997 : 82.

776 Idem : 69.

777 Idem : 80.

778 Idem : 72.

779 Idem : 69 Voir aussi The extraordinary Suffragette Emma Miller in http://thecourrier mail.com.au/federation/CMFedMiller.hum

780 http://www.awm.gov.au/forging/australians/goldstein.htn

de soutenir la loyauté au trône et l'intégrité de la vie de famille"[781]. L'Armée de Paix des Femmes (W.P.A.) de Vida Goldstein s'allie au Prolétariat Industriel Mondial (I.W.W) contre une "guerre capitaliste".[782]

Adela s'oppose à la séparation du mouvement féministe et ouvrier. Elle considère "(...) l'Australie comme une colonie tyrannisée par les troupes britanniques tandis que les travailleurs australiens mobilisés revêtaient à la hâte leur uniforme pour être envoyés outremer."[783] Pour ces propos et d'autres jugés comme subversifs, Adela est condamnée à neuf mois de prison.

Les convictions pacifistes de l'Armée de Paix des Femmes (W.P.A.) sont exprimées en 1916 dans le rapport annuel de ce parti[784]. Les objectifs sont, entre autres, "l'introduction de nouveaux idéaux d'internationalisme et de citoyenneté mondiale dans les écoles publiques", "l'élimination, autant que possible, des éléments de chauvinisme dans les livres scolaires", l'enseignement d'une "histoire plus économique" et la correction ou la suppression "des articles choquants exaltant la bravoure guerrière". Le programme du parti s'énonce plus précisément selon douze points :

"1. Abolition de la conscription et de toute forme de militarisme.

2. Egalité des droits politiques des femmes et des hommes dans tous les pays où existe un gouvernement représentatif.

3. Education des enfants dans les principes de l'antimilitarisme et de l'internationalisme.

4. Autodétermination accordée à tous les peuples qui la souhaitent.

5. Respect des nationalités : aucun territoire ne peut être transféré sans le consentement des hommes et des femmes qui l'habitent. Non-reconnaissance du droit de conquête.

6. Soumission de la politique étrangère au contrôle démocratique.

7. Désarmement Général visant les gouvernements qui s'emparent des industries de munitions de guerre et du contrôle du commerce international de celles-ci.

8. Ouverture des routes commerciales au transport pour toutes les nations dans les mêmes conditions.

9. Investissement au risque de l'investisseur sans clause officielle de protection de la part de son gouvernement.

---

781 Cité par David Mitchell, 1971 : 162.
782 Idem I.W.W. : Industrial Workers of the World.
783 David Mitchell, 1971 : 163-164.
784 Dans le rapport annuel de la Branche de Brisbane de la Australian Women's Peace Army, voir Woman Voter du 15 mars 1917.

10. Invalidation des traités secrets et abandon de la théorie de l'équilibre des pouvoirs.

11. Restructuration de notre système social sur une base coopérative afin que la production et la distribution soient contrôlées par le peuple et pour le peuple.

12. Renvoi des conflits internationaux devant une cour internationale de justice où seront représentés les hommes et les femmes de toutes les classes."[785]

Ce programme prémonitoire provoqua sur place la violence des bellicistes. A Melbourne, une militante pacifiste fut malmenée physiquement par des conscrits lors d'une réunion contradictoire organisée par la Fraternité Anti-Conscription (N.C.F.). "Ils la jetèrent sur le sol et la bottèrent (…) elle fut ensuite attaquée (par derrière) par un certain nombre de soldats."[786]

Des textes fortement engagés sont produits par la mouvance pacifiste:

"JE SUIS UNE FEMME. Je dénie aux hommes et à l'Etat de me forcer à donner la vie contre ma volonté. Au nom du même principe, je reconnais que je n'ai pas le droit de forcer un homme à ôter la vie contre son gré. (...) JE SUIS UNE FEMME. Je sais que partout et toujours, quand les hommes font la guerre aux hommes, les souffrances de mes semblables sont d'une horreur indescriptible (…) Je n'approuverai pas le système de la guerre en forçant un homme, quel qu'il soit, à être soldat."[787]

Des chansons portent également les idées pacifistes. On chante :

"Tous les hommes sont frères et notre patrie c'est le monde."[788]

On prête aussi à Vida Golstein un appel exceptionnel d'une femme aux autres femmes :

"Vous qui donnez la vie, vous ne pouvez pas, si vous y réfléchissez profondément et sans faux-fuyants, voter pour qu'une mère puisse envoyer son fils tuer, contre son gré, le fils d'une autre mère.[789]"

Comme l'ont compris ces Australiennes, en participant à la guerre à quelque degré que ce soit, les femmes aggravent leur aliénation. Cette lucidité ne semble pas être partagée par les Françaises.

---

785 Cf. Programme du W.P.A.
786 Bruce Scates et Raelence Frances, 1997 : 75.
787 Eleonor Moore, 1917, 'Conscription and Moman's Loyalty, Melbourne', in Bruce Scates et Raelence Frances, 1997 : 75.
788 'Women's Anti-conscription Songs', La Trobe Library, Melbourne in Bruce Scates et Raelence Frances, 1997 : 82.
789 Bruce Scates et Raelence Frances, 1997 : 83.

2. Les femmes et le drapeau tricolore

"Si, en France, l'action féminine est "dans l'air du temps", elle apparaît comme "un loisir de femmes du monde émancipées plus qu'un véritable mouvement de contestation (...) [790]". "Comparée à l'énorme volume d'activité patriotique, l'opposition à l'effort de guerre des Françaises est presque négligeable."[791]

a) Velléités pacifistes

Le pacifisme, très minoritaire dans l'Hexagone, se heurte à la passion nationaliste du plus grand nombre. Pour Christine Bard (1993)

> "La fracture entre 'patriotes' et 'défaitistes' (...) n'engage pas l'existence du mouvement féministe tant la contestation pacifiste reste limitée à des groupes restreints."[792]

Un faible courant féministe contre la guerre existe néanmoins. Une section française du Comité International des Femmes pour la Paix Permanente (C.I.F.P.P.) est créée en France. Elle ne compte, en mars 1916, qu'une centaine d'adhérents. Parmi ceux-ci, se trouvent l'écrivain Romain Rolland (1866-1944) réfugié en Suisse[793] mais aussi des femmes comme la syndicaliste Jeanne Bouvier (1876-1935) et Jeanne Halbwachs (1890-1980). Cette dernière, amie du philosophe Alain[794], est la secrétaire générale de la branche française du Comité International des Femmes pour la Paix Permanente (C.I.F.P.P.).

Le développement du pacifisme subit, outre un défaut d'organisation qui le retient à l'écart des manifestations internationales pour la paix, une répression attentive exercée par les autorités contre les défaitistes. Ainsi, le Groupe des Femmes Socialistes[795], malgré son adhésion à l'Union Sacrée, choisit paradoxalement de "déclarer la

---

790 Becker Jean-Jacques et Berstein Serge, 1990, *Victoire et frustration, 1914-1929*, Paris, Edition du Seuil : 364.

791 James McMillan, 1981, *Housewife or Harlot : The place of Women in French Society 1870-1940*, Brighton, The Harvester Press : 112.

792 Christine Bard, 1993, *Les féminismes en France. Vers l'intégration des femmes dans la Cité 1914-1940*, thèse de doctorat sous la direction de Michelle Perrot, Université de Paris VII, U.F.R. Géographie, Histoire et Sciences de la Société, 4 volumes : 23.

793 James McMillan, 1981: 113.

794 Pseudonyme d'Emile-Auguste Chartier (1868-1951). Alain essaie de rapporter la philosophie à une science de la morale, cf. *Le Petit Robert 2 : Dictionnaire Universel des Noms propres*.

795 Créé par Louise Saumoneau et Elisabeth Renaud en 1899 et rallié en 1913 à la Section Française de l'Internationale Ouvrière (SFIO), cf. sous la direction d'Irène Corradin et Jacqueline Martin, 1999, *Les Femmes sujets d'histoire*, Toulouse, Presses Universitaires du Mirail.

guerre à la guerre"[796], mais ne répond pas à l'invitation de la Conférence Internationale des Femmes Socialistes tenue à Berne en 1915[797]. Seule Louise Saumoneau (1875-1950), une des deux fondatrices du Groupe des Femmes Socialistes, s'y rend mais sans être mandatée[798]. Auteure d'un pamphlet destiné aux femmes prolétariennes *Où sont vos époux ? Où sont vos fils ?*, elle est emprisonnée dès son retour de Berne en octobre 1915.[799]

Bien que l'opposition à la guerre ait plutôt touché les syndicats d'enseignement[800], les réunions attirent à peine quelques dizaines de personnes[801]. Gabrielle Duchêne (1870-1954), présidente de la section du travail de la Croisade Nationale des Femmes Françaises (C.N.F.F.)[802], est exclue de cette organisation lorsqu'elle devient correspondante du Comité International des Femmes pour la Paix Permanente (C.I.F.P.P).

En 1916, le gouvernement français interdit à Marie Mayoux (1878-1969), co-auteure [803] d'un manifeste contre la guerre à destination des instituteurs socialistes[804], de se rendre comme déléguée au Congrès International de Kienthal[805]. Elle et son mari seront victimes l'année suivante des mesures répressives du Premier ministre Georges Clemenceau (1841-1929).

En 1916 encore, Hélène Brion (1882-1962), responsable de la Fédération Nationale des Syndicats d'Instituteurs et auteure de *La Voie Féministe*[806] est inculpée pour défaitisme et jugée en conseil de guerre[807]. Quelques militantes féministes prennent courageusement sa défense, telle Marguerite Durand (1864-1936), fondatrice de *La Fronde*, quotidien féministe, ou Nelly Roussel (1878-1922), qui avait

---

796 James McMillan, 1981 : 113.
797 Idem.
798 Louise Saumoneau est l'unique Française parmi les 28 femmes présentes à cette conférence. James McMillan, 1981 : 113.
799 Idem.
800 James McMillan, 1981 : 114.
801 Idem.
802 James McMillan, 1981: 113.
803 James McMillan, 1981 : 114.
804 Françoise Thébaud signale un texte contre la guerre envoyé en 1915 aux hommes politiques et aux instituteurs. Françoise Thébaud, 1990, "Le Féminisme à l'épreuve de la guerre" in Rita Thalmann, 1990, *Entre Emancipation et Nationalisme - La Presse Féminine d'Europe 1914-1915*, Editions Deux temps-Tierce : 34.
805 Première conférence de socialistes opposés à la guerre, tenue en Suisse le 24 avril 1916, cf. *Enc. Univ.* 1998.
806 Ouvrage réédité en 1978, Paris, Syros.
807 James McMillan, 1981 : 114.

préconisé une "grève des ventres" en 1904, ainsi que Caroline Rémy (1855-1929), alias Séverine, une femme de lettres alors avantageusement connue sous son pseudonyme.

Traqués par la répression officielle, privés de leurs animateurs en exil, rejetés par les organisations syndicales, les pacifistes ne perturbent que médiocrement l'élan patriotique. Face à une invasion menaçante, le pacifisme est considéré par la majorité des Français comme une forme de désertion devant l'ennemi, trop proche d'un acte de trahison pour être acceptable. Le courant pacifiste, qui se manifeste plus par la parole et l'écrit que par l'action, est débordé par la conduite héroïque de Françaises qui entraînent le pays sur la voie patriotique.

b) L'élan patriotique des Françaises

La guerre de 1914 est accueillie en France comme la suite et la revanche du conflit anti-prussien de 1870. Depuis cette défaite, le patriotisme imprègne les hommes et les femmes de toutes les classes sociales. Peu de résistance à la mobilisation générale est observable dans les milieux populaires. La conscription masculine obligatoire efface, sans difficultés majeures, les différends entre les fractions sociales, aussi bien entre les classes qu'entre les sexes.

La guerre, entreprise masculine, contrôlée et menée exclusivement par les hommes, sera le piège tendu aux femmes les plus patriotes pour leur permettre de frôler, mais temporairement et sans lendemains, les vertus de la citoyenneté. C'est surtout, pour le plus grand nombre de femmes, une possibilité de se montrer dignes des tâches ancillaires qu'exige le combat des hommes.

Les hommes redécouvrent à cette occasion les qualités oubliées des femmes. Françoise Thébaud, dans ses ouvrages[808], nous donne des exemples éloquents de cette reconnaissance qui se révèlera une fois de plus comme un leurre. Ainsi, elle relève l'article d'un docteur en médecine faisant amende honorable du "préjugé suranné" qu'il avait pourtant lui-même exprimé sur cette question : Non ! c'est "une légende", la femme n'est pas

> "(...) physiquement, intellectuellement, psychiquement inférieure, fléchissant sous le choc de trop violentes émotions, succombant à un effort musculaire ou cérébral un peu prolongé."[809]

---

808 Françoise Thébaud, 1994, *La femme au temps de la guerre de 14*, Paris, Stock, (première et deuxième partie); et aussi in Georges Duby et Michelle Perrot, 1992 - 5, *Histoire des Femmes en Occident : le XXe siècle*, Paris, Plon.
809 Françoise Thébaud,1994 : 38.

Les hommes, constate Françoise Thébaud[810], reconnaissent opportunément que, sous l'effet de la guerre, les femmes acquièrent des qualités de simplicité et de patience "sources d'harmonie et de concorde" susceptibles de favoriser "un rapprochement des classes", que l'amour et l'énergie dont elles font preuve compensent "l'action d'horreur et de sang déchaînée par les hommes", que "la bonté féminine seconde le courage masculin".

L'homme politique Louis Barthou (1862-1934) découvre que la guerre suscite "les aptitudes morales et intellectuelles, professionnelles et sociales, énergétiques et physiques de la femme"[811]. Dans un poème, *La Louange des Femmes*, Saint-Georges de Bouhélier (1876-1947) chante leur "pitié paisible", leur "charité", leur "Foi en la France immortelle"[812]. Un film de propagande, *La Femme française pendant la guerre*, tourné par la Section Cinématographique des Armées, montre des femmes qui, n'écoutant que leur cœur, dispensent "fraternité et tendresse"[813]. Elles sont généreuses et répandent "l'espérance", "le réconfort" et "la joie" ; elles peuvent à la fois entretenir le souvenir et préparer l'avenir. La Française est "courageuse, patriote et maternelle"[814]. Les femmes étant appelées à remplacer les hommes au travail, il se révèle que, par chance pour les industriels, leurs qualités sont le "sérieux, la minutie, l'aptitude au travail monotone"[815]. Pour la femme de lettres Adrienne Blanc-Péridier (?-1965).

"Les hommes ont la lutte et la gloire et la mort,
Nous avons le travail patient, calme et fort. "[816]

Marcelle Capy (1891-1962), journaliste libertaire, dénonce l'hypocrisie masculine :

"La guerre a mué les Don Juans en Tartufes (…) Ils partent en guerre pour défendre le bon renom de la Française (…) Les voilà qui

---

810 Idem.
811 Cité par Françoise Thébaud, 1994 : 37.
812 Cité par Françoise Thébaud, 1994 : 36.
813 Cité par Françoise Thébaud, 1994 : 43.
814 Cité par Françoise Thébaud, 1994 : 44.
815 François Thébaud, 1992, "La Grande Guerre : le triomphe de la division sexuelle" in Georges Duby et Michelle Perrot, 1992 - 5 : 52. Voir aussi Laura Lee Downs, 2002, *L'inégalité à la chaîne (1914-1939)*, Paris, Albin Michel, qui évoque les "prétendues qualités naturelles" des femmes employées dans les usines au cours de la guerre 14-18.
816 Adrienne Blanc-Péridier, 1918, *Le Cantique de la Patrie 1914-1917*, Paris, Plon, cité par Françoise Thébaud, 1994 : 36.

ne tarissent plus sur son stoïcisme, son abnégation, sa grandeur d'âme."[817]

Dans ce climat, constate James McMillan (1981), "l'ensemble des féministes officielles furent converties en de ferventes patriotes."[818] Plusieurs Françaises, en effet, eurent une conduite héroïque au cours des hostilités, comme par exemple Louise de Bettignies (1880-1918).

"Née en 1880 d'une famille aristocratique enracinée du Hainault, elle organisa à partir d'octobre 1914, en collaboration avec les services de renseignements français, un vaste réseau d'information à Lille où deux fois par semaine des rapports arrivaient de Folkestone. (...) En août 1915 elle établit les bases d'une seconde organisation à Valenciennes, dont elle devint elle-même le chef des Services secrets pour le Nord de la France avec presque 200 agents sous sa direction. Pendant tout ce temps, sa maison fut le refuge constant de soldats et d'aviateurs anglais. En octobre 1915, elle fut trahie par une de ses collaboratrices et arrêtée par la police allemande. Incarcérée à la prison de Saint-Gilles, elle échappa au peloton d'exécution en raison du scandale provoqué par la mise à mort par les Allemands d'Edith Cavell [1865-1915]."[819]

D'autres femmes, condamnées à mort par l'armée allemande pour espionnage, s'inscrivent dans cet héroïsme patriotique L'une d'elles, Louise Thuliez (1881-1966)[820], fut sauvée par la "révolution allemande"[821] ; une autre, Jeanne de Belleville (1867-1953), fut graciée "(...) sur intervention du pape, du roi d'Espagne et de l'Amérique (...)"[822].

Aux côtés de ces femmes combattantes, quelques féministes contribuent à maintenir le patriotisme des Françaises. Ainsi, Jane Misme (1865-1935), l'une des plus influentes, considère qu'il faut, "le cœur déchiré, laisser agir les armes et couler le sang."[823] La revendication du droit de vote est délaissée au profit du patriotisme.

Le journal *Féminisme Intégral,* qui s'était prononcé clairement en 1913 contre le natalisme qu'on exigeait des femmes, craint que cette orientation soit jugée antinationale. Le même journal proclame dans

---

817 Marcelle Capy, auteure d'un pamphlet *Une voix de femme dans la mêlée* avec une préface de Romain Rolland, citée par Françoise Thébaud, 1994 : 39.
818 James McMillan, 1981 : 112.
819 James McMillan, 1981 : 109.
820 Le nom de Louise Thuliez est orthographié Thullier par James McMillan, 1981 : 109.
821 On apelle parfois "révolution allemande" le soulèvement du 9 novembre 1918 du parti socialiste et communiste Spartakus, animé entre autres par Rosa Luxembourg (1871-1919).
822 Françoise Thébaud, 1994 : 60-68.
823 Françoise Thébaud, 1990 : 32.

son éditorial de décembre 1915 que le "devoir intégral" des Françaises est "de pourvoir le pays en enfants, en beaucoup d'enfants pour combler les pertes."[824]

Dans l'esprit de ces transformations, le féminisme abandonne l'entente internationaliste au profit du nationalisme. Pour Jane Misme, "tant que durera la guerre, les femmes de l'ennemi seront aussi l'ennemi."[825] Aux initiatives de paix lancées par les féministes hollandaises en 1915, la Croisade Nationale des Femmes Françaises (C.N.F.F.) oppose un texte adressé à toutes les femmes des pays alliés et neutres déclarant qu'aucune coopération ne pourrait avoir lieu avec les femmes des nations ennemies qui "n'auraient pas désavoué les actes de leur gouvernement (...)".[826] La cohésion naturelle des féministes entre elles est soumise à la condition que les partenaires étrangères choisissent leur camp et "n'agissent pas simplement en faveur d'une paix sans vainqueur".[827]

Alors que le féminisme s'était manifesté comme pacifiste, anti-nataliste et internationaliste, il devient belliqueux, nationaliste et patriote. Pourquoi les femmes ont-elles ainsi changé ?

3. Guerre et piège

Si les femmes cessent "d'être féminines pour être patriotes", c'est en raison de la guerre. Comme l'observe Gaston Bouthoul (1951), "s'il est une ligne de démarcation à peu près absolue entre l'activité des deux sexes, c'est la guerre"[828]. La guerre, entreprise masculine par excellence, est un instrument majeur de la constitution des rapports de sexe. Elle impose aux femmes le patriotisme pour préserver leurs droits déjà inférieurs.

Les femmes qui ne disposent pas, en Grande-Bretagne comme en France, des mêmes droits civiques que les hommes, sont des sujettes plus que des citoyennes. Epouses, sœurs et mères de conscrits, elles auraient pu discuter la décision, prise sans elles, de jeter leurs hommes dans une entreprise fatale. Mais les mouvements qu'elles ont créés en temps de paix pour conquérir leur égalité civile sont délaissés comme la base d'une résistance à une guerre. Pendant la guerre, le féminisme

---

824 Marie-Monique Huss, 1988, "Pronatalism and the popular ideology of the child in wartime France : the evidence of the picture postcard" in Richard Wall, *The Upheaval of war*, Cambridge, Cambridge University Press : 330.
825 *La Française* du 19 novembre 1914.
826 James McMillan, 1981 : 112.
827 Françoise Thébaud, 1992 : 61.
828 Gaston Bouthoul, 1951, *Traité de polémologie. Sociologie des guerres*, Paris Payot.

est suspendu. Le patriotisme, idéologie masculine par excellence, s'avère plus convaincant que le désir de paix. A nouveau les femmes recouvrent des qualités égarées. Leur caractère féminin est rehaussé de vertus patriotiques : la haine de l'ennemi et la compassion pour leurs fils voués au sacrifice.

En France, on leur reconnaît des aptitudes intellectuelles et psychiques qui mèneront certaines d'entre elles jusqu'à un héroïsme sans retour. En Grande-Bretagne, les dirigeantes des mouvements féministes, bafouées et même maltraitées en temps de paix, gagnent l'écoute des hommes politiques. En attirant leurs militantes vers le patriotisme généré par la guerre, les féministes britanniques instigatrices de ce ralliement se hissent au niveau d'interlocutrices des "hommes" en charge de la politique militaire. Les Britanniques acquièrent ainsi une position influente sans comparaison avec celle que leur accordait leur irritant militantisme féministe.

En se ralliant à l'entreprise masculine de la guerre, les femmes s'alignent, comme l'ont compris les Australiennes, sur une idéologie qui leur est foncièrement étrangère. Une telle participation, à quelque degré que ce soit, aggrave leur aliénation. La guerre, qui porte une idéologie de mort oblitérant celle de la vie dont elles sont porteuses, doit les exclure.

L'exclusion des femmes des combats répond à une double raison : une mauvaise et une bonne. La mauvaise, flatteuse pour les hommes et celle qu'ils avancent le plus souvent, est la faiblesse supposée des femmes. Or, cette faiblesse n'est pas plus patente qu'elle n'est explicative. La force physique est variable selon les individus quel que soit leur sexe. Si la force était seule en cause, la catégorie sociale dominante serait mixte et pas seulement masculine. Pierre Samuel (1975) en montre de multiples exemples dans son ouvrage[829].

La bonne raison de l'exclusion des femmes des combats, moins complaisante pour les hommes, répond à une nécessité, celle d'assurer l'avenir de la collectivité. La participation des femmes à la guerre, leur conscription et leur mortalité à l'égal des hommes compromettraient gravement la reproduction de la communauté à laquelle elles appartiennent. Dans ces conditions, les femmes sont écartées des guerres dans presque toutes les sociétés et elles n'apprennent jamais à se battre. Mais, puisqu'il faut que les femmes soient épargnées pour préserver le devenir d'une population, il est donc logique que les

---

829 Pierre Samuel, 1975, *Amazones, guerrières et gaillardes*, Grenoble, Ed. Complexe.

hommes puissent être exposés et même sacrifiés sans compromettre le futur.

Pour gommer cette impotence, les hommes se drapent dans une de leurs propres "qualités spéciales", celle d'affronter le risque mortel de la guerre. Leur bravoure guerrière ne se manifeste pas seulement lors des conflits, mais elle les investit aussi d'une précellence qui s'étend à la plupart des circonstances de la vie sociale. La "valeur" acquise au combat nimbe les combattants d'une aura permanente qui les propulse à un rang supérieur de civisme. La guerre finie, chaque rescapé bénéficie personnellement de la gloire de tous ceux qui sont morts au combat. Il jouit de l'honneur qu'a acquis l'ensemble des autres combattants et en sort individuellement grandi.

En conséquence, la position des hommes comme protecteurs réels ou potentiels de la société leur donne licence d'intervenir partout dans le domaine public. Elle leur permet aussi d'en écarter les femmes, privées du prestige et de l'autorité qu'accorde la vertu protectrice dont les hommes ne cessent de tirer parti. La guerre pourrait bien être le terreau et le socle séculaire de la domination masculine.

CONCLUSION

L'étude, en Angleterre et en France, de la philanthropie comme fait historique et social susceptible d'ouvrir une voie à l'émancipation civile des femmes a permis de repérer les transformations des rapports entre les sexes au XIXe siècle.

Une des caractéristiques de ce travail sur *l'émancipation féminine à l'épreuve de la philanthropie* est d'avoir mis en opposition deux catégories d'individus avec, d'une part, une classe sociale dans son intégralité et d'autre part une fraction des milieux favorisés.

La rencontre entre les femmes et les pauvres se rapporte aux circonstances qui ont conduit les membres du sexe féminin des classes supérieures à accepter des tâches susceptibles de les introduire dans la sphère publique. C'est cette rencontre qui était au cœur de la discussion. Elle en a déterminé les modalités et les limites. Elle a parcouru l'ensemble de l'ouvrage.

On connaît par un travail ce qu'est l'état *Sans Visages*[830] de la pauvreté. On sait aussi que c'est une constante économique de l'histoire moderne. La pauvreté semble s'être aggravée entre le Moyen Age et le XXe siècle. En Angleterre, sous l'effet du mercantilisme et de la demande de l'industrie textile, les propriétaires fonciers ont consacré à l'élevage du mouton des terres vouées jusqu'alors aux productions vivrières. Des milliers de paysans ont été expropriés. En France comme en Angleterre, la suppression des clôtures rurales et la disparition des vaines pâtures les a chassés hors des domaines. Une partie des paysans, qui vivaient de la terre, furent livrés au vagabondage. Improductifs et besogneux, ils étaient considérés comme dangereux.

La pauvreté a fini par être jugée comme une punition divine dont la société n'a pas à atténuer la rigueur. Plusieurs traitements de la pauvreté ont été envisagés : la faim était préconisée comme stimulant

---

830 Arlette Farge, Jean-François Laé, Patrick Cingolani, 2004, *Sans Visages : L'impossible regard sur le pauvre*, Paris, Bayard.

au travail. Dans le cas où ce stimulant n'était pas assez puissant, la menace de la pendaison pouvait s'avérer efficace.

Le sort des pauvres était soumis à des lois visant à les mettre au travail et à les surveiller. Dès lors, l'enfermement apparaissait comme une solution institutionnelle à la pauvreté. La "loi des pauvres", conçue et appliquée en Angleterre à la fin du XVIe siècle, instaura au XVIIe siècle des *workhouses*. L' "oisif" y était séquestré avec toute sa famille dans l'attente de quelques besognes mal rémunérées. Ces maisons de travail ont duré au-delà de l'avènement du capitalisme industriel. En France, on a observé une évolution comparable. L'oisiveté et la mendicité étaient réprimées. Les pauvres furent déclarés dangereux dès la seconde moitié du XIIe siècle. L'expropriation des paysans s'est aggravée encore sous l'ère industrielle. Le machinisme agricole les a chassés des travaux ruraux.

Les indigents envahissaient les villes. Au chômage, mal rétribués, ils survivaient difficilement. Les plus démunis d'entre eux, ou les moins aptes à travailler régulièrement, étaient traités comme un rebut que les Anglais ont appelé un "*residuum*". Au XIXe siècle, la pauvreté se concentrait dans les villes, ce qui a incité les églises et les institutions charitables à réagir. Surtout, la société bourgeoise craignait une possible révolte sociale. Les réformateurs sociaux réfléchissaient à une nouvelle politique du contrôle des pauvres. Des nombreuses associations dites "philanthropiques" se sont créées.

La charité a fait longtemps une différence entre les pauvres selon leur degré d'invalidité. Par contre, la philanthropie distinguait surtout les "bons" et les "mauvais" pauvres. La charité agissait sur la masse des pauvres tandis que la philanthropie les traitait individuellement ce qui impliquait, selon une personnalité éminente de la Charity Organisation Society, une révolution dans les méthodes charitables.

Imprégnée de scientisme, la philanthropie s'est appliquée à différencier les indigents. Jusqu'à la guerre de 1914, les philanthropes anglais et français n'ont cessé de se préoccuper du classement des pauvres. Les "bons" pauvres, susceptibles d'être rééduqués pour devenir des membres acceptables de la société, étaient ceux que les philanthropes prenaient en charge. L'objectif était d'en faire des interlocuteurs ouverts à l'économie industrielle, à condition toutefois qu'ils ne succombent pas aux idéologies subversives, comme le socialisme. La philanthropie s'est saisie de la charité, vertu théologale, pour en faire un instrument d'action sociale. Mais l'une des faiblesses de la philanthropie était le partage de la population laborieuse en deux fractions : l'une jugée amendable et l'autre réputée dangereuse. Il importait donc aux philanthropes d'identifier, de mettre à l'écart et de neutraliser la seconde d'entre elles, c'est-à-dire le rebut.

Au XIXe siècle, l'aggravation de la misère suggéra aux classes supérieures de tempérer la pauvreté par une redistribution modérée des richesses. Les femmes furent invitées à accepter cette tâche d'intérêt public et à participer ainsi à la paix sociale. Il s'agissait de mobiliser, en tant qu'exemple, le sexe féminin traditionnellement attaché aux activités domestiques et familiales.

L'engagement des femmes dans la sphère publique s'expliquait désormais en raison de leurs facultés naturelles de compassion et de douceur. Des spécificités féminines, dites "qualités spéciales", prédisposant les épouses et les filles des classes supérieures à une action philanthropique efficace, sont découvertes. Un débat, opposant notamment Auguste Comte et John Stuart Mill, fixa le cadre d'une réflexion sur les qualités appropriées, toujours féminines naturellement, qu'il convenait d'accorder aux femmes pour justifier leur présence et leurs interventions dans des domaines traditionnellement masculins.

Au terme de cette réflexion, les femmes sont pressenties pour éduquer les classes inférieures. Elles devaient convaincre les pauvres que leur état pourrait s'améliorer s'ils changeaient de comportement, en particulier s'ils apprenaient à gérer leur budget. Ils pouvaient compter sur l'aide des personnes compétentes, qu'étaient précisément les "femmes d'intérieur" de bonne naissance, rompues à gérer raisonnablement l'argent du foyer et à en faire un bon usage.

Parées de vertus philanthropiques, les femmes du monde ont découvert devant elles une voie vers une éventuelle émancipation. Mais, peu préparées aux tâches administratives, elles n'avaient pas la maîtrise de ce nouvel espace. Elles étaient encore très dépendantes de leur entourage masculin. Leur entrée dans ce milieu nouveau pour elles qu'était la philanthropie s'organisait généralement sous l'auspice d'un père ou d'un mari. Le discours philanthropique restait saturé de préjugés affectant la condition des femmes. Il était imprégné de paternalisme. La famille, en effet, était considérée comme le modèle social le plus souhaitable et le plus capable de créer des liens pouvant associer entre eux tous les êtres. La mère en était le pôle, certes toujours placée sous la tutelle du père de famille. Elle était donc susceptible, par la philanthropie, d'étendre un lien fraternel aux bons pauvres. Elle pouvait, ce faisant, leur communiquer les valeurs bourgeoises d'ordre et d'épargne auxquelles elle avait été elle-même formée. Les vertus familiales se faisaient ainsi vertus sociales, vouées à construire une continuité entre les classes.

Si la philanthropie semblait de nature à assurer une émancipation aux femmes qui la pratiquaient, le présent travail a mis en lumière le facteur inhibant des vertus féminines. Enfermées dans leurs "qualités spéciales", les femmes philanthropes subissaient une déformation de leur représentation. La découverte d'aptitudes inédites chez les femmes les maintenait dans une position étrangère à celle des hommes. Leurs "qualités spéciales" contribuaient à tracer les contours d'une autre discrimination. Leur terrain d'action se retrouvait dimensionné à l'aune de cette nouvelle aliénation. Leurs qualités, parce que "spéciales", ne leur ont pas donné un accès à la société égal à celui dont bénéficiaient les hommes. Dès que les femmes ont accepté le système de valeurs masculin en adhérant à l'idée qu'elles présentaient des "qualités spéciales", elles se sont placées en position d'altérité, voire d'exclusion. Surtout, elles ont été situées dans une catégorie morale, distincte du statut légal des hommes.

Quelles que soient les appréciations portées sur les femmes de bonne naissance, ces appréciations ne se sont pas accompagnées de changements dans les droits dont elles jouissaient. Sur le plan légal, la hiérarchie des sexes est demeurée en l'état. Nous avons ainsi pu montrer que les compliments dont on a gratifié les femmes participaient d'un piège.

On a découvert à la *Charity Organisation Society* et à l'Office Central des Œuvres de Bienfaisance l'impuissance des femmes à transformer une société fondée sur l'autorité masculine. Nombre d'entre elles entretenaient par leur action un conservatisme qui entravait leur compréhension des problèmes sociaux.

Certes, on a constaté à la COS que des femmes ont gagné en influence, comme en témoignaient leurs responsabilités, leurs interventions et leurs travaux. Cependant, leurs actions étaient toujours mesurées à l'aune des vertus masculines qu'elles avaient su s'approprier.

A l'OCOB, les adhérentes se sont elles-mêmes désignées comme des mineures dépendantes de leurs époux. Leur recrutement est resté polarisé sur la haute aristocratie, ce qui n'a pas favorisé un militantisme actif. La philanthropie est restée un passe-temps mondain qui n'a guère eu d'effets sur le développement culturel des femmes philanthropes. Elles n'y ont gagné qu'un pouvoir assez fictif, ce que trahissaient les activités auxquelles elles étaient cantonnées : propagande et ventes de charité.

En définitive, les femmes philanthropes n'ont pu se valoriser qu'auprès de personnes appauvries, donc socialement affaiblies, obligatoirement déférentes et poliment reconnaissantes. L'expérience philanthropique a montré que les voies vers l'émancipation féminine, s'appuyant sur une quelconque spécificité biologique, ont été vouées à être réduites à celle-ci. Les femmes sont restées l'instrument de l'idéologie paternaliste dont elles ne sont pas parvenues à se départir.

Pour juger des entraves dont ont dû se libérer les femmes, il a fallu observer celles d'entre elles qui ont agi en dehors des associations philanthropiques. Des femmes éclairées, capables d'initiatives indépendantes de leur sexe, ont réalisé des œuvres de grande portée. Souvenons-nous en Angleterre de Florence Nightingale qui a opposé l'hôpital aux *workhouses* et a fondé des écoles d'infirmières. Adelaide Anderson, aux côtés des syndicalistes, Emma Parterson et Arabella Shore, ont mis en cause les conditions de travail des femmes dans les usines. Josephine Butler a engagé une campagne de portée internationale contre la prostitution. Elle s'est aussi attaquée avec Harriet Martineau et Mary Carpenter au trafic des enfants prostitués. En France, Léonie Chaptal a professionnalisé le métier d'infirmière. Julie-Victoire Daubié a surmonté les obstacles scolaires et universitaires dressés sur le chemin des femmes.

Les initiatives de ces femmes n'avaient pas initialement pour but de résoudre les problèmes qui se posent à leur classe, mais celui de mobiliser la société contre des injustices. Elles ont choisi leurs terrains et le contenu de leurs actions. Par ces initiatives, elles se sont dépouillées des qualités, dites "spéciales", qu'on leur avait attribuées et elles se sont construit une authentique personnalité féminine.

Il faut espérer que cet ouvrage contribuera à illustrer le fait que les femmes ne peuvent accéder à une véritable émancipation qu'à partir de la conquête de leurs droits et non en s'affublant des oripeaux que leur tendent les hommes. A la lumière de ce qui précède, il paraît évident que les qualités imaginaires dont on affecte les femmes philanthropes restent toujours plus aliénantes que libératrices. Surtout, elles sont moins solides que celles qu'elles ont acquises par elles-mêmes. A la différence des femmes dotées de "qualités spéciales", ce sont des femmes "sans qualité".

Les quelques progrès des femmes au XIXe siècle ne les protégeront pas d'un autre obstacle que celui de la philanthropie, à savoir la guerre.

En 1914, le déclenchement des hostilités contre l'Allemagne crée une nouvelle conjoncture politique à laquelle seront soumises autant les Anglaises que les Françaises. Dans un climat nationaliste intense, il n'était pas possible de s'afficher contre la guerre sans être taxé de trahison, sans diviser la nation et donc la mettre en péril. Les féministes anglaises, qui étaient sur le point de conquérir leurs droits civiques, délaissent leur lutte du jour au lendemain. Les plus actives d'entre elles, comme Emmeline et Christabel Pankhurst, pensaient pouvoir, par leur nationalisme intransigeant, intervenir sur la conduite de la guerre et peser sur les décisions des hommes au pouvoir.

Mais là n'était pas le devoir des femmes. Les hommes leur ont accordé de nouvelles vertus, susceptibles de seconder la bravoure masculine. Appelées à participer à l'effort de guerre, elles ont été gratifiées de qualités de sérieux ou de minutie, inaperçues jusqu'alors.

On leur a découvert aussi des qualités de courage qu'illustra la conduite héroïque de plusieurs d'entre elles. Ce courage, qui égalera celui des soldats les plus braves, est jugé comme une exception pour son sexe. Il ne conférera pas aux femmes après la guerre une gloire équivalente à celle dont se couvrit la gent masculine tout entière. Les femmes, même dotées de nouvelles vertus, ne figuraient pas parmi les personnes de plein droit.

Il est, dans l'histoire, deux épisodes qui auraient pu faire croire à une avancée vers la libération des femmes, mais qui se sont révélés être des freins. Le premier a eu lieu, lorsque, invitées de façon pressante dans des activités philanthropiques, elles sont restées enfermées dans le paternalisme, le second, lorsque que le suffragisme féminin était en voie d'aboutir, elles se sont alignées sur l'idéologie masculine de la guerre patriotique.

La volonté des pacifistes australiennes, en 1914, de priver les hommes de leur initiative concernant un conflit armé reste exemplaire. C'est une entreprise porteuse d'espoir pour construire une société intégralement humaine, parce qu'enfin exclusive d'aucun sexe.

TABLE DES ENCADRÉS

TABLE DES TABLEAUX

BIBLIOGRAPHIE

Seuls les documents d'époque ont été repris ci-dessous. La bibliographie complète sur laquelle s'appuie ce travail de recherche peut être consulté à la bibliothèque de la Maison des Sciences de l'Homme, ou à celle de Marguerite Durant ou encore au Musée Social.

I. Archives en anglais
The Charity Organisation Society
– *Annual Reports of the Council and District Committees,*
     1870 à 1914
– *The Charity Organisation Reporter,*
     vol. I, 1872 - vol. IV, 1875 - vol. IX, 1880.
– *The Charity Organisation Review,*
     vol. I, 1885 - vol. II, 1886 - vol. VI, 1890.
     vol. VII, 1891 - vol. XI, 1895.
– *The Charities Register and Digest,* 1895.
– *The Council Minutes Books,* 1890 à 1914.
Autres archives en anglais
– *The Times*   - Friday December 3, 1915.
              - Friday, February 4, 1916.
              - Tuesday, April 2, 1918.
– *Women's Local Government Society For Promoting the Eligibility of Women to Elect to and to Serve on all Local Governing Bodies,* 1893 à 1895.
– *Women's Local Government Society for Promoting the Eligibility of Women to Elect to and to Serve on all Local Governing Bodies,* 1896.
– *Royal Commission on Secondary Education, Minutes of Evidences,* 1894.

II. Archives en français
L'Office Central des Œuvres de Bienfaisance
– Annuaire, rapports et comptes rendus, 1892 à 1914.
– *Bulletin de l'Office Central des Œuvres de Bienfaisance,* 1 à 14.

Autres archives en français

- *Bottin Mondain*, 1903, Bottin S.A., Paris.
- *Congrès International d'Assistance Publique et de Bienfaisance Privée*, 1889 à 1910.
- *Congrès International de la Condition et des Droits de la Femme*, 1900, Paris.
- *Congrès International des Œuvres et Institutions Féminines*, 1902.
- *Congrès National d'Assistance Publique et de Bienfaisance Privée*, 1894 à 1911.
- *La Française*, 19 novembre 1914.
- *La France Charitable et Prévoyante*, 1899, Paris, Plon.
- *Manuel Pratique pour le Placement des Enfants Malades et des Vieillards*, 1927, Paris, Plon.
- *Paris Charitable et Prévoyant*, 1904, Paris, Plon.

III. Sources

- BAILEY John 1927, *The Diary of Lady Frederick Cavendish*, London, 2 vols, John Murray.
- BARBET Auguste 1831, "Rapport sur la question de la mendicité", in *Bulletin de la Société libre d'Emulation de Rouen*, cité par Yannick Marec, 1981, "Pauvres et miséreux à Rouen dans la première moitié du XIXe siècle, in *Cahiers des Annales de Normandie* , Caen, n° 13.
- BEAUFRETON Maurice 1911, *Assistance publique et charité privée*, avant-propos de Ferdinand - Dreyfus, *Encyclopédie internationale d'assistance, prévoyance, hygiène sociale et démographie*, Paris, M. Giard et E. Brière.
- BEROT-BERGER M.-L. (sans date), *La Dame Visiteuse dans la bienfaisance publique ou privée et dans le contrôle de la Loi Strauss, protectrice de la maternité*, Paris, M. Giard et E. Brière.
- BEVERIDGE William 1948, *Voluntary action : report on methods of social advance*, London, Allen and Unwin Ltd.
- BONNET Henri 1908, Paris qui souffre - La misère à Paris. Les Agents de l'assistance à domicile, *Etudes économiques et sociales*, Collège libre de sciences sociales, n° 4, Paris, V. Giard et E. Brière.
- BOOTH Charles 1903, *Life and Labour of the People of London* , London, Macmillan.
- BOSANQUET (DENDY) Helen 1895, *Aspects of the Social Problem*, London, Macmillan.
- BOSANQUET (DENDY) Helen, 1898, *Rich and Poor*, London Macmillan.

– BOSANQUET (DENDY) Helen, 1903, *The strength of the people : a study in social economics*, London, second edition, Macmillan.

– BOSANQUET (DENDY) Helen, 1906, *The standard of life and other reprinted essays*, London, second edition, Macmillan.

– BOSANQUET (DENDY) Helen, 1912, *The Poor Law Report of 1909 : A Summary Explaining the Defects of the Present System and the Principal Recommendations of the Commission, so far as related to England and Wales,* London, Macmillan.

– BOSANQUET (DENDY) Helen, 1912, *Social conditions in provincial towns,* London, Macmillan.

– BOSANQUET (DENDY) Helen, 1914, *Social Work in London 1869 to 1912. A History of the Charity Organisation Society*, London, John Murray.

– BOSANQUET (DENDY) Helen, 1919, *Zoar : a book of verse*, Oxford, Blackwell.

– BOULOUMIE Docteur 1898, "De l'entente à établir entre les bureaux de Bienfaisance et les œuvres d'assistance par le travail " in *Revue Philanthropique*, n° 2, mars.

– BRION Hélène 1978, *La Voie Féministe*, Paris, Syrios.

– BURET Eugène 1840, *De la misère des classes laborieuses en Angleterre et en France*, cité par Yannick Marec, 1981, "Pauvres et miséreux à Rouen dans la première moitié du XIXe siècle", in *Cahiers des Annales de Normandie,* Caen, n° 13.

– CABANIS P.-J.-G. 1802, *Rapport du physique et du moral de l'homme,* Paris, cité par Geneviève Fraisse, 1995, *Muse de la Raison : Démocratie et exclusion des femmes en France*, Paris, Gallimard.

– CAHEN PAUL 1900, *Les idées charitables aux XVIIe et XVIIIe siècles à Paris,* Mâcon, cité par Jacques Donzelot, 1977, *La police des familles,* Paris, Edition de Minuit.

– CAMP Maxime Du 1885, *La Charité Privée à Paris*, Librairie Hachette et Cie, Paris.

– CARLYLE Thomas 1843 "The Condition of England", *Past and Present* in Haight Gordon, 1972, *The Portable Victorian Reader,* Harmondsworth, Penguin.

– CARROLL Lewis 1989, " La vie à Oxford - Des étudiantes résidentes " in *Lewis Carroll - Œuvres*, Paris, Robert Laffont.

– CHEVALIER Emile 1855, *La loi des pauvres et la société anglaise*, Paris, Arthur Rousseau.

– COSTA DE BEAUREGARD Marquis 1896, *La Charité Sociale en Angleterre - les "College Settlements" et l'Union sociale catholique*, Paris, Plon.

– DISRAELI Benjamin 1845, *Sybil : or the two Nations*, Book II, Chapter 5, in Gordon S. Haight (ed.), 1972, *The Portable Victorian Reader,* Harmondsworth, Penguin.

– DREYFUS Ferdinand (sans date), *Encyclopédie internationale d'assistance, prévoyance, hygiène sociale et démographie*, Paris, M. Giard et E. Brière.

– DROUINEAU Docteur 1900, " Du fonctionnement et de l'efficacité des secours à domicile - entente établie ou à établir à cet égard entre l'assistance publique et la bienfaisance privée " in *Rapports et mémoires présentés au congrès international d'assistance publique et de bienfaisance privée*, 30 juillet au 5 août , vol. 1.

– DURKHEIM Emile 1973, *De la division du travail social*, Paris, 9ᵉ édition, Presses Universitaires de France.

– ENGELS Frederick 1969, *The Conditions of the Working Class in England*, London, Panther Books.

– ENGELS Emile 1969, *Explaining the Defects of the Present System and the Principal Recommendations of the Commission, so far as related to England and Wales*, London, Macmillan.

– GERANDO Joseph-Marie de 1820-1990, Le visiteur du pauvre, Paris, Jean-Michel Laplace, (*Cahier de Gradiva*), n° 15.

– GOURLET Appoline de 1904, "Colonies sociales. La résidence laïque dans les quartiers populaires", in *l'Action populaire*, 3e série, n° 37.

– GUIZART L. de *Rapport sur les travaux de la Société de morale chrétienne pendant l'année 1823-1824* cité par Jacques Donzelot, 1977, *La police des familles*, Paris, Editions de Minuit.

– HAUSSONVILLE Comtesse d' 1912, *La Charité à travers la Vie*, Paris, J. Gabalba et Cie.

– HEMYNG Bracebridge 1835, *Prostitution in London, in* Mayhew Henry, 1985, *London Labour and London Poor*, London, Penguin.

– HILL Octavia 1877, *Our Common Land*, London, Macmillan.

– HILL Octavia 1883, *Homes of the London Poor*, London, Macmillan.

– HILL Octavie 1921, *House property and its Management : some papers on the Methods of Management*, London, George Allen and Unwin Ltd.

– HOLLINSHED Raphael (sans date), " Description of England ", cité par Karl Marx, 1965, *Œuvres, Economie I*, Paris, Gallimard/La Pléiade.

– JALINE Jean de la 1909, *Le Suffrage Féminin en Angleterre et les Suffragettes,* Paris, Librairie des Publications Officielles du Bulletin des Lois.

– KENNEY Annie 1924, "Memories of a militant" in *The Macmillan Dictionary of Women's Biographie*, 1989, London, The Macmillan Press Ltd.

– LE PLAY Frédéric 1867, *La Réforme sociale en France*, Tome II : 413, cité par Robert Castel, 1995, *Les métamorphoses de la question sociale : une chronique du salariat,* Paris, Fayard.

– LEFEBURE Léon 1900, *L'organisation de la charité privée en France - Histoire d'une œuvre,* Paris, Firmin-Didot et Cie.

– LELONG P. S. 1848, "Essai pour parvenir à la solution de la plus grave question qui puisse préoccuper les amis de l'ordre de l'humanité : amélioration du sort des travailleurs", *Revue de Rouen.*

– LOCH Charles 1892, *Charity Organisation,* London, Swan Sonnerschein and Co.

– LUCIPIA Louis 1899, " Les services de fraternité sociale dans le IIIe arr. de Paris " in *Revue Philanthropique*, n° 5, mai.

– MACKAY Thomas 1889, *The Danger of Democracy : studies in the Economic Questions of the Day*, London, John Murray.

– MARX Karl 1965, *Œuvres, Economie I,* Paris, Gallimard / La Pléiade.

– MAYHEW Henry 1849, *"Prostitution among needlewomen"*, in *Morning Chronicle,* n° 13, *November.*

– MAYHEW Henry 1985, *London Labour and London Poor*, London, Penguin.

– MILL John Stuart 1987, "On the subjection of women" in Patricia Hollis, 1979, *Women in Public : The Women's Movement 1850-1900*, London, George Allen and Unwin Ldt.

– MONOD Henri 1901, " Bienfaisance Privée et Assistance Publique " in *Revue Philanthropique,* n° 9, juin.

– MORE Hannah 1809, "Coelebs in search of a wife", in Patricia Hollis, 1979, *Women in Public : The Women's Movement 1850-1900*, London, George Allen and Unwin Ldt.

– PANKHURST Christabel 1916-1919, Lettres manuscrites en anglais ou en français adressées à la baronne de Brimont à Paris Bibliothèque Marguerite Durand, Paris.

– PANKHURST Christabel 1940, *The Uncurtained Future : a panorama of History Past Present and to Come*, London, Hodder and Stoughton.

– PANKHURST Emmeline 1914, *My Own Story*, London, Eveleigh Nash.

– PARKER Theodore (sans date), "A sermon on the public function of Woman", cité par Franck Prochaska, 1980, *Women and Philanthropy in 19th century England*, Oxford, Clarendon Press.

– PAULIAN Louis 1900, " Nécessité d'un lien commun entre les diverses œuvres charitables publiques et privées - création d'un hôtel central et d'une caisse centrale des œuvres charitables privées " in *Rapports et mémoires présentés au congrès international d'assistance publique et de bienfaisance privée* Paris, 30 juillet au 5 août, vol. 1.

– PERROY 1927, *M. Madeleine Carsignol*, Paris, Spes., cité par Jeaninne Verdès-Leroux, 1978, *Le travail social*, Paris, Les Editions de Minuit.

– PICKTON Miss 1896, "The work of District Committees" *Council Minutes Book*, March 23.

– PICOT Georges 1900, " La bienfaisance privée " in *Rapports et mémoires présentés au congrès international d'assistance publique et de bienfaisance privée,* Paris, 30 juillet au 5 août, vol. 1.

– RIVIERE Louis 1900, " Du fonctionnement et de l'efficacité des secours à domicile - entente établie ou à établir à cet égard entre l'assistance publique et la bienfaisance privée " in *Rapports et mémoires présentés au congrès international d'assistance publique et de bienfaisance privée,* Paris, 30 juillet au 5 août, vol. 1.

– RIVIERE Louis 1901, « Les Offices centraux et l'organisation de la charité », in *Revue Philanthropique,* n° 8, avril.

– RONDEL Georges 1912, " La protection des faibles, assistance et bienfaisance ", *Encyclopédie scientifique*, Bibliothèque de sociologie appliquée, Paris, O. Doin et fils.

– ROUSSEAU Jean-Jacques 1966, *Emile ou de l'éducation,* Paris, Flammarion.

– ROWNTREE Seebohm 1901, *Poverty : A Study of Town Life,* London, Longman.

– SABRAN Herman 1900, "Du fonctionnement et de l'efficacité des secours à domicile - entente établie ou à établir à cet égard entre l'assistance publique et la bienfaisance privée" in *Rapports et mémoire présentés au Congrès international d'assistance publique et de bienfaisance privée,* Paris, 30 juillet au 5 août, vol. 1.

– SEWELL Margaret 1897, "Some aspects of Charity Organisation" in *Council Minutes Book,* November 29.

– STEAD W.T. 1885, *"The maiden tribute to modern Babylon",* in *Pall Mall Gazette,* n° 6 July.

– STRAUSS Paul 1897, " Notre Programme " in *Revue Philanthropique,* n° 1, mai.

– TENNYSON Alfred, 'The Princes', in François Bédarida, 1990, *La société anglaise, du milieu du XIXe siècle à nos jours,* Paris, Seuil.

– TOCQUEVILLE Alexis de 1835, "Mémoire sur le paupérisme", in 1986 *Canadian Social Work Review,* n° 83, Ottawa.

– TOWNSEND Reverend 1786, 'A Political Enquiry into the consequence of enclosing waste Lands - A dissertation on the Poor Laws - by a Well-wisher of mankind', cité par Karl Marx, 1965, *Œuvres, Economie I,* Paris, Gallimard - La Pléiade.

– VALETTE Aline 1897-1984, "La Fronde", in Marcelle Capy et Aline Valette, 1984, *Femmes et Travail au XIXe siècle,* Paris, Syros.

– VILLERME Louis-René 1840, *Tableau de l'état physique et moral des ouvriers employés dans les manufactures de coton, de laine et de soie,* Paris, Jules Renouard et Cie (réédition E.D.I., Paris, 1989).

– WEBB Beatrice 1979, *My apprenticeship,* Cambridge, Cambridge University Press.

– WEBB Sidney et Beatrice 1909, *The Public Organisation of the Labour Market : Being Part II of the Minority Report of the Poor Law Commission,* London, Longman.

– WEBB Sidney et Beatrice 1911, *The prevention of destitution,* London, Longman.

– WEBB Sidney et Beatrice 1912, *Le problème de l'Assistance Publique en Angleterre,* Paris, Marcel Rivière et Cie.

– WOLLSTONECRAFT Mary 1792, *A Vindication of the Rights of Women,* cité par Olive Banks 1996, *Faces of Feminism : A study of Feminism as a Social Movement,* Oxford, Basil Blackwell.

INDEX

TABLE DES MATIÈRES

Chapitre VII
Ecrire et Parler

Chapitre VIII
L'absence de pouvoir des femmes

TABLE DES MATIERES